제3판

法學原論
법학원론

허순철 지음

法 文 社

BASIC PRINCIPLES OF LEGAL STUDIES

Professor of Law, Dr. Dr. Soon Chul Huh(Ph.D., S.J.D.)
at Kyungnam University

BOBMUNSA
Paju, the Republic of Korea

제3판 머리말

'법학원론'을 공부하는데 있어서 가장 중요한 것은 무엇일까? 이 책의 초판 머리말에서도 나는 '법에 대한 흥미'를 강조하였다. 나는 지난 15년 여의 시간 동안 대학에서 '법학원론'을 강의하면서 학생들이 '흥미' 또는 '재미'를 느끼는 것이 가장 중요하다는 것을 새삼 깨닫게 되었다.[1] 누구나 재미있는 영화나 드라마가 오랫동안 기억에 남아 있는 것을 경험한 적이 있을 것이다. 학창시절에 자기가 좋아하던 과목에서 상대적으로 좋은 점수를 받았던 것은 어찌 보면 당연하다. 흥미가 있으니 그 과목에 더 많은 시간을 들여 공부했을 테니까.

'법학원론'을 공부하는 것도 마찬가지다. '재미'가 없다면 법학원론은 어렵고 따분한 과목일 수밖에 없다. 법학을 처음 공부하는 사람이 '법학원론'을 재미없고 어려운 공부라고 생각하게 된다면 법학이라는 전문지식을 얻기는 어려울 것이다. 그런 의미에서 나는 매 학기 '법학원론' 강의 첫 시간에 학생들에게 "법학에 대한 흥미를 갖게 하는 것"이 '법학원론'의 가장 큰 목표이자 유일한 목표라고 강조한다. 물론 평소에 들어본 적이 없는 어려운 한자말로 된 길고 복잡한 문장을 읽으면서 '흥미'나 '재미'를 찾는 것은 쉽지 않다. 특히, 유튜브나 인스타그램 등 시각적 정보에 익숙한 '요즘' 학생들에게 문해력文解力을 필요로 하는 법학이 어려운 것은 당연하다.

그렇다면 과연 방법은 없는 것일까? 이 책의 초판 머리말에서도 강조하였듯이, 나는 그 해답이 사례와 소크라테스의 문답식 공부Socratic method에 있다고 생각한다. 학생들이 교과서를 미리 읽고 와서 담당교수

---

1. 금태섭 변호사도 그가 쓴 책의 "지은이의 말"에서 "법은, 또한 흥미진진하다"고 말하고 있다. 금태섭, 디케의 눈, 궁리, 2008, 7쪽.

의 질문에 대답하는 방식이 바로 그것이다. 물론 미국의 로스쿨에서처럼 교과서를 읽어 오지 않고 수업에 참여한 학생에게 어려운 질문을 퍼부어 궁지로 몰아넣고 창피를 주는 비인간적인 교수도 있을 수 있다. 그렇지만 이러한 수업방식의 바탕에는 학생의 '흥미'나 '재미'를 이끌어 내려는 의도가 숨어 있다고 생각한다.

이 책은 바로 그러한 의도로 만들어졌고, 앞으로 더 보완될 것이라고 말하고 싶다. 그래서 나는 '법학원론'을 읽고 공부하는 사람들에게 흥미나 재미를 '이끌어' 내기 위해 가능한 한 사례 위주로 설명하고, "흥미진진한" 판례들을 찾아 소개하려고 노력하였다.

법학 공부는 통찰력을 필요로 한다. 물리학 공부처럼 천재적인 사고를 필요로 하는 것이 아니라 세심한 관찰력과 사고思考가 필수적이다. 이를 위해서는 반복적으로 문장을 읽고 이해하려는 노력을 해야 한다. 법학은 전문지식이므로, 우리는 변호사에게 높은 보수를 지급하고 법률서비스를 받는 것이다. 누구나 손쉽게 얻을 수 있는 지식이라면 굳이 많은 돈을 지불할 이유가 없다. 그런 법학을 처음 공부하는 사람들을 위해 이 책은 최대한 '흥미'와 '재미'를 이끌어 내려 하였지만, 그것들을 찾아내는 건 여러분의 노력이다. 공자께서 "배우고 때때로 그것을 익히면 매우 기쁘지 않겠는가?"라고 말씀하신 것은 우리에게 "공부하는 즐거움"을 일깨워 주시려던 것이라고 생각한다.[2] 이 책이 그 공부하는 즐거움에 조금이나마 도움이 되었으면 하는 바람이다.

'법학원론' 제2판을 출간한 지 약 5년 여의 시간이 지났다. 이번 개정판에서는 자력구제, 낙태죄, 주거침입죄, 법정소동죄, 진정소급입법과 부진정소급입법 등에 관한 헌법재판소와 대법원의 판례들을 반영하였

---

2. 논어(論語), 학이(學而) "子曰: 學而時習之 不亦說乎"(김학주 편저, 논어, 서울대학교출판부, 1985, 97쪽); The Analects of Confucius 16(Burton Watson trans., Columbia University Press 2007)("The Master said, Studying, and from time to time going over what you've learned-that's enjoyable, isn't it?").

다. 이번 개정판은 법문사에서 출간을 허락해 주셨다. 권혁기 차장님과 편집을 맡아 주신 배은영 선생님께 감사의 말씀을 드린다.

2023년 3월
저자 허 순 철

제2판 머리말

이 책의 초판인 「법학의 기초」를 출간한 지 벌써 8년이 되었다. 그 동안 헌법재판소가 간통죄를 위헌으로 선언하고, 박근혜 전 대통령에 대한 탄핵심판청구를 인용하는 등 법적인 영역에서도 여러 가지 변화가 있었다. 개인적으로는 미국 아이오와대학교University of Iowa 로스쿨의 존 라이츠John C. Reitz 교수님의 지도 아래 다시 학생으로 돌아가 공부를 할 수 있는 기회를 가지기도 했었다.

이번에 제2판을 내면서 책의 제목을 새로운 교과과정에 맞춰 「법학원론」으로 변경하고, '법학은 정말 재미없는 학문인가'를 제1장 제3절에 추가하였다. 아울러 초판을 출간한 이후 강의를 하면서 틈틈이 메모해 두었던 부분들을 이번 기회에 수정·보완하였다. 존속살해죄와 도덕, 간통죄와 도덕, 법과 도덕의 사실상 구별, 착한 사마리아인의 법과 사무관리, 한시법, 대통령의 불소추특권, 국회의원의 불체포특권, 포괄위임금지원칙, 분묘기지권, 명인방법, 동산의 양도담보, 법해석의 필요성, 반대해석 등이 그것이다. 그렇지만 초판과 마찬가지로 기존의 법학원론 내지 법학입문 류類의 책들과 달리 헌법, 민법, 형법 등 세부적인 각론 분야에 대한 내용은 이번에도 넣지 아니하였다. 법학 전반에 대한 공통분모라고 할 수 있는 기본적인 개념과 이론 및 판례에 대한 이해만으로도 법학원론이라는 책이 갖추어야 할 기본적인 내용은 모두 담았다고 생각하기 때문이다.

제2판을 출간하는 작업도 경남대학교 출판부의 김미숙 선생님께서 해주셨다. 이번 기회를 빌려 다시 한번 감사하다는 말씀을 드린다.

2018년 3월

저자 허 순 철

머리말

이 책은 법학을 처음 공부하는 사람들을 위한 교재로 만들어 졌다. 입문서로서의 법학통론, 법학개론, 법학입문 등의 교재들은 이미 많이 있다. 그런데 이런 교재들은 대부분 헌법학, 행정법학, 민법학, 형법학, 상법학 등 법학의 여러 분야들을 포함하고 있다. 그러다 보니 내용이 매우 간략하게 서술되어 있어서 이를 이해하는 것이 어렵게 되어 있다. 법학의 세부적인 학문 분야는 법학도라면 자연히 접하게 되는 분야이므로 법학의 기초라는 이름으로 나중에 깊이 있게 공부할 분야를 요약해서 소개할 필요는 없다고 본다. 그러한 세부적인 분야에 관한 내용은 법학의 기초를 쌓는데 필요한 범위에서 그때그때의 필요에 따라 설명하는 것으로 족하다. 이에 본 교재는 개별 법학이라는 각론 보다는 입문서로서의 역할에 충실하고자 하였다.

대법원 재판연구관을 사직하고 마산으로 내려와 학생들에게 헌법과 법학의 기초를 강의한지 3년이 지났다. 사실 법학의 기초란 과목은 어느 대학에서든 법철학과 같은 기초법을 연구하는 교수가 강의하는 것이 일반적이고, 만약 그러한 전공교수가 없는 경우에는 법학을 가장 오랫동안 연구하고 강의한 교수가 맡는 것이 보통일 것이다. 그럼에도 불구하고, 새내기 학자에 불과한 내가 강의를 맡게 된 것에 대해 학생들에게 늘 미안한 마음을 갖고 있었다. 또한 어떻게 가르치면 학생들이 제대로 기초를 다질 수 있겠는가의 문제는 늘 내게 숙제였다.

그런데 법학의 기초를 가르치면서 내가 지향하는 나름대로의 목표가 있다고 한다면 그것은 바로 '법에 대한 흥미'이다. 법학을 전공하고자 대학에 들어온 새내기 법학도가 첫 학기 법학과목에서부터 법이 대단히 어렵고 따분한 학문이란 생각을 하게 된다면 이보다 더 난감한 일은 없을 것이다. 만약 법학에 대한 흥미만 갖게 해 준다면 스스로 공부할 테니 법학의 기초란 과목의 목표는 달성된 것이나 다름없다고 할 것이다. 그렇다면 어떻게 강의할 때 법학이 흥미롭고 재미있는 학문이 될 것인가? 내가 나름대로 생각한 해답은 사례위주의 강의였다. 추상적이고 어려운 한자말로 강의하지 말고, 재미있는 사례를 예로 들어 설명하는 것이다. 이러한 방법은 미국의 로스쿨들이 사용하고 있는 이른바 소크라테스식 문답법이기도 하다.

돌이켜보면 내가 대학 1학년이던 그해 처음으로 교수님들을 뵙는 자리가 있었다. 교수님들께서는 신입생인 우리들에게 뭐든 좋으니 궁금한 게 있으면 물어보라고 하셨다. 다들 어색한 얼굴로 서로의 얼굴만 쳐다보고 있었는데, 동기 중 한명이 손을 번쩍 들더니, “교수님! 대체 법이 뭡니까?”라고 물었다. 다소 엉뚱하기도 하고 당돌하기도 한 질문에 당시 가장 원로이셨던 교수님께서 “글쎄 … 내가 법학을 공부한지 삼십년이 넘었는데, 아직도 법이 뭔지 모르겠는데 …, 만약 그게 뭔지 안다면 벌써 노벨상을 받지 않았을까?”라고 웃으시며 말씀하시는 것이었다.

법학은 어려운 학문이다. 중 · 고등학교 때 한자를 제대로 공부하지 않은 학생은 법전과 교과서를 읽는 것조차 버거워한다. 물론 요즘은 한자를 많이 쓴 책이 팔리지 않아서 한글로 쓴 책이 인기지만, 한자를 한글로 써놨다고 하더라도 읽을 수는 있으되 그 뜻을 제대로 알기가 어려운 경우가 많다. 나는 ‘법학의 기초’ 중의 기초는 한자라고 생각한다. 아름다운 우리말을 쓰는 것이 좋다는데 이의를 제기할 사람은 없을 것이다. 그러나 법학은 한자를 모르면 이해하기 어려운 말들이 많다. 법학을 공부하는 사람이 한자를 몰라서 법전을 제대로 읽지도 못한다면 말이 되겠는가?

마지막으로 이 책이 출간되는데 있어서 여러 선생님들께 감사를 드려야겠다. 먼저 저자를 학문의 길로 이끌어 주신 은사이신 한양대 권형준 교수님께 감사드린다. 그리고 이 책의 전체적인 목차를 직접 만들어 주시고 조언을 해 주신 경남대 법학부의 최영규 교수님께도 감사드린다. 아마도 최 교수님의 도움이 없었다면 책이 출간되지 못했을 것이다. 아울러 구속영장 등을 비롯한 각종 실무자료들을 통해 살아있는 법학의 기초가 될 수 있도록 도움을 주신 창원지방검찰청의 박현철 검사님께도 감사드린다.

2010. 2

저자 허 순 철

차 례

제 1 장 I 왜 법을 공부해야 하는가

제 2 장 I 법이란 무엇인가

제 4 장 | 법에는 어떤 것들이 있는가

제 5 장 ㅣ 법은 어떻게 만들어지고 실현되는가

제 6 장 ㅣ 세계 각국의 법에는 어떠한 것들이 있는가

제 7 장 | 법 전반에 공통된 중요한 법 개념에는 어떤 것들이 있는가

제 8 장 | 법을 어떻게 공부할 것인가

제 1 장

왜 법을 공부해야 하는가

제 1 장

왜 법을 공부해야 하는가

제1절 | 법을 공부하는 목적

흔히들 선한 사람을 가리켜 '법 없어도 살 사람'이라고 한다. 그런데 이 말은 선한 사람이라는 본래의 의미 이외에도 여러 가지로 해석될 수 있을 것이다. 사람이 세상을 살아가는데 있어서 법이 없어도 된다면 없는 것이 더 좋다거나, 그럼에도 불구하고 법은 꼭 필요하다는 등의 해석도 가능할 것이다. 그런데 우리는 왜 법을 공부해야 하는가? 이는 법학 공부를 시작하기에 앞서 누구나 한 번쯤은 생각해 봐야 할 문제라고 할 것이다. 왜 법학을 공부할 것인가에 대한 생각도 없이 공부를 시작하는 것은 목적지를 정하지 않고 바다를 항해하려는 것과 같기 때문이다.

법을 공부하는 이유는 아마도 각자가 처한 상황이나 법을 공부하려는 목적에 따라 다를 것이다. 먼저, 학문으로서의 법을 공부해 보려는 경우를 생각해 볼 수 있다. 대학원생과 같이 학문적인 탐구를 위해 법을 공부하는 사람이 주로 여기에 해당할 것이다. 그런데 법학을 학문으로서 연구하는 것은 쉽지 않다는데 별 이견이 없을 것이다. 모든 학문분야가 다 그렇지만, 법학 역시 흥미를 가지지 않고서는 깊이 있는 연구를 할 수 없는 어려운 분야이다. 물론 법대나 법학전문대학원의 학생들 중에도 법을 학문으로 연구하려는 경우가 있을 것이다. 그러나 대부분의 경우에는 학문으로서의 공부 보다는 법조인과 같은 전문인으로서 갖추어야 할 지식을 쌓기 위해 공부하는 경우가 대부분일 것이다. 아마도 이러한 목적으로 법학을 공부하는 것이 가장 보편적인 경우라고 생각된다.

그런데 사회가 복잡해지고 다양해질수록 다른 사람과의 분쟁이 발생할 가능성은 더욱 커지게 된다. 그러한 분쟁을 해결하는 수단 중의 하나가 바로 법이다. 따라서 어느 사회에든 법학이라는 전문지식을 가진 자가 필요하게 된다. 그러므로 법조인은 사회가 중요한 가치를 부여하는 매력적인 직업 중의 하나라고 할 것이다. 나아가 자신이 가지고 있는 전문지식을 이용하여 다른 사람에게 도움을 주는 것 또한 바람직한 법조인의 모습이라고 하겠다.

반면에 '생활법률'과 같은 과목을 수강하는 비법학도는 교양인으로서 갖추어야 할 소양 때문에 법을 공부해 보고자 하는 경우일 것이다. 이들은 철학, 경제학, 역사학, 사회학, 심리학 등을 공부하는 것과 마찬가지로 지성인으로서 알아야 할 최소한이라 생각되어 법을 공부하는 경우이다. 따라서 금전 및 부동산 거래, 주택임대차, 혼인과 이혼, 교통사고의 법적 문제 등과 같이 일상생활에서 겪게 되는 법적인 문제들을 중심으로 이를 대처하는 방법에 관하여 공부하는 경우가 일반적일 것이다. 이 경우는 학문으로서의 법보다는 사회생활을 함에 있어서 겪게 되는 다른 사람과의 법률관계나 분쟁을 어떻게 해결할 것인가에 관한 지식을 얻는 데에 주된 목적이 있다.

제2절 ｜ 법학공부의 필요성

법학을 공부하려는 목적이 법학공부의 필요성이라고도 할 수 있다. 그런데 법이 우리의 사회생활에 어떠한 역할을 하는가를 이해한다면 법학공부의 필요성이 더 명확해지리라고 본다. 이해를 돕기 위해 미국에서의 법학교육을 참고해 보기로 한다. 미국 내 어느 로스쿨의 1학년 재산법property law 강의 첫 시간에 교수는 다음과 같은 사례를 예로 든다.[1]

혼자 무인도에 살고 있는 로빈슨 크루소Robinson Crusoe의 고립된 세계를 상상해 보라. 숙소shelter를 마련하기 위해 로빈슨은 나무집을 지었다. 누가 그 집을 소유하는가? 만약 로빈슨이 그 집을 소유한다면, 소유권ownership을 표상하는 어떤 특징들이 있어야 할 것이다. 무엇이 그러한 특징들인지 말할 수 있는가? 만약 여러분이 그러한 특징들을 설명할 수 없다면, 왜 그런 것일까? 만약 그러한 특징들을 설명하지 못한다면 그 집이 로빈슨의 소유라는 처음 결론이 잘못되었을 수도 있다는 것을 의미하는 것인가?

로빈슨이 무인도에 도착한 지 몇 달이 지나서 프라이데이Friday가 그 섬에 왔다. 프라이데이 역시 그 섬에서 피난처를 찾고 있으며, 로빈슨이 지은 집을 발견하고는, 로빈슨이 그 집의 소유권을 주장하고 있음에도 불구하고 로빈슨을 몰아내려고 시도한다. 만약 그들이 그 집의 소유권에 관하여 합의에 도달하지 못한다면, 그들의 소유권 분쟁은 어떻게 해결되어야 할 것 같은가?

프라이데이가 그 섬에 도착한 지 몇 달이 지나서 여러분이 그 섬에 도착하였는데, 소유권 분쟁을 만족스럽게 해결하지 못한 로빈슨과 프라이데이는 누가 그 집의 소유권을 가지고 있는지를 당신이 판단해 주는 데에 동의했다고 가정하라. 당신은 누구의 편을 들어 그 소유권 분쟁을 해결할 것이며, 그 이유는 무엇인가?

당신은 로빈슨이 그 집을 소유하는 것으로 판단했다고 가정해 보라. 어떤 경우에 프라이데이가 당신의 결정에 따를 것인가? 만약 프라이데이가 당신의 결정에 따르기를 거부한다면, 당신은 그에게 어떻게 하라고 할 것인가?

1. Sheldon F. Kurtz et al., American Property Law 1-2(West, 2003).

위에서 제시한 사례는 다니엘 데포Daniel Defoe, 1659-1731의 소설 '로빈슨 크루소Robinson Crusoe'[2]를 토대로 만들어진 것이다. 이 사례를 통해 우리는 많은 것을 생각해 볼 수 있다. 먼저, 로빈슨이 죽을 때까지 그 무인도에서 혼자 살았다면 어떠했을까? 만약 그랬다면 위에서와 같은 분쟁은 생기지 않았을 것이다. 왜냐하면 분쟁은 타인과의 '관계'에서 생겨나기 때문이다. 무인도에 로빈슨과 프라이데이라는 두 사람이 있기 때문에 분쟁이 발생할 가능성이 생기는 것이다.

오늘날 인간은 필연적으로 타인과 일정한 관계를 맺으며 살아갈 수밖에 없으며, 그러한 관계는 사회라는 공동체 안에서 만들어진다. 아리스토텔레스Aristotle, 384 B.C.–322 B.C.가 "인간은 사회적 동물이다"라는 유명한 말을 한 것도 이 때문일 것이다. 그런데 인간이 사회에서 생활을 하게 되면 타인과의 분쟁이 생기기 마련이다. 그러한 분쟁을 해결하는 방법에는 여러 가지가 있다. 먼저 싸움이나 전쟁으로 해결하는 방법을 생각해 볼 수 있다. 원시시대에는 그러한 싸움이나 전쟁이 가장 중요하고도 공식적으로 용인되는 분쟁해결 수단이었다.

그러나 오늘날 분쟁해결을 위한 가장 중요한 수단은 바로 법이다. 아주 예외적인 경우를 제외하고는 사인私人의 자력구제自力救濟는 금지되고, 국가를 통해 분쟁을 해결해야 한다. 예를 들어, 「민법」 제209조자력구제는 "① 점유자는 그 점유를 부정히 침탈 또는 방해하는 행위에 대하여 자력으로써 이를 방위할 수 있다. ② 점유물이 침탈되었을 경우에 부동산일 때에는 점유자는 침탈 후 직시 가해자를 배제하여 이를 탈환할 수 있고 동산일 때에는 점유자는 현장에서 또는 추적하여 가해자로부터 이를 탈환할 수 있다"고 규정하고 있다. 대법원은 "집행관이 집행채권자 갑 조합 소유 아파트에서 유치권을 주장하는 피고인을 상대로 부동산인도집행을 실시하자, 피고인이 이에 불만을 갖고 아파트 출입문

2. Daniel Defoe, Robinson Crusoe(Public-School Publishing Company, 1902).

과 잠금 장치를 훼손하며 강제로 개방하고 아파트에 들어갔다고 하여 재물손괴 및 건조물침입으로 기소된 사안"에서, "민법 제209조 제2항 전단은 '점유물이 침탈되었을 경우에 부동산일 때에는 점유자는 침탈 후 직시直時 가해자를 배제하여 이를 탈환할 수 있다'고 하여 자력구제권 중 부동산에 관한 자력탈환권에 관하여 규정하고 있다. 여기에서 '직시直時'란 '객관적으로 가능한 한 신속히' 또는 '사회관념상 가해자를 배제하여 점유를 회복하는 데 필요하다고 인정되는 범위 안에서 되도록 속히'라는 뜻으로대법원 1993.3.26. 선고 91다14116 판결 참조, 자력탈환권의 행사가 '직시'에 이루어졌는지 여부는 물리적 시간의 장단은 물론 침탈자가 확립된 점유를 취득하여 자력탈환권의 행사를 허용하는 것이 오히려 법적 안정 내지 평화를 해하거나 자력탈환권의 남용에 이르는 것은 아닌지 함께 살펴 판단하여야 한다"고 하면서, "피고인이 아파트에 들어갈 당시에는 이미 집행채권자가 집행관으로부터 아파트를 인도받은 후 출입문의 잠금 장치를 교체하는 등으로 그 점유가 확립된 상태여서 점유권 침해의 현장성 내지 추적가능성이 있다고 보기 어려워 점유를 실력에 의하여 탈환한 피고인의 행위가 민법상 자력구제에 해당하지 않는다"고 하였다.[3]

국가를 통해 분쟁을 해결하는 대표적인 제도가 형사재판이나 민사재판이다. 우리가 사회를 살아가는데 있어서 타인과의 분쟁에 휘말리지 않는 것이 가장 이상적인 것이라고 하겠지만, 사회생활을 하는 이상 불가피하게 타인과의 관계를 맺게 되며, 따라서 분쟁이 생길 가능성은 늘 존재한다. 그러므로 분쟁이 발생하였을 경우에 이를 해결하는 도구로서의 법을 잘 알고 있다면 분쟁을 합리적이고도 효과적으로 해결할 수 있게 된다. 그런 의미에서 법은 우리가 살아가는데 꼭 필요한 지식이라고 하겠다.

3. 대법원 2017.9.7. 선고 2017도9999 판결.

제3절 I 법학은 정말 재미없는 학문인가

법학은 어렵고 따분한 학문이라는 선입견이 있다. 법학을 공부한 사람 역시 고루하고 따지기를 좋아한다고 생각하는 사람들이 있다. 과연 법학은 재미없는 학문일까? 어느 일간지에 실렸던 아래의 신문기사를 보자.[4]

> 배우자와 타인이 낸 '감창소리'를 몰래 녹음한 것은 간통죄의 증거로 삼을 수 없다는 법원 판결이 나왔다. 17일 서울서부지법에 따르면 형사7단독 신진화 판사는 최근 남편 A씨가 아내 B씨의 불륜 현장에서 성행위시 낸 신음소리를 녹음한 보이스펜소형 전자식 녹음기에 대해 "통신비밀보호법에 따라 증거 능력이 없다"며 B씨의 간통 혐의에 대해 무죄를 선고했다. 신 판사는 판결문에서 "'아~아~'와 같은 신음소리를 '대화'로 보기는 어렵겠지만 통신비밀보호법의 목적이 사생활 비밀 보호 등에 있는 만큼 법의 규율 범위에 있다고 할 수 있다"며 "A씨는 공개되지 않은 타인 간 대화를 녹음했으므로통신비밀보호법에 따라 그 내용은 증거능력이 없다"고 밝혔다. … 법원에 따르면 B씨는 지난해 9월 자신의 집에서 내연남으로 추정되는 C남씨와 함께 있다가 갑자기 들이 닥친 경찰관에 의해 경찰서로 연행됐다. A씨는 당시 미리 방에 보이스펜을 설치해 놓았다가 두 사람이 붙잡힌 이후 고소와 함께 녹음내용을 풀어쓴 녹취록을 경찰에 제출했다.

이 신문기사가 보도하고 있는 사건에서 법적인 쟁점들[5] 중의 하나는 과연 '감창소리', 즉 성관계할 때 내는 신음소리를 녹음한 것이 「통신비밀보호법」상 "공개되지 아니한 타인간의 대화를 녹음"한 경우에 해당되

4. 김정우, 법원 "간통현장 녹음 증거 안 돼", 한국일보 2007년 10월 17일자 기사.
5. 지난 2015년에 헌법재판소가 간통죄를 규정한 「형법」 제241조를 위헌으로 선언하였기 때문에 간통행위는 더 이상 범죄가 아니다. 그렇지만 간통행위는 여전히 민사상 불법행위가 될 수 있기 때문에 이 사안은 현행법상으로도 논의의 실익이 있다.

는 것으로 볼 것인지 여부이다.[6] 만약 그러한 행위에 해당된다면 이는 「통신비밀보호법」을 위반한 범죄행위로서 “1년 이상 10년 이하의 징역과 5년 이하의 자격정지”에 처해질 수 있을 뿐만 아니라,[7] 녹음테이프는 재판에서 증거로 사용될 수 없게 된다.[8] 반대로 그러한 행위에 해당되지 않는다면 「통신비밀보호법」을 위반한 행위가 아니므로 범죄가 아닐 뿐만 아니라 증명력은 별론으로 하더라도 녹음테이프는 재판에서 증거로 사용될 수 있게 된다.

이에 대해 법원은 “‘대화’라는 [단어의] 문리해석상 ‘신음소리’가 곧바로 대화에 해당된다고 보기는 어렵다”고 판단하였다.[9] 그렇지만 법원은 “애정행위에 수반하여 발생하는 신음소리와 같은 음향의 녹음 역시 위 법의 규율범위 안에 놓여 있다고 볼 여지는 충분하”다고 하면서, “이 사건 신음소리 역시 위 통신비밀보호법 규정의 유추해석 및 헌법 제17조 사생활의 비밀과 자유보호 규정에 근거하여, 이 사건 간통의 범죄사실을 입증 할 수 있는 증거로서의 능력은 인정받기 어렵다고 보인다”고 판결하였다.[10]

이러한 법원의 판결은 옳은 것인가? 먼저 ‘감창소리’가 ‘대화’에 해당하는 것인지의 여부에 대해서는 이견異見이 있을 수 있다. ‘대화對話’란 사전적 의미에 의하면 “마주 대하여 이야기를 주고받음 또는 그 이야기”를 의미한다.[11] 그런데 「통신비밀보호법」의 규정이 공개되지 아니한 타

6. 「통신비밀보호법」 제14조(타인의 대화비밀 침해금지) ① 누구든지 공개되지 아니한 타인간의 대화를 녹음하거나 전자장치 또는 기계적 수단을 이용하여 청취할 수 없다. ② 제4조 내지 제8조 … 규정은 제1항의 규정에 의한 녹음 또는 청취에 관하여 이를 적용한다.
7. 「통신비밀보호법」 제16조(벌칙) ① 다음 각 호의 1에 해당하는 자는 1년 이상 10년 이하의 징역과 5년 이하의 자격정지에 처한다. 1. 제3조의 규정에 위반하여 … 공개되지 아니한 타인간의 대화를 녹음 또는 청취한 자 ….
8. 「통신비밀보호법」 제4조(불법검열에 의한 우편물의 내용과 불법감청에 의한 전기통신내용의 증거사용 금지) 제3조의 규정에 위반하여, … 불법감청에 의하여 지득 또는 채록된 전기통신의 내용은 재판 또는 징계절차에서 증거로 사용할 수 없다.
9. 서울서부지법 2007.9.19. 선고 2007고단270 판결.
10. 서울서부지법 2007.9.19. 선고 2007고단270 판결.

인간의 대화를 '녹음 또는 청취'한 자를 처벌하므로, 여기서 말하는 대화에 수화手話나 서면대화書面對話는 포함되지 않는 것으로 해석된다. 따라서 이 조항에서 말하는 '대화'란 결국 사람의 음성을 이용하여 서로의 이야기 즉, 생각이나 의견 또는 감정을 전달하는 행위를 말하는 것이 된다. 그런데 이러한 행위는 반드시 쌍방향이어야 하는 것은 아니고 일방향, 즉 어느 한쪽이 일방적으로 표현하고 다른 한쪽이 듣기만 하는 경우도 포함한다고 보인다. 그렇다면 감창소리 내지 신음소리를 자신의 생각이나 의견 또는 감정을 전달하는 행위라고 할 수 있는가? 법원은 그렇지 않다고 판단하였다. 이러한 법원의 판단은 과연 옳은 것일까? 감창소리를 자신의 감정을 전달하는 대화로 볼 수는 없는 것일까? 나아가 법원이 '신음소리' 내지 '감창소리'를 대화로 인정하지 않았음에도 불구하고, 테이프에 녹음된 이러한 소리의 증거능력을 부인한 것은 과연 옳은 판단일까?

이 사건 외에도 법의 해석과 적용에 관한 흥미로운 판례는 많이 있다. 우리 헌법이 동성혼인同性婚姻 즉, 남성과 남성 또는 여성과 여성의 혼인을 금지하고 있는지 여부, 낙태를 형벌로 처벌하는 것이 과연 옳은 것인지 여부, 극악무도한 범죄를 저지른 범죄자라고 하더라도 사형을 집행해서는 아니 되는 것인지 여부 등과 같이 개인의 가치관이나 종교관 또는 신념 등에 따라 다른 결론에 이르게 되는 주제들 역시 법적인 관점에서 보면 흥미로운 주제들이다. 우리의 일상생활을 규율하는 것이 법이므로 우리 주변에서 일어나는 일들은 대부분 법적으로도 흥미로운 것일 수밖에 없다. 그렇다면 법을 공부하는 또 한 가지 이유를 여기에서 찾을 수도 있을 것이다.

---

11. 네이버 국어사전, 대화(http://krdic.naver.com/detail.nhn?docid=9409500).

제 2 장

법이란 무엇인가

제 2 장

법이란 무엇인가

제1절 | 법의 개념, 특징 및 구조

I 법의 개념

1. 법의 어원

'법法'이라는 글자의 옛 글자古字는 '灋'인데, 한대漢代이전의 고문서에는 모두 이 글자가 사용되었다고 한다.[1] 한자자원사전漢字字源辭典에 의하면 "「灋」은 '형법刑法'이다. 법률은 공평함이 반드시 물과 같아야 하므로, 「水물, 수」를 의미 부분으로 한다. 해치獬廌는 정직하지 못한 사람을 뿔로 떠받치는 신수神獸로, 정직하지 못한 사람을 쫓아 버린다. 그래서 「廌치」, 「去거」가 모두 의미 부분이다. 「法」은 「灋」의 금문今文으로 생략된 형이며, 「佱」은 「灋」의 고문"이라고 한다.[2] 해태는 "사자와 비슷하나 머리 가운데에 뿔이 있다고 한다. 중국 문헌인 이물지異物志에는 '동북 변방에 있는 짐승이며 성품이 충직하여 사람이 싸우는 것을 보면 바르지 못한 사람을 뿔로 받는다'라고 설명되어 있다. 우리나라에서는 대사헌의 흉배에 가식加飾되기도 하였고, 화재나 재앙을 물리치는 신수神獸로 여겨 궁궐 등에 장식되기도 하였다"고 한다.[3] 이처럼 오늘날 우리가 사용하는 '법法'

1. 박상기외, 법학개론, 박영사, 2008, 2쪽.
2. 장영진 편저, 한자자원사전(二)(漢字字源辭典(二)), 심산, 2018, 604쪽.

이라는 글자는 원래 삼수변氵에 '치廌'자와 '거去'자를 합쳐 놓은 것이었는데, 후세에 변화를 거쳐서 '법法'자로 되었으며, 공평한 분쟁의 해결이라는 의미가 내포되어 있다.

2. 법의 개념

칸트Immanuel Kant, 1724-1804가 "아직도 법률가는 그들의 법의 개념에 관한 하나의 정의를 찾고 있다"[4]고 한 것은 유명한 말이며, 이 말은 법률가를 조롱한 것으로 해석되고 있다고 한다.[5] 황산덕 교수도 "법철학상 근본문제는 옛날이나 지금이나 항상 '법의 본질'을 구명하는 한 가지 일에 국한되어 있다. 물론 그 본질에 접근해 들어가는 태도와 방법에 있어서는, 시대에 따른 차이가 있을 수 있었지만, 그 형태야 어떻든 그들이 목표하는 바는 언제나 변함없이 '법이란 무엇인가'라는 한 가지 뿐이었던 것"이라고 하였다.[6] 이러한 말들은 법의 개념을 밝히는 것이 얼마나 어려운 것인가를 단적으로 지적하는 것인 동시에 그것이 가장 중요한 것임을 인정하는 것이라고 할 것이다.

물론 학자에 따라서는 "법은 국가라고 하는 정치적 권력에 의하여 승인되고 강제되는 사회규범"[7]이라고 정의하거나 "법은 국가 또는 정치적으로 조직된 사회에 있어서 정립되고 그 구성원에 대하여 물리적 강제력을 가지고 스스로를 실현하는 것으로 정의正義를 이념으로 한 사회규범"[8]이라고 하는 견해도 있다. 그러나 이러한 정의定義에 의하면 신법divine law이나 자연법도 법[9]인지 의문이 생긴다. 이처럼 '법'이란 말은 다양

---

3. 네이버 백과사전, 해태(http://100.naver.com/100.nhn?docid=188046) 참조.
4. I. Kant, Kritik der reinen Vernunft, Philosoph. Bibliothek, Hamburg 1956(년판), 672쪽 (심헌섭, 법철학 I, 법문사, 1982, 21-22쪽에서 재인용).
5. 심헌섭, 위의 책, 22쪽 주) 2.
6. 황산덕, 법철학강의, 박영사, 1973, 15쪽.
7. 손주찬, 신법학통론, 박영사, 2005, 9쪽.
8. 홍천용외, 시민생활과 법, 박영사, 2004, 4쪽.
9. 불교에서는 "그 자체의 성품을 간직하여 변하지 않고 궤범(軌範)이 되어서 사람이 사물에

하게 사용되기 때문에 그 범위를 정하는 것이 필요하며, 그런 의미에서 오스틴John Austin, 1790-1859이 '법'이란 단어가 사용된 용례를 분석의 기준으로 삼은 것은 의미가 있다고 본다.

오스틴은 법이란 말의 용례를 최광의의 법, 광의의 법, 협의의 법으로 나누었다.[10] 그에 의하면 최광의의 법에는 법이란 말이 사용된 모든 경우, 즉 신법神法, 「형법」, 회사의 내부규칙, 국제법, 뉴턴Sir Isaac Newton, 1642-1727의 '관성의 법칙'과 같은 것들도 포함된다. 이에 대해 최광의의 법에는 속하지만 광의의 법에는 속하지 않는 것으로는 위의 것들 중에서 국제법이나 뉴턴의 관성의 법칙이 있으며, 협의의 법에는 「형법」만이 속하게 된다. 오스틴은 국제법과 뉴턴의 관성의 법칙에는 비록 '법'이라는 말이 사용되기는 했지만, 사실상 법학과 관련이 있는 법은 아니라고 하였다.[11] 물론 국제법을 협의의 법에서 제외한 점은 오늘날의 관점에서 보면 문제가 있다고 볼 수 있지만 오스틴이 살던 당시의 19세기의 사람들은 국제법이란 단지 일종의 도덕이라고 생각했기 때문에 오스틴은 그 생각을 따랐다고 말할 수 있다.[12] 아무튼 오스틴의 이러한 분석은 법의 개념을 이해하는데 도움이 되는 측면이 있다고 본다.

한편 '법'의 개념이 무엇인지를 논하려면 '법'의 범주를 정해야 한다. 우리가 찾고자 하는 '법'이란 법학의 연구대상으로서의 법이라고 할 것이지만, 이 역시 법학이란 물음이 전제되어야 하는 순환구조에 빠지게 된다.[13] 물론 학자에 따라서는 법을 정의하고자 시도한 경우도 많이 있

대하여 일정한 이해를 낳게 하는 근거가 되는 것" 또는 "부처의 가르침이나 계율"을 법이라고 한다. 네이버 국어사전, 법(http://krdic.naver.com/detail.nhn?docid=16468600) 참조.

10. 최봉철, 현대법철학, 법문사, 2007, 37쪽.
11. 최봉철, 위의 책, 38쪽.
12. 최봉철, 위의 책, 41쪽.
13. 황산덕 교수는 "우리가 '법'에 관하여 무엇인가를 말하려고 할 때에는, 먼저 우리는 확실한 '법 개념'부터 가지고 있지 않으면 아니 된다. 왜냐하면, 법 개념 없이 법률문제를 다룰 수는 없기 때문이다. 그런데, 반면에 있어서, 법 개념은 현존하는 법에 대한 인식이 없이는 얻어질 수가 없다. 현실과 아무런 관련도 맺을 수 없는 허공에 뜬 법 개념은 도무지 소용이 되지 않기 때문이다. … 이러한 관계를 독일의 젊은 법철학자 Zippelius는 다음과 같

다. 예를 들어, 키케로Cicero, 106 B.C.-143 B.C.는 "법이란 자연nature에 심어진 최고의 이성reason으로서 무엇이 행해져야 하는지와 무엇이 금지되어야 하는지를 명령하는 것"[14]이라고 정의하였고, 토마스 아퀴나스St. Thomas Aquinas, 1225-1274는 "법은 그 사회에 책임care이 있는 자에 의해 만들어지고 공포된 공공선common good을 위한 이성의 명령ordinance"[15]이라고 하였다. 한편 콕스Archibald Cox, 1912-2004는 "법은 이성에 의해 발전된 경험이며 부단히 더 나은 경험에 적용된다"[16]고 하였고, 드워킨Ronald M. Dworkin, 1931-2013은 "도덕 원리가 법의 기초이다"[17]라고 하였다. 그러나 이러한 시도들이 법의 개념을 명확하게 정의했다고 볼 수는 없을 것이다. 결국 '법'이란 개념 그 자체를 정의하려 하기 보다는 법이 가지는 특징들을 통해 법의 대강을 파악하려는 시도를 할 수밖에 없게 된다.

Ⅱ 법의 개념적 특징

1. 법은 규범이다

우리가 살고 있는 지구상에는 눈에는 보이지 않는 많은 '자연自然의 법칙'들이 존재한다. 지구가 매일 자전을 하면서 일정한 궤도에 따라 태양의 주위를 공전하고 있는 것도 자연의 법칙이다. 이러한 법칙은 '필연

이 표식화 하고 있다. '법 개념 없이는 법 속에 들어갈 수 없지만, 그러나 법 개념은 법을 알고 난 다음에라야 비로소 형성될 수 있다.' 다시 말하면, 법과 법 개념은 서로 상대방이 확정되어야만 자신도 결정된다는 순환관계에 서 있는 것"이라고 하였다. 황산덕, 앞의 책, 17쪽.

14. De Legibus, Bk. I(51 B.C)(Edgar Bodenheimer et al., An Introduction to the Anglo-American Legal System 2(West, 2004)에서 재인용).
15. Summa Theologica, Part II, First Part, Qu. 90, Art. 4(1265-1273)(Bodenheimer at al., 위의 책, 2쪽에서 재인용).
16. The New York Times, May 24, 1974(Bodenheimer at al., 위의 책, 3쪽에서 재인용).
17. The Christian Science Monitor, May 20, 1986(Bodenheimer at al., 위의 책, 3쪽에서 재인용).

必然의 법칙' 내지 '인과因果'의 법칙'으로서 예외를 인정하지 아니한다. 다시 말해서 이러한 자연의 법칙은 '존재Sein'의 법칙으로서 가치판단이 결부되지 아니한 순수한 사실事實의 법칙이다.

반면에 우리가 살고 있는 사회에는 '당위當爲의 법칙'이 있다. '당위Sollen'란 인간이 행동하거나 판단할 때에 마땅히 따르고 지켜야 할 가치판단의 기준을 말한다. 우리 「형법」이 제250조 제1항에서 "사람을 살해殺害한 자는 사형死刑, 무기無期 또는 5년 이상의 징역懲役에 처한다"고 규정하고 있는 것도 당위의 법칙을 표현한 것이다. 즉, 「형법」은 우리에게 "사람을 살해하지 말라"는 우리가 지켜야 할 행위의 준칙을 명하고 있다. 또한 우리가 그러한 준칙을 지키지 않을 경우에 법이 일정한 형벌을 부과하는 것은 그러한 행위에 대해 부정적인 가치판단을 내렸다는 것을 의미한다. 다시 말해서, 당위는 인간에 대한 일정한 의무의 부과와 그러한 의무에 대한 가치판단으로 이루어져 있다.

따라서 법은 인간에게 어떤 행위를 하라고 하거나 또는 하지 말라고 요구하는 당위의 명제, 즉 '규범norm'이라고 할 수 있다. 그러므로 법은 "당위칙當爲則을 내용으로 하는 규율規律" 내지는 "마땅히 존재하거나 발생해야 하는 어떤 것 특히 인간이 특정한 방식으로 행동해야 하는 것"[18]을 의미하는 규범이다.[19]

2. 법은 강제를 본질로 한다

일반적으로 법은 강제규범이라고 설명된다. 다시 말해서 법은 강제를 본질로 하며, 도덕이나 종교와 같은 다른 규범과 구별되는 주된 특징이 바로 여기에 있다. 법은 수범자受範者에 대한 단순한 행위의 제안이나

18. Hans Kelsen, Pure Theory of Law 4 (Max Knight trans., University of California Press, 1967).
19. 철학에서는 규범을 "어떤 명제의 진위, 행위의 선악, 예술작품의 아름다움과 추함과 같이 사물을 평가할 때 기준이 되는 것"을 말한다고 한다. 철학사전, 철학사전편찬위원회, 중원문화, 2009, 97쪽.

추천이 아니며, 어떤 의미에서는 명령 내지 지시인 것이다. 따라서 법은 '무조건적이고 일반적인 준수의 요청', 바꾸어 말하면 '무조건적이고 일반적인 구속성'을 내포하고 있다.[20] 이와 같이 개개인의 의사와 동의에 의존하지 않는 법의 성격을 '자주적인 규범'이라고 하는데, 법이 이러한 자주적 구속성을 가지기 위해서는 그 실현가능성이 보장되어야 하고, 이는 필연적으로 강제가능성과 연결된다. 따라서 강제는 법의 본질 및 개념징표의 하나이며, "강제 없는 법은 하나의 환상"이라고 할 것이다.[21]

이러한 법의 강제성이 가장 명확하게 드러나는 분야가 바로 「형법」이다. 「형법」은 수범자인 국민에게 일정한 작위나 부작위의 의무를 부과하고 이를 위반한 경우에 형벌刑罰이라는 제재制裁를 가함으로써 법규범을 준수하도록 강제한다. 예를 들어, 「형법」 제329조는 "타인의 재물財物을 절취한 자는 6년이하의 징역 또는 1천만원이하의 벌금에 처한다"고 규정하고 있다. 따라서 「형법」은 국민에게 타인의 재물을 절취하지 말라는 의무를 부과하고, 이를 위반할 경우에는 '6년이하의 징역 또는 1천만원이하의 벌금에 처'함으로써 법규범의 준수를 강제한다.

그러나 하트Herbert Lionel Adolphus Hart, 1907-1992가 지적하고 있듯이, 모든 법규범이 의무를 부과하는 것은 아니다. 예를 들어, 「민법」 제1066조는 "자필증서自筆證書에 의한 유언은 유언자가 그 전문과 연월일, 주소, 성명을 자서自書하고 날인捺印하여야 한다"고 함으로써 유언의 요식성要式性을 규정하고 있다. 이와 관련하여 대법원은 유언자의 날인이 없는 유언장은 자필증서에 의한 유언으로서의 효력이 없다고 한 바 있다.[22] 그런데

20. 심헌섭, 앞의 책, 142쪽.
21. 심헌섭, 위의 책, 142-143쪽.
22. 대법원 2007.10.25. 선고 2006다12848 판결. 대법원은 이 판결에서 "민법 제1065조 내지 제1070조가 유언의 방식을 엄격하게 규정한 것은 유언자의 진의를 명확히 하고 그로 인한 법적 분쟁과 혼란을 예방하기 위한 것이므로, 법정된 요건과 방식에 어긋난 유언은 그것이 유언자의 진정한 의사에 합치하더라도 무효라고 하지 않을 수 없고, 자필증서에 의한 유언은 유언자가 그 전문과 연월일, 주소, 성명을 자서(自書)하고 날인하여야 하는바(민법

이 경우에 있어서 유언을 하려는 자에게 「민법」이 어떤 의무를 부과하고 있다고 말할 수는 없다. 「민법」이 효력을 인정하는 방식에 의하여 유언을 하지 아니하는 경우에는 단지 유언으로서의 효력을 인정받지 못할 뿐이며, 이에 따를 것인가의 여부는 오로지 자신의 의사에 달려있다. 다시 말해서, 만약 유언자가 「민법」 제1066조의 규정에 따르지 않는 경우에는 자필증서에 의한 유언으로서의 권리와 의무가 발생하지 아니하는 무효일 뿐이다. 비록 자필증서에 의한 유언으로서는 무효이지만, 그렇다고 해서 유언자가 이 규정에 따르지 않은 것이 어떤 의무의 위반이라고 할 수는 없는 것이다.[23] 그렇다면 이 경우에는 제재가 없는 것인가? 형벌과 같은 물리적인 제재는 없으나, 「민법」상 자필증서에 의한 유언으로서의 효력이 발생하지 아니하는 이른바 '무효로서의 제재'는 있다고 할 수 있을 것이다.

결국 법적 제재의 종류와 방법은 다음의 네 가지로 나누어 볼 수 있다.[24] 첫째는 형벌의 제재이다. 우리 「형법」은 형刑의 종류를 사형死刑, 징역懲役, 금고禁錮, 자격상실資格喪失, 자격정지資格停止, 벌금罰金, 구류拘留, 과료科料, 몰수沒收의 9가지로 규정하고 있다「형법」 제41조. 오늘날에도 말레이시아, 싱가포르, 탄자니아 및 이슬람 국가들에서는 태형笞刑이 법원의 판결에 의해 공적인 형벌로 부과되고 있다. 예컨대, 싱가포르 법원은 1994년 당시 18살이었던 미국인 마이클 페이Michael P. Fay에게 절도 및 공공기물파손vandalism 혐의로 6대의 태형을 선고하여 국제적으로 논란이 된 바 있었다.[25]

제1066조 제1항), 유언자의 주소는 반드시 유언 전문과 동일한 지편에 기재하여야 하는 것은 아니고, 유언증서로서 일체성이 인정되는 이상 그 전문을 담은 봉투에 기재하더라도 무방하며, 그 날인은 무인에 의한 경우에도 유효하다고 할 것이나, 유언자의 날인이 없는 유언장은 자필증서에 의한 유언으로서의 효력이 없다"고 판시하였다.

23. H. L. A. Hart, The Concept of Law 28(2nd. ed. Oxford University Press, 1994).
24. 이영희, 법학입문, 법문사, 2000, 36쪽.
25. 싱가포르에서 태형은 "최대 24대까지 맞도록 되어 있다. 태형의 집행은 공개되지 않는다. 죄수는 금속재 혹은 목재로 만들어진 형틀에 묶이고 아무 것도 걸치지 않은 엉덩이 맨살

둘째는 손해배상과 같은 제재를 들 수 있다. 우리 「민법」은 "고의故意 또는 과실過失로 인한 위법행위로 타인에게 손해損害를 가한 자는 그 손해를 배상할 책임이 있다"고 함으로써제750조, 불법행위자에게 손해배상이라는 법적인 제재를 가하고 있다.

셋째는 강제집행적 제재이다. 채무자의 인격책임이 인정되었던 고대에는 채무불이행의 효과는 대단히 가혹한 것이었다. 게르만법에서는 채권자가 채무자를 살해하거나, 신체를 절단할 수도 있었고, 노예로 삼거나 그의 재산을 파괴하는 것도 가능하였다.[26] 그러나 근대법은 이러한 인격책임을 인정하지 않고, 재산책임을 확립하여 채무불이행에 대한 구제방법으로서는 강제이행強制履行과 손해배상損害賠償의 두 가지 방법을 인정한다. 즉, 채무자가 채무의 이행이 가능함에도 불구하고 임의로자발적으로 이행하지 않는 때에는 채권자는 국가권력에 의하여 강제적으로 채권의 내용인 급부를 실현케 할 수 있는데 이를 '강제이행' 또는 '현실적 이행의 강제'라고 한다.[27] 우리 「민법」은 제389조에서 '강제이행'이라는 표제 아래 제1항에서 "채무자가 임의로 채무를 이행하지 아니한 때에는 채권자는 그 강제이행을 법원에 청구할 수 있다. 그러나 채무의 성질이 강제이행을 하지 못할 것인 때에는 그러하지 아니하다"라고 규정하고 있다. 이러한 강제이행의 방법에는 직접강제, 대체집행 및 간접강제가 있으며, 「민사집행법」의 규정에 따라 실현된다.

마지막은 무효의 제재이다. 이는 법규범에 위배되는 행위에 대해 법적 효력을 인정하지 않음으로써 그 행위가 이루어질 수 없게 하여 제재의 실질적 효과를 얻는 것이다.[28] 앞서 살펴본 바와 같이, 법이 정한 일

에 매를 맞는다. 태형에 사용되는 매의 길이는 1.2미터, 직경은 1.27센티미터이다. 매는 부러지지 않고 유연하도록 집행 전에 물에 적시고 멸균처리를 한다. 신장이나 성기가 다치지 않도록 죄수의 신체 일부를 패드로 감싸는데, 그렇다고 해도 여러 대를 맞는 경우에는 엉덩이에 지워지지 않는 흉터가 남는 것을 피하기 어렵다"고 한다. 금태섭, 디케의 눈, 궁리, 2008, 157쪽.

26. 곽윤직, 채권총론, 박영사, 2003, 106쪽.
27. 곽윤직, 위의 책, 107쪽.

정한 요건을 따르지 않는 경우에는 법적 효력을 인정하지 않는 것이 이에 해당한다.

Ⅲ 법의 규범적 구조

1. 행위규범

법은 인간의 행위를 규율하는 규범, 즉 행위규범이다. 다시 말해서 법의 규율대상은 인간의 행위인 것이다. 여기서 인간의 행위가 무엇인가를 생각해 볼 필요가 있다. 특히 「형법」의 경우에는 "범죄는 행위이다"라는 명제가 있고 범죄란 "구성요건에 해당하는 위법하고 유책한 행위"이므로 「형법」은 인간의 행위를 정확히 판단하는 데에서 시작하여야 한다고도 할 수 있다.[29]

형법학에서는 행위를 "행위자의 의사에 기한 신체적 동작 내지 태도"라고 보는 인과적 행위론, "목적활동성의 작용"이라고 하여 목적에 초점을 두는 목적적 행위론 및 "사회적으로 의미 있는 인간의 행태"라고 보는 사회적 행위론 등의 대립이 있다.[30] 다만, 법이 행위를 규율한다고 하여 인간의 내면이 전혀 문제되지 않는 것은 아니다. 예컨대, 사람이 사망한 경우 살인의 고의故意를 가진 경우와 과실過失로 사람을 사망하게 한 경우에 있어서 인간의 내심의 의사에 따라 살인죄殺人罪가 되기도 하고 과실치사過失致死가 되기도 하는 것이다.

한편 행위는 크게 작위作爲와 부작위不作爲로 나눌 수 있다. 작위란 적극적으로 어떤 행위를 하는 것을 말하는 것이고, 부작위란 단순한 무위無爲가 아니라 "기대되는 특정한 행위를 하지 않는 것"을 의미한다.[31] 우

---

28. 이영희, 앞의 책, 36쪽.
29. 이재상, 형법총론, 박영사, 2008, 74쪽.
30. 자세한 것은 이재상, 위의 책, 74쪽 이하 참조.
31. 이재상, 위의 책, 119쪽.

리 「형법」 제18조는 '부작위범'이라는 표제 아래 "위험의 발생을 방지할 의무가 있거나 자기의 행위로 인하여 위험발생의 원인을 야기한 자가 그 위험발생을 방지하지 아니한 때에는 그 발생된 결과에 의하여 처벌한다"고 규정하고 있다. 예컨대, "사람의 주거, 관리하는 건조물, 선박이나 항공기 또는 점유하는 방실에 침입"[32]하는 것은 작위에 해당하는 반면에 일단 적법하게 위의 장소에 들어간 자가 퇴거요구退去要求를 받고도 이에 응하지 아니하는 것[33]은 부작위에 해당한다.

과거에 우리 대법원은 "남편의 부재중 간통의 목적으로 처의 승낙하에 주거에 들어간 경우 주거침입죄"가 성립하는지 여부에 관하여, "남편의 주거에 대한 지배 관리관계는 여전히 존속한다고 봄이 옳고 사회통념상 간통의 목적으로 주거에 들어오는 것은 남편의 의사에 반한다고 보여지므로 처의 승낙이 있었다 하더라도 남편의 주거의 사실상의 평온은 깨어졌다 할 것이므로 이러한 경우에는 주거침입죄가 성립한다"고 판시하였다.[34] 그런데 2021년 대법원 전원합의체는 판례를 변경하여, "외부인이 공동거주자의 일부가 부재중에 주거 내에 현재하는 거주자의 현실적인 승낙을 받아 통상적인 출입방법에 따라 공동주거에 들어간 경우라면 그것이 부재중인 다른 거주자의 추정적 의사에 반하는 경우에도 주거침입죄가 성립하지 않는다고 보아야 한다"고 판시하였다.[35] 이 판결에서 대법원은 주거침입죄의 보호법익과 관련하여, "만일 외부인의 출입에 대하여 공동거주자 중 주거 내에 현재하는 거주자의 승낙을 받아 통상적인 출입방법에 따라 들어갔음에도 불구하고 그것이 부재중인 다른 거주자의 의사에 반하는 것으로 추정된다는 사정만으로 주거침입죄

---

32. 「형법」 제319조(주거침입, 퇴거불응) ① 사람의 주거, 관리하는 건조물, 선박이나 항공기 또는 점유하는 방실에 침입한 자는 3년 이하의 징역 또는 500만원 이하의 벌금에 처한다.
33. 「형법」 제319조(주거침입, 퇴거불응) ② 전항의 장소에서 퇴거요구를 받고 응하지 아니한 자도 전항의 형과 같다.
34. 대법원 1984.6.26. 선고 83도685 판결.
35. 대법원 2021.9.9. 선고 2020도12630 전원합의체 판결.

의 성립을 인정하게 되면, 주거침입죄를 의사의 자유를 침해하는 범죄의 일종으로 보는 것이 되어 주거침입죄가 보호하고자 하는 법익의 범위를 넘어서게 되고, '평온의 침해' 내용이 주관화・관념화되며, 출입 당시 현실적으로 존재하지 않는, 부재중인 거주자의 추정적 의사에 따라 주거침입죄의 성립 여부가 좌우되어 범죄 성립 여부가 명확하지 않고 가벌성의 범위가 지나치게 넓어지게 되어 부당한 결과를 가져오게 된다"고 하면서, "단순히 주거에 들어가는 행위 자체가 거주자의 의사에 반한다는 거주자의 주관적 사정만으로 바로 침입에 해당한다고 볼 수는 없다"고 판시하였다.[36]

한편 대법원은 "조찬모임에서의 대화내용을 도청하기 위한 도청용 송신기를 설치할 목적으로 손님을 가장하여" 음식점에 들어간 행위가 주거침입죄에 해당하는지 여부가 문제된 이른바 부산 '초원복국집 사건'에서, "일반인의 출입이 허용된 음식점이라 하더라도, 영업주의 명시적 또는 추정적 의사에 반하여 들어간 것이라면 주거침입죄가 성립된다고 할 것이다. … 영업자인 피해자가 출입을 허용하지 않았을 것으로 보는 것이 경험칙에 부합한다 할 것이므로, 피고인들은 모두 주거침입죄의 죄책을 면할 수 없다"고 판결하였다.[37] 그런데 2022년에 대법원 전원합의체는 "부적절한 요구를 하는 장면 등을 확보할 목적으로 녹음・녹화 장치를 설치하거나 장치의 작동 여부 확인 및 이를 제거하기 위하여" 음식점의 방실에 들어간 행위가 주거침입죄에 해당하는지 여부가 문제된 사건에서 위의 1997년 판례를 변경하면서, "일반인의 출입이 허용된 음식점에 영업주의 승낙을 받아 통상적인 출입방법으로 들어갔다면 특별한 사정이 없는 한 주거침입죄에서 규정하는 침입행위에 해당하지 않는다. 설령 행위자가 범죄 등을 목적으로 음식점에 출입하였거나 영업주가 행위자의 실제 출입 목적을 알았더라면 출입을 승낙하지 않았을

36. 대법원 2021.9.9. 선고 2020도12630 전원합의체 판결 참조.
37. 대법원 1997.3.28. 선고 95도2674 판결.

것이라는 사정이 인정되더라도 그러한 사정만으로는 출입 당시 객관적·외형적으로 드러난 행위태양에 비추어 사실상의 평온상태를 해치는 방법으로 음식점에 들어갔다고 평가할 수 없으므로 침입행위에 해당하지 않는다"고 판시하였다.[38]

이러한 판례들을 통해 알 수 있는 것처럼 주거침입죄는 "사실상 주거의 평온을 해치는 방법"으로 타인의 주거에 들어가지 말라는 금지규범이다. 반면에 퇴거불응죄는 퇴거요구를 받은 경우에는 이에 응하라는 명령규범이 된다. 따라서 법은 인간의 행위, 즉 작위와 부작위를 규율하는 행위규범인 것이다.

한편 부작위와 관련하여 대법원은 '세월호 선장 이준석' 사건에서 부진정 부작위에 의한 살인죄를 인정하면서 다음과 같이 판시하였다.[39]

> 범죄는 보통 적극적인 행위에 의하여 실행되지만 때로는 결과의 발생을 방지하지 아니한 부작위에 의하여도 실현될 수 있다. … 부작위는 법적 기대라는 규범적 가치판단 요소에 의하여 사회적 중요성을 가지는 사람의 행태가 되어 법적 의미에서 작위와 함께 행위의 기본형태를 이루게 되는 것이므로, 특정한 행위를 하지 아니하는 부작위가 형법적으로 부작위로서의 의미를 가지기 위해서는, 보호법익의 주체에게 해당 구성요건적 결과발생의 위험이 있는 상황에서 행위자가 구성요건의 실현을 회피하기 위하여 요구되는 행위를 현실적·물리적으로 행할 수 있었음에도 하지 아니하였다고 평가될 수 있어야 한다. 나아가 살인죄와 같이 일반적으로 작위를 내용으로 하는 범죄를 부작위에 의하여 범하는 이른바 부진정 부작위범의 경우에는 보호법익의 주체가 그 법익에 대한 침해위협에 대처할 보호능력이 없고, 부작위행위자에게 그 침해위협으로부터 법익을 보호해 주어야 할 법적 작위의무가 있을 뿐 아니라, 부작위행위자가 그러한 보호적 지위에서 법익침해를 일으키는 사태를 지배하고 있어 그 작위의무의 이행으로

38. 대법원 2022.3.24. 선고 2017도18272 전원합의체 판결.
39. 대법원 2015.11.12. 선고 2015도6809 전원합의체 판결.

결과발생을 쉽게 방지할 수 있어야 그 부작위로 인한 법익침해가 작위에 의한 법익침해와 동등한 형법적 가치가 있는 것으로서 범죄의 실행행위로 평가될 수 있다. 다만 여기서의 작위의무는 법령, 법률행위, 선행행위로 인한 경우는 물론, 신의성실의 원칙이나 사회상규 혹은 조리상 작위의무가 기대되는 경우에도 인정된다고 할 것이다. 또한 부진정 부작위범의 고의는 반드시 구성요건적 결과발생에 대한 목적이나 계획적인 범행 의도가 있어야 하는 것은 아니고 법익침해의 결과발생을 방지할 법적 작위의무를 가지고 있는 자가 그 의무를 이행함으로써 그 결과발생을 쉽게 방지할 수 있었음을 예견하고도 결과발생을 용인하고 이를 방관한 채 그 의무를 이행하지 아니한다는 인식을 하면 족하며, 이러한 작위의무자의 예견 또는 인식 등은 확정적인 경우는 물론 불확정적인 경우이더라도 미필적 고의로 인정될 수 있다. … 선장의 권한이나 의무, 해원의 상명하복체계 등에 관한 규정들은 모두 선박의 안전과 선원 관리에 관한 포괄적이고 절대적인 권한을 가진 선장을 수장으로 하는 효율적인 지휘명령체계를 갖추어 항해 중인 선박의 위험을 신속하고 안전하게 극복할 수 있도록 하기 위한 것이므로, 선장은 승객 등 선박공동체의 안전에 대한 총책임자로서 선박공동체가 위험에 직면할 경우 그 사실을 당국에 신고하거나 구조세력의 도움을 요청하는 등의 기본적인 조치뿐만 아니라 위기상황의 태양, 구조세력의 지원 가능성과 그 규모, 시기 등을 종합적으로 고려하여 실현가능한 구체적인 구조계획을 신속히 수립하고 선장의 포괄적이고 절대적인 권한을 적절히 행사하여 선박공동체 전원의 안전이 종국적으로 확보될 때까지 적극적·지속적으로 구조조치를 취할 법률상 의무가 있다고 할 것이다. … 따라서 선박침몰 등과 같은 조난사고로 승객이나 다른 승무원들이 스스로 생명에 대한 위협에 대처할 수 없는 급박한 상황이 발생한 경우에는 선박의 운항을 지배하고 있는 선장이나 갑판 또는 선내에서 구체적인 구조행위를 지배하고 있는 선원들은 적극적인 구호활동을 통해 보호능력이 없는 승객이나 다른 승무원의 사망 결과를 방지하여야 할 작위의무가 있다 할 것이므로, 법익침해의 태양과 정도 등에 따라 요구되는 개별적·구체적인 구호의무를 이행함으로써 사망의 결과를 쉽게 방지할 수 있음에도 그에 이르는 사태의 핵심적 경과를 그대로 방관하여 사망의 결과를 초래하였다면, 그 부작위는 작위에 의한 살인행위와 동등한 형법적 가치를 가진다고 할 것이고, 이와 같이 작위의무를 이행하였다면 그 결과가 발생하지 않았을 것이라는 관계가 인정될 경우에는 그 작위를 하지 않은 부작위와 사망의 결과 사이에 인과관계가 있는 것으로 보아야 할 것이다.

이 사건에서 대법원은 "해경 등 구조세력의 퇴선요청에 따라 퇴선대피 안내방송을 실시하고 승객 등을 퇴선하기 좋은 외부 갑판으로 유도하거나 구호장비를 작동시키는 등 승객 등에 대한 구조조치를 하였다면, 적어도 승객 등이 사망에 이르지는 아니하였을 것으로 보이므로, 피고인 [이준석]의 부작위와 피해자 공소외 3을 제외한 나머지 익사자 303명의 사망 결과 사이에 인과관계가 인정된다"고 하면서, "부작위에 의한 살인"죄를 인정한 원심의 판단이 옳다고 판결하였다.[40]

2. 재판규범

헌법 제101조 제1항은 "사법권은 법관으로 구성된 법원에 속한다"고 규정하고 있으므로, 법관이 재판을 담당하게 된다. 그런데 헌법 제103조는 "법관은 헌법과 법률에 의하여 그 양심良心에 따라 독립하여 심판한다"고 규정하고 있으므로, 결국 법관은 헌법과 법률 및 법관으로서의 직업적 양심에 따라 재판하게 된다. 따라서 법관에게 있어서 헌법과 법률은 재판의 기준, 즉 재판규범이 되는 것이다. 예컨대, 「형법」 제250조 제1항은 "사람을 살해한 자는 사형, 무기 또는 5년이상의 징역에 처한다"고 규정하고 있으므로, 법관은 '사람을 살해한 자'에게 벌금형을 선고할 수는 없다. 이처럼 법은 법관을 구속하는 재판규범이 된다.

---

40. 대법원 2015.11.12. 선고 2015도6809 전원합의체 판결.

3. 조직규범

헌법 제96조는 "행정각부行政各部의 설치·조직과 직무범위職務範圍는 법률로 정한다"고 규정하고 있으며, 이 규정에 따라 국회가 제정한 「정부조직법」도 제1조에서 "이 법은 국가행정사무의 체계적이고 능률적인 수행을 위하여 국가행정기관의 설치·조직과 직무범위의 대강을 정함을 목적으로 한다"고 규정하고 있다. 이처럼 헌법은 특히 국가기관통치기구의 조직 및 작용에 관한 사항을 규정하고 있는 근본법이다. 따라서 법이 국가와 같이 어떠한 조직의 구성과 작용에 관하여 규정하고 있는 경우에 그 법은 일종의 조직규범이라고 할 수 있다.

제2절 | 법과 다른 사회규범

I 도 덕

1. 서 설

사회에는 도덕이나 윤리라는 이름의 규범이 있다.[41] 이들은 법과 마찬가지로 사회의 질서를 유지하는 기능을 수행하는 사회규범이다. 그런데 우리가 흔히 쓰는 도덕이나 윤리라는 말은 일의적一義的으로 정의하는 것이 사실상 불가능하다. 그래서 "도덕 그 자체란 결코 존재하지 않는다. 여러 도덕들이 있을 뿐이다"라는 말이 표어처럼 되어 있다.[42]

---

41. 도덕과 윤리를 구별하는 견해에 의하면, "윤리란 각 개인이 양심을 기초로 하여 선한 것(또는 올바른 것)이라고 생각하는 규범을 말하고, 도덕이란 윤리적으로 올바른 것에 대한 (한 사회를 지배하고 있는) 공적인 견해를 말한다"고 한다. 이상돈, 법학입문, 법문사, 2007, 190-191쪽.
42. 실제로 "자율도덕과 타율도덕, 개인도덕과 사회도덕, 숭고(종교)도덕과 단순도덕, 행위도덕과 태도도덕, 의사도덕과 결과도덕, 실증도덕과 비판도덕, 열망의 도덕과 의무의 도덕, 심정윤리와 책임윤리 등등 그 구분은 실로 다양"하다고 한다. 심헌섭, 앞의 책, 118쪽.

그렇다면 도덕은 법과 어떠한 관계를 가지는가? 그러나 이 문제 역시 매우 어려운 법철학적 논제로서 예링Rudolf von Jhering, 1818-1892이 "법과 도덕의 문제를 좌초의 위험으로 가득찬 남미南美 최남단의 갑岬 '케이프 혼'에 비유하여 '법철학의 케이프 혼Kap Horn der Rechtsphilosophie'이라고 말했다는 것은 너무나 유명"하다고 한다.[43]

이러한 법과 도덕의 관계에 관하여 영국의 법철학자 하트는 크게 4가지 문제로 나누어 볼 수 있다고 하였다. 그에 의하면 첫 번째 문제는 "법의 발전이 도덕의 영향을 받아 왔는가"이며 "대답은 분명히 그렇다yes이다"라고 한다.[44] 두 번째 문제는 법 혹은 법체계를 정확하게 정의하기 위해 도덕을 참조해야 하는가 아니면 법과 도덕이 종종 교차하며폭력이나 부정행위(dishonesty)를 양자 모두 금지하고 있으므로 권리, 의무obligations 및 책무duties와 같은 용어를 사용하는 우연한 사실에 불과한 것인가의 여부이다.[45] 세 번째 문제는 법을 도덕적으로 비판할 수 있는가와 그 형식에 관련된 것이다.[46] 네 번째 문제는 도덕의 법적 강제 즉, 어떤 행위가 일반적인 기준에 비추어 부도덕하다는 사실이 그 행위를 법에 의해 처벌받도록 하는 것을 정당화하기에 충분한가의 문제이다.[47] 이는 다시 말해서 도덕을 그와 같이 강제하는 것이 도덕적으로 허용 가능한 것인지 내지는 그러한 부도덕성이 범죄가 되어야 하는가의 문제이다.[48] 이처럼 법과 도덕의 문제는 매우 복잡하고 여러 가지 측면에서 검토되어야 하는 어려운 문제이다.

---

43. 심헌섭, 위의 책, 103쪽.
44. H. L. A. Hart, Law, Liberty and Morality 1 (Stanford University Press, 1963).
45. Hart, 위의 책, 2쪽.
46. Hart, 위의 책, 3쪽.
47. Hart, 위의 책, 4쪽.
48. Hart, 위의 책, 4쪽.

2. 법과 도덕의 개념상 관계

법과 도덕의 관계 중에서 먼저 검토되어야 할 것이 바로 개념적 구별의 문제이다.[49] 다시 말해서 법과 도덕은 개념적으로 구별하는 것이 가능한가가 검토되어야 한다. 그런데 원시시대의 사람들에게는 법, 도덕, 종교 등의 사회규범들이 서로 분화되어 있지 않았다. 이른바 '원시적 시원규범primitive Urnorm'의 시대에는 도덕, 법 그리고 종교가 하나의 결합된 전체로서 나타났다. 그러다가 법이 제도화되면서 법과 도덕이 분화되기 시작한 것이다. 따라서 오늘날에는 법과 도덕을 구별해서 말하는 것이 일반적이라고 할 수 있다.

그렇다면 법과 도덕은 개념적으로 구별하는 것이 가능한가? 이에 대해 하트는 법과 도덕의 개념적 구별의 문제가 법철학의 오랜 역사상 유명한 문제이지만 이 문제를 해결하는데 기울인 시간과 노력만큼 중요하지는 아니하다고 하면서 그 이유로서 두 가지를 제시하였다.[50] 그에 의하면 첫째, '실증주의positivism'와 '자연법Natural Law'[51]과 같은 광범위하나 모호한 단어의 사용으로 인해 법과 도덕의 개념적 구별이 모호해 졌으며 둘째, 법의 개념의 적절성을 판단하는 기준이 거의 없기 때문이라고 한다.[52] 그렇지만 법과 도덕을 개념적으로 명확하게 구별하는 것이 불가능하다고 할지라도 그 구별을 시도하고 있는 학설들을 살펴보는 것은 양자의 관계를 이해하는데 도움이 된다.

---

49. 법과 도덕을 구별하는 특수한 징표들로는 "'외면성-내면성', '제도적-정신적', '합법성-도덕성', '타율성-자율성', '강제-자유', '필연-당위', '외적 의무-내적 구속', '행위와 결과-의사와 심정', '사회-인격', '규정-양심', '양면성-일면성', '금지-명령(요구)', '정의-善'" 등을 들 수 있다고 한다. 심헌섭, 앞의 책, 106-107쪽.
50. Hart, 앞의 책, 2쪽.
51. 최종고 교수는 "자연법론의 관점에서는 인간이 만드는 법은 그보다 더 궁극적인 도덕에 기초하고 그에 합치되어야만 법으로서의 효력을 갖는 것이며, '부정당한 법(unjust law)'이란 있을 수 없다고 주장하여 법과 도덕을 일원적인 것으로 본다. … 법실증주의의 입장에서는 법의 내용이 도덕에 반하더라도 법은 법이라고 보아 법과 도덕을 이원적으로 구별하려고 한다"고 설명하고 있다. 최종고, 법학통론, 박영사, 2008, 27쪽.
52. Hart, 앞의 책, 2쪽.

1) 제1설

사람들은 일찍부터 법과 도덕의 차이를 '법의 외면성'과 '도덕의 내면성'이라는 표어로 나타낼 수 있다고 믿었는데, 이는 토마스 아퀴나스에게서도 엿볼 수 있다.[53] 그러나 내면성과 외면성의 표어로써 법과 도덕의 개념적 징표의 분리를 주장한 사람은 토마지우스Christian Thomasius, 1655-1728였다.[54] 그러한 입장에 의하면 법은 인간의 외적 행위를 도덕은 내적 행태를 그 규제대상으로 한다는 것이다.[55]

그러나 이에 대해서는 법도 인간의 내적 행태를 고려한다는 비판이 있다. 예를 들어, 「민법」 제107조 제1항은 "의사표시意思表示는 표의자表意者가 진의眞意아님을 알고 한 것이라도 효력效力이 있다. 그러나 상대방相對方이 표의자表意者의 진의 아님을 알았거나 이를 알 수 있었을 경우에는 무효無效로 한다"고 규정하고, 동조 제2항은 "전항前項의 의사표시의 무효는 선의善意의 제삼자第三者에게 대항對抗하지 못한다"고 하고 있다. 여기서 '진의' 즉 '참된 의사'가 없다는 것을 표의자가 알면서도 하는 의사표시를 '비진의표시非眞意表示' 또는 '진의 아닌 의사표시'라고 하는데, 토지를 증여할 의사가 없으면서도 '증여하겠다'고 하는 경우가 이에 해당한다. 이러한 비진의표시는 원칙적으로 유효하며 의사표시의 내용대로 효과가 발생한다. 다만, 그 의사표시의 상대방이 '진의 아님을 안 경우' 즉, '악의惡意'인 경우와 '알 수 있었을 경우' 즉 과실過失로 알지 못한 경우에는 무효이다. 이처럼 '진의', '악의' 등과 같이 내심의 의사도 법적 효력의 발생에 중요한 고려요소가 된다는 점에서 법을 '외면성'으로만 파악할 수는 없다고 할 것이다.

---

53. 심헌섭, 앞의 책, 107쪽.
54. 심헌섭, 위의 책, 107쪽.
55. 심헌섭, 위의 책, 109쪽.

2) 제2설

칸트는 "모든 입법은그것이 의무로 삼는 행위와 관련하여서는 서로 일치할 수 있으나, 다시 말해서 행위는 모든 경우에 외적일 수 있으나 동기와 관련해서는 구별될 수 있다. 하나의 행위를 의무로 삼고 또 이 의무를 동기로 삼는 입법은 '윤리적'이다. 그러나 이 후자를 법칙 속에 포함하지 않고, 따라서 의무 자체의 이념과는 다른 동기도 허용하는 입법은 '법적'인 것이다. … 우리는 행위의 동기에 대한 고려 없이 하나의 행위와 법칙과의 단순한 일치一致 또는 불일치不一致를 '합법성合法性'(合法則性)이라고 하며, 그러나 법칙으로부터의 의무의 이념이 동시에 행위의 동기가 된 그러한 행위와 법칙의 일치 또는 불일치를 '도덕성'윤리이라고 한다"고 하였다.[56] 이러한 입장에 의하면 법은 합법하게 행위 하는 이상 어떠한 동기도 허용하나 도덕은 의무가 동기가 될 것을 요구하는 것으로서, 법은 동기에 관계없이 법칙에 일치하면 합법하다는 판단을 내리나, 도덕은 의무가 또한 동기가 되어 있을 때 그것에 도덕적이라는 판단을 내린다는 것이다.[57] 예를 들어, 보행자가 무단횡단을 하는 것이 편리하다고 생각함에도 불구하고 「도로교통법」상 벌칙규정[58] 때문에 어쩔 수 없이 횡단보도를 이용하여 도로를 횡단한 경우를 생각해 보자. 이 경우 보행자의 행위는 「도로교통법」이라는 법률의 규정에 합치된 행위이므로 합법성을 가지지만 도덕적으로는 「도로교통법」을 지키려는 자발적인 심정은 없는 것이므로 도덕성은 없다는 것이다.

그러나 이처럼 어떤 행위를 하게 된 동기에 의해 양자를 구별하는 데에는 비판이 있다. 법은 적법한 행위에서는 동기를 문제삼지 않지만 위법한 행위를 한 경우에는 그 행위를 하게 된 동기를 문제삼기도 하기

---

56. I. Kant, Metaphysik der Sitten, Philosophische Bibliothek, Hamburg 1959(년판), 20면 이하(심헌섭, 앞의 책, 110쪽에서 재인용).
57. 심헌섭, 위의 책, 110쪽.
58. 「도로교통법」 제10조 제2항 및 제157조 제1호 참조.

때문이다. 예를 들어, 「형법」 제251조는 "직계존속直系尊屬이 치욕恥辱을 은폐隱蔽하기 위하거나 양육養育할 수 없음을 예상豫想하거나 특히 참작參酌할만한 동기動機로 인하여 분만중分娩中 또는 분만직후分娩直後의 영아를 살해한 때에는 10년 이하의 징역에 처한다"고 규정하고 있다. 치욕을 은폐하기 위한 경우로는 과부나 미혼녀가 사생아私生兒를 출산하는 경우를 들 수 있고, 양육할 수 없음을 예상하는 경우는 경제사정으로 인해 양육할 능력이 없는 경우라고 할 수 있다.[59] 또한 '특히 참작할 만한 동기'로는 조산으로 인하여 생육할 가능성이 없거나 불구 또는 기형아畸形兒를 출산한 경우를 들 수 있다.[60] 이러한 경우에는 행위자의 주관적 동기를 고려하여 보통살인죄에 비해 가볍게 처벌하는 것이다. 따라서 위법한 행위를 하는 경우에 법은 행위자의 주관적 동기를 고려하여 책임을 정하고 있으므로, 법이 행위의 동기를 고려하지 않는다는 주장은 타당하지 않다.

3) 제3설

법과 도덕을 강제력으로 구분한 학자는 켈젠Hans Kelsen, 1881-1973이다. 그에 의하면, "법과 도덕의 차이는 양자가 명령하거나command 금지하고prohibit 있다는 데에서 찾을 수 있는 것이 아니라, 어떤 행위를 명령하거나 금지하는 방식에서 찾을 수 있는 것이다. 법과 도덕의 본질적인 차이는 법은 강제적 명령coercive order, 즉 어떤 행위에 그와 반대되는 행위를 부가함으로써 사회적으로 조직화된 강제적인 행위로 만들려고 하는 규범적 질서normative order인 반면에 도덕은 그러한 제재sanctions가 없는 사회질서이다. 도덕질서의 제재는 단지 그 규범에 합치하는 행위를 승인하고 규범에 반대되는 행위를 부인disapproval하는 것이며, 어떠한 강제적인 행위도 제재로서 규정되어 있지 아니하다"고 한다.[61] 물론 여기서 말하는

59. 이재상, 형법각론, 박영사, 2007, 30쪽.
60. 이재상, 위의 책, 30쪽.

제재란 법원과 집행기관에 의한 '강제가능성'을 말한다.

예를 들어, 도덕은 "살인하지 말라"고 하고 있으며, 「형법」은 "사람을 살해殺害한 자는 사형死刑, 무기無期 또는 5년 이상의 징역懲役에 처處한다"고 규정하고 있다. 그런데 어떤 이가 사람을 살해한 경우에 법은 "사형, 무기 또는 5년 이상의 징역"이라는 제재를 부과하는 반면에 도덕은 그러한 제재를 두고 있지 아니하다. 바로 이런 의미에서 법과 도덕은 강제가 뒷받침되어 있느냐의 여부로 구별할 수 있다.

3. 법과 도덕의 사실상 관계

1) 법과 도덕의 명시적 관련성

우리의 현행법에는 명시적으로 도덕에 의한 판단을 요구하고 있는 규정들이 있다. 「민법」은 '선량善良한 풍속風俗 기타 사회질서社會秩序'에 위반한 사항을 내용으로 하는 법률행위를 무효로 하고 있다제103조. 대법원은 첩계약과 손해배상이 문제된 사건에서 다음과 같이 판시하였다.[62]

> 소위 첩계약妾契約은 본처本妻의 동의 유무를 불문하고 선량한 풍속에 반하는 사항을 내용으로 하는 법률행위로서 무효일 뿐만 아니라 위법한 행위이므로, 부첩관계에 있는 부夫 및 첩은 특별한 사정이 없는 한 그로 인하여 본처가 입은 정신상의 고통에 대하여 배상할 의무가 있고, 이러한 손해배상책임이 성립하기 위하여 반드시 부첩관계로 인하여 혼인관계가 파탄에 이를 필요까지는 없다고 할 것이다. 한편 본처가 장래의 부첩관계에 대하여 동의하는 것은 그 자체가 선량한 풍속에 반하는 것으로서 무효라고 할 것이나, 기왕의 부첩관계에 대하여 용서한 때에는 그것이 손해배상청구권의 포기라고 해석되는 한 그대로의 법적 효력이 인정될 수 있다고 할 것이다.

---

61. Kelsen, 앞의 책, 62쪽.
62. 대법원 1998.4.10. 선고 96므1434 판결 [이혼및위자료등].

한편 「민법」은 배우자에게 '부정不貞한 행위'가 있었을 때 이혼을 청구할 수 있도록 하고 있다제840조 제1호. 나아가 일반원리로서 '신의성실信義誠實'의 원칙을 규정하고 있다제2조. 또한 「형법」이 '사회상규社會常規'에 위반되지 아니하는 행위는 벌罰하지 아니하며제20조, 공연公然히 '음란淫亂'한 행위를 한 자와제245조 '사람을 살해殺害한 자'를 처벌하는제250조 제1항 것도 법인 동시에 도덕이다. 이처럼 법과 도덕은 '본질적 불가분의 관계' 내지 '서로 업고 업히는 관계'에 있는 것이다.[63]

2) 구체적 사례

(1) 존속살해죄와 도덕

「형법」 제250조 제2항의 '존속살해죄尊屬殺害罪'는 자기 또는 배우자配偶者의 직계존속直系尊屬을 살해한 경우에 보통살인죄에 비해 가중하여 처벌되는 범죄이다.[64] 여기서 '직계'란 혈연관계가 직상·직하하는 형태로 연결된 혈족을 말하고, '존속'이란 자신의 부모 및 부모와 동일한 항렬行列 이상에 속하는 친족을 의미한다. 따라서 부모와 조부모 등이 직계존속에 해당한다.

이에 대해서는 "친자관계를 지배하는 도덕은 인륜의 대본이며 보편적 도덕원리라 할지라도 법률과 도덕 사이에는 엄연한 한계가 있으며 효도孝道라는 도덕적 가치는 형벌의 가중에 의하여 강제될 수 있는 가치가 아니므로 효도는 법 앞의 불평등을 기초지울 수 있는 합리적 근거가 될 수 없다"[65]는 이유로 위헌이라는 견해가 있다. 반면에 "법과 도덕이 구별되고 법에 의하여 모든 도덕이 강제될 수는 없다고 할지라도 사회도덕의 유지를 위한 「형법」의 역할을 전적으로 부정할 수는 없을 뿐만 아니라 존속살해에 대한 형의 가중은 도덕을 강제하는 것이 아니라 배

---

63. 심헌섭, 앞의 책, 122쪽.
64. 「형법」 제250조(살인, 존속살해) ② 자기 또는 배우자의 직계존속을 살해한 자는 사형, 무기 또는 7년 이상의 징역에 처한다.
65. 강구진, 형법강의 각론 I, 박영사, 1983, 35쪽; 배종대, 형법각론, 홍문사, 2002, 77쪽.

륜背倫으로 인한 책임의 가중을 근거로 형을 가중하는 데 지나지 않는다고 해야 한다. 법과 도덕이 구별된다고 하여 책임판단에 있어서 윤리적 요소를 완전하게 제거할 수는 없으므로 배륜성背倫性에 의한 책임가중은 형을 가중하는 합리적 근거가 된다"[66]는 반론도 있다.

일본의 경우에는 최고재판소가 "존속을 살해하는 것은 반윤리성을 특히 비난할 가치가 있다고 할지라도 법정형이 지나치게 무거워 법률상 형의 집행을 유예할 수 없기 때문에 보편적 윤리의 유지·존중이라는 것만으로는 설명할 수 없는 합리적 차별이 아니라고 판시"하였다.[67] 결국 일본은 "1995년 6월 1일부로 존속살해죄를 비롯한 존속에 대한 범죄의 가중 규정을 모두 폐지"하였다.[68]

존속살해죄의 가중처벌과 관련하여 우리 헌법재판소는 "형법이 존속살해죄 이외에도 존속상해, 존속폭행, 존속유기 등 여러 존속에 대한 범죄에 대하여도 가중처벌 규정을 두고 있는데, 이는 범죄의 객체가 자기 또는 배우자의 직계존속이라는 특수한 신분관계에 해당하는 경우 가해자인 직계비속의 패륜성悖倫性에 대한 고도의 사회적 비난가능성이 인정되기 때문에 그 형을 가중하고자 하는 것"이라고 하면서, "존속살해의 범행은 오래 전부터 보편적 사회질서나 도덕원리, 나아가 인륜에도 반하는 행위로 인식되어 왔고, 그 패륜성에 비추어 일반 살인죄에 비하여 고도의 사회적 비난을 받아야 할 이유가 충분"하기 때문에 존속을 차별취급하는 데에 합리적 이유가 있으므로 합헌이라고 하였다.[69]

(2) 혼인빙자간음죄와 도덕

법과 도덕의 관계에 대한 법원의 판단이 어떻게 변화하고 있는지를 볼 수 있는 좋은 사례가 있다. 원래 「형법」 제304조는 "혼인을 빙자憑藉

---

66. 이재상, 형법각론, 앞의 책, 25-26쪽.
67. 이재상, 위의 책, 25-26쪽.
68. 이재상, 위의 책, 25쪽 각주 1).
69. 헌재 2013.7.25. 선고 2011헌바267, 판례집 제25권 2집 (상), 85-86쪽.

하거나 기타 위계僞計로써 음행의 상습常習없는 부녀婦女를 기망欺罔하여 간음姦淫한 자"를 처벌하고 있었다. 이러한 혼인빙자간음죄가 개인의 성적 자기결정권을 침해하는지에 관하여 종래의 헌법재판소는 "남녀간의 성문제는 기본적으로 개인간의 은밀한 사생활의 영역에 속하는 것이어서 범죄적인 측면보다는 도덕·윤리적인 측면이 강하게 드러나는 점을 부인할 수는 없다"고 하면서도 "혼인을 빙자하는 이와 같은 교활한 무기에 의한 여성의 성에 대한 공략은 이미 사생활 영역의 자유로운 성적결정의 문제라거나 동기의 비도덕성에 그치는 차원을 벗어난 것이다. 이러한 행위는 마땅히 형법적 평가의 대상이 되어야 하고, 조심스럽기는 하나 국가형벌권이 개입할 지평을 열어야 한다고 생각한다 … 교활하게도 엄숙한 결혼의 서약을 강력히 앞세워 여성을 유혹하고 언필칭 상호합의에 의한 성관계라는 이름으로 순결한 성을 짓밟고 유린하는 행위는 남성의 성적자기결정권의 한계를 벗어난 것일 뿐만 아니라, 여성의 진정한 자유의사 즉 성적자기결정권을 명백하게 침해하는 것이 아닐 수 없다"고 하여 합헌이라고 판시해 왔다.[70]

그런데 2009년에 이르러 혼인빙자간음죄의 위헌성이 다시 문제된 사안에서 헌법재판소는 "특정의 인간행위에 대하여 그것이 불법이며 범죄라 하여 국가가 형벌권을 행사하여 이를 규제할 것인지, 아니면 단순히 도덕률에 맡길 것인지의 문제는 인간과 인간, 인간과 사회와의 상호관계를 함수로 하여 시간과 공간에 따라 그 결과를 달리할 수밖에 없는 것이고, 결국은 그 사회의 시대적인 상황·사회구성원들의 의식 등에 의하여 결정될 수밖에 없다"고 하면서, 기존의 판례를 변경하여 위헌으로 결정하였다.[71] 특히 헌법재판소는 "우리의 생활영역에는 법률이 직접 규율할 영역도 있지만 도덕률에 맡겨두어야 할 영역도 있다. 법률을 도덕의 최소한이라 하듯이 법률규범은 그보다 상층규범에 속하는 도덕규

70. 헌재 2002.10.31. 선고 99헌바40, 판례집 제14권 2집, 397-398쪽.
71. 헌재 2009.11.26. 선고 2008헌바58 등, 판례집 제21권 2집 (하), 520쪽 이하.

범에 맡겨두어야 할 영역까지 함부로 침범해서는 안 된다. 법률이 도덕의 영역을 침범하면 그 사회는 법률만능에 빠져서 품격있는 사회발전을 기약할 수 없게 되는 것이다. 따라서 성인이 어떤 종류의 성행위와 사랑을 하건, 그것은 원칙적으로 개인의 자유 영역에 속하고, 다만 그것이 외부에 표출되어 명백히 사회에 해악을 끼칠 때에만 법률이 이를 규제하면 충분하다. 혼인을 빙자하여 간음한 자는 가정, 사회, 직장 등 여러 방면에서 윤리·도덕에 의한 사회적 비난과 제재를 받을 것이므로 본질적으로 개인 간의 사생활에 속하는 이러한 행위까지 일일이 추적하여 형법이 간섭할 필요는 없다. 그리고 장차 결혼생활의 불행이 예상됨에도 불구하고 남성이 혼인빙자간음죄에 의한 처벌이 두려워 혼인한다면, 결국 형법이 파탄이 자명한 혼인을 강요하는 것과 다름이 없으므로 이를 법률로 강제하는 것은 이점에서 보아도 부당하다"고 하면서, "애정행위는 그 속성상 과장이 수반되게 마련이다. 이러한 관점에서 우리 형법이 혼전 성관계를 처벌대상으로 하지 않고 있는 이상, 혼전 성관계의 과정에서 이루어지는 통상적 유도행위 또한 처벌하여서는 아니되는 것"이라고 하였다.[72]

(3) 간통죄와 도덕

법과 도덕의 문제가 논의되는 또 하나의 중요한 사례가 바로 간통죄이다. 「형법」은 "배우자配偶者있는 자가 간통姦通한 때에는 2년이하의 징역에 처한다. 그와 상간相姦한 자도 같다"고 규정하고 있었다제241조 제1항. 여기서 '간통'이란 배우자 이외의 자와의 성교性交를 말한다.

그런데 학자들은 "형법에 의하여 윤리나 도덕이 강제되어서는 안 된다는 점에 비추어 부부의 성실의무誠實義務에 대한 위반은 이혼에 의하여 해결하면 족하고 형법이 개입할 성질이 아니며, 일부일처제도에 의한 가정 내지 혼인도 형법이 처벌해야 할 불법으로 될 수는 없을 뿐만 아

---

72. 헌재 2009.11.26. 선고 2008헌바58 등, 판례집 제21권 2집(하), 532, 529쪽.

니라, 이미 타인이 된 전前 배우자配偶者를 고소하는 것은 야비한 복수심의 발로에 지나지 않으므로 국가형벌권國家刑罰權이 인간의 복수심을 만족시키기 위한 도구로 악용되는 것은 타당하지 않기 때문에 간통죄를 폐지함이 타당"하다고 한다.[73] 여기서 "타인이 된 전 배우자를 고소"한다는 것은 「형사소송법」상 "혼인이 해소되거나 이혼소송을 제기"해야만 간통죄로 고소할 수 있었다는 점을 지적한 것이다.[74]

한편 헌법재판소는 2015년 2월 위헌으로 결정하기 이전까지 간통죄에 대하여 네 차례에 걸쳐 합헌 결정을 하였는데,[75] 2008년에 내린 결정에서는 재판관 4인이 합헌의견, 재판관 4인이 위헌의견, 재판관 1인이 헌법불합치의견을 냄으로써 위헌의견이 다수였지만, 위헌선언에 필요한 정족수 6인에 미달하여 헌법에 위반되지 않는다는 선언을 하였다. 이 사건에서 합헌의견은 "간통 및 상간행위가 개인의 성적 자기결정으로서 내밀한 사생활의 영역에 속하는 것이라 하더라도 성적 욕구나 사랑의 감정이 내심에 머무른 단계를 떠나 외부에 행위로 표출되어 혼인관계에 파괴적인 영향을 미치게 된 때에는 법이 개입할 수 없거나, 법적 규제가 효과를 발휘할 수 없는 순수한 윤리와 도덕적 차원의 문제만은 아니다. 따라서 이 사건 법률조항이 개인과 사회의 자율적 윤리의식의 제고를 촉구하는데 그치지 아니하고 형벌의 제재를 동원한 행위금지를 선택한 것은 입법목적 달성에 기여할 수 있는 수단으로서 적절하다"고 하였다.[76]

반면에 위헌의견은 "성도덕에 맡겨 사회 스스로 자율적으로 질서를 잡아야 할 내밀한 성생활의 영역을 형사처벌의 대상으로 삼아 국가가

---

73. 이재상, 형법각론, 앞의 책, 629쪽.
74. 「형사소송법」 제229조(배우자의 고소) ① 「형법」 제241조의 경우에는 혼인이 해소되거나 이혼소송을 제기한 후가 아니면 고소할 수 없다.
75. 헌재 1990.9.10. 선고 89헌마82; 헌재 1993.3.11. 선고 90헌가70; 헌재 2001.10.25. 선고 2000헌바60; 2008.10.30. 선고 2007헌가17·21 등 병합.
76. 헌재 2008.10.30. 선고 2007헌가17, 판례집 제20권 2집 (상), 708쪽.

간섭하는 것은, 국가가 사생활의 비밀과 자유를 침해하는 것이고, 성적 자기결정권의 내용인 성행위 여부와 상대방 결정권을 지나치게 제한하는 것"이라고 하면서 "물론 이러한 부부간 성적 성실의무위반행위가 부도덕하다는 데에는 이견異見이 있을 수 없다. 그러나 그러한 위반행위에 대하여 위와 같은 민사법상 책임 이외에 형사적으로 처벌함으로써 부부간 성적 성실의무가 보호될 수 있는지는 의문이다. 왜냐하면 이러한 성실의무는 개인과 사회의 자율적인 윤리의식, 그리고 배우자의 애정과 신의에 의하여 준수되어야 하지, 형벌로 그 생성과 유지를 강요해 봐야 아무 실효성이 없다"고 하였다.[77] 흥미로운 것은 2008년 헌법재판소의 결정에서는 위헌이라고 보는 재판관이 합헌이라고 보는 재판관보다 많았다는 점이다. 이는 일반 국민의 법감정의 변화와도 관련이 있는 것이라고 할 것이다.

간통죄를 폐지해야 하는가에 대한 논란이 지속되던 중 2015년에 헌법재판소는 기존의 판례를 변경하여 간통죄를 규정한 「형법」 제241조가 헌법에 위반된다고 결정하기에 이르렀다.[78] 먼저 간통행위를 범죄로 처벌함으로써 제한되는 기본권과 관련하여 2015년 결정에서 헌법재판소는 "헌법 제10조는 개인의 인격권과 행복추구권을 보장하고 있고, 인격권과 행복추구권은 개인의 자기운명결정권을 전제로 한다. 이 자기운명결정권에는 성행위 여부 및 그 상대방을 결정할 수 있는 성적 자기결정권이 포함되어 있으므로, 심판대상조항은 개인의 성적 자기결정권을 제한한다. 또한, 심판대상조항은 개인의 성생활이라는 내밀한 사적 생활영역에서의 행위를 제한하므로 헌법 제17조가 보장하는 사생활의 비밀과 자유 역시 제한한다"고 하였다.[79]

이처럼 간통죄가 성적 자기결정권과 사생활의 비밀과 자유를 제한

77. 헌재 2008.10.30. 선고 2007헌가17, 판례집 제20권 2집 (상), 714－716쪽.
78. 헌재 2015.2.26. 선고 2009헌바17 등, 판례집 제27권 1집 (상), 20쪽 이하.
79. 헌재 2015.2.26. 선고 2009헌바17 등, 판례집 제27권 1집 (상), 26쪽.

하는 것이 헌법 제37조 제2항[80]이 규정하고 있는 '과잉금지의 원칙'에 위반되는 것인지에 관하여 헌법재판소는 "심판대상조항은 선량한 성풍속 및 일부일처제에 기초한 혼인제도를 보호하고 부부간 정조의무를 지키게 하기 위한 것"이므로[81] '입법목적의 정당성'은 있다고 하였다. 그러나 헌법재판소는 '수단의 적절성' 및 '침해의 최소성'을 갖추지 못하였다고 하면서 다음과 같이 결정하였다.[82]

> ① 간통행위에 대한 국민의 인식 변화
>
> 우리 사회에서 … 급속한 개인주의 및 성개방적 사고가 확산됨에 따라 결혼과 성에 대한 인식도 바뀌어 가고 … 결혼과 성에 관한 국민의 의식 변화, 그리고 성적 자기결정권을 보다 중요시하는 인식의 확산에 따라, 배우자 있는 사람이 배우자 아닌 사람과 성관계를 하였다고 하여 이를 국가가 형벌로 다스리는 것이 적정한지에 대해서는 이제 더 이상 국민의 인식이 일치한다고 보기 어렵게 되었다.
>
> ② 형사 처벌의 적정성 여부
>
> 특정한 행위를 범죄로 규정하여 국가가 형벌권을 행사할 것인지, 아니면 단순히 도덕의 영역에 맡길 것인지 하는 문제는 그 사회의 시대적인 상황·사회구성원들의 의식 등에 따라 결정될 수밖에 없다. … 개인의 성행위와 같은 사생활의 내밀영역에 속하는 부분에 대하여는 그 권리와 자유의 성질상 국가는 최대한 간섭과 규제를 자제하여 개인의 자기결정권에 맡겨야 한다. … 성인이 서로 자발적으로 만나 성행위를 하는 것은 개인의 자유 영역에 속하고, … 비록 비도덕적인 행위라 할지라도 본질적으로 개인의 사생활에 속하고 사회에 끼치는 해악이 크지 않거나 구체적 법익에 대한 명백한 침해가 없는 경우에는 국가권력이 개입해서는 안 된다는 것이 현대 형법의 추세이

---

80. 헌법 제37조 ② 국민의 모든 자유와 권리는 국가안전보장·질서유지 또는 공공복리를 위하여 필요한 경우에 한하여 법률로써 제한할 수 있으며, 제한하는 경우에도 자유와 권리의 본질적인 내용을 침해할 수 없다.
81. 헌재 2015.2.26. 선고 2009헌바17 등, 판례집 제27권 1집 (상), 26쪽.
82. 헌재 2015.2.26. 선고 2009헌바17 등, 판례집 제27권 1집 (상), 26-30쪽.

다. 이에 따라 전세계적으로 간통죄는 폐지되고 있다.

③ 형벌의 실효성 여부

심판대상조항의 보호법익은 일부일처제에 기초한 혼인제도이다. 그러나 … 간통죄는 친고죄이고, 고소권의 행사는 혼인이 해소되거나 이혼소송을 제기한 후에라야 가능하므로, 고소권의 발동으로 기존의 가정은 파탄을 맞게 된다. … 간통죄로 처벌받은 사람이 고소를 한 배우자와 재결합할 가능성은 거의 없으며, 간통에 대한 형사 처벌과정에서 부부갈등이 심화되어 원만한 가정질서를 보호할 수도 없다. 결국, 간통행위를 처벌함으로써 혼인제도를 보호한다는 의미는, 일방 배우자로 하여금, 만일 간통을 하면 형사적으로 처벌된다는 두려움 때문에 간통행위에 이르지 못하게 하여 혼인관계가 유지되게 하는 효과가 있다는 것이다. 그러나 이러한 심리적 사전억제수단에 실효성이 있는지는 의문이다. … 또한, 간통행위가 처벌되는 비율은 매우 낮아지고 있다. 통계에 따르면 간통죄로 접수되는 사건 및 기소되는 사건의 수가 매년 줄어들고 있어 간통죄로 구속 기소되는 경우는 고소 사건의 10%에도 못 미치고, 수사나 재판과정에서 고소가 취소되어 공소권 없음 또는 공소기각으로 종결되는 사건이 상당수에 이름으로써 형벌로서의 처단기능이 현저히 약화되었다. … 간통죄 처벌에도 불구하고 성에 대한 인식 변화 및 성적 자기결정권을 중시하는 사회적 분위기로 인하여 간통행위에 대한 사회적 비난의 정도는 상당한 수준으로 낮아져 있다. … 정조의무는 개인과 사회의 자율적인 윤리의식, 그리고 배우자의 애정과 신의에 의하여 준수되어야 하지, 형벌로 그 생성과 유지를 강요해 봐야 실효성이 없다. … 결국, 오늘날 간통죄는 간통행위자 중 극히 일부만 처벌될 뿐만 아니라 잠재적 범죄자를 양산하여 그들의 기본권을 제한할 뿐, 혼인제도 및 정조의무를 보호하기 위한 실효성은 잃게 되었다. 혼인과 가정의 유지는 당사자의 자유로운 의지와 애정에 맡겨야지, 형벌을 통하여 타율적으로 강제될 수 없는 것이므로, 심판대상조항이 일부일처제의 혼인제도와 가정질서를 보호한다는 목적을 달성하는 데 적절하고 실효성 있는 수단이라고 할 수 없다.

④ 형벌로 인한 부작용

간통죄가 … 다른 목적을 위하여 악용되는 사례도 있다. … 간통죄는 친고죄로서 고소취소 여부에 따라 검사의 소추 여부 및 법원의 공소기각 여부가 결정되므로, … 유책의 정도가 훨씬 큰 배우자의 이혼수단으로 활용되기도 하고, 사회적으로 명망 있는 사람이나 일시적으로 탈선한 가정주부를 협박하여 금품을 뜯어내거나, 상간자로부터 재산을 편취하는 수단으로 악용되기도 한다.

또한 헌법재판소는 "일부일처제에 기초한 혼인제도 및 부부간 정조의무 보호라는 공익이 더 이상 심판대상조항을 통하여 달성될 것으로 보기 어려운 반면, … 개인의 내밀한 성생활의 영역을 형벌의 대상으로 삼음으로써 국민의 성적 자기결정권과 사생활의 비밀과 자유라는 기본권을 지나치게 제한하는 것이므로, … 법익의 균형성도 상실"하였다고 하면서 간통죄를 위헌으로 결정하였다.[83]

4. 법과 도덕의 사실상 구별

법과 도덕의 관계를 설명하기 위하여 동성애를 예로 들어 보자. 사전적 의미의 '동성애'란 "동성의 상대에게 감정적 · 사회적 · 성적인 이끌림을 느끼는 것"[84]이라고 정의되고 있다. 그런데 '감정적' '이끌림'은 법적인 논의의 대상으로서의 동성애라고 볼 수는 없을 것이다.[85] 미국에서 일반적으로 동성애과 관련하여 많이 사용되는 'sodomy'란 단어는 전통적으로 두 남자two men 간의 성관계를 의미했는데,[86] 오늘날에는 그 의

83. 헌재 2015.2.26. 선고 2009헌바17 등, 판례집 제27권 1집 (상), 26-30쪽.
84. 네이버 백과사전, 동성애(http://100.naver.com/100.nhn?docid=50119) 참조. 학자들 중에서 "동성애자는 동성에게 성적 이끌림의 경향을 갖는 사람을 말한다"는 입장도 같은 범주에 속한다고 볼 수 있다. 강달천, 동성애자의 기본권에 관한 연구, 중앙대학교 박사학위 논문, 2000, 69-70쪽.
85. 허순철, 미국헌법상 동성애 - Lawrence v. Texas판결의 헌법적 의의를 중심으로, 공법학연구 제9권 제1호, 2008, 115-116쪽.
86. Angela Williams, Religious Influences in American Legislation: Lawrence v. Texas, The

미가 확대되어 두 사람two people 간의 비정상적인 성관계를 의미하며, 사람들은 이 단어에서 동성애homosexuality를 떠올린다고 한다.[87] 아무튼 여기서는 동성애를 "동성同性 간의 성性이 직접적으로 관련된 행위"로 한정하여 본다면, 결국 법적인 관점에서는 「성매매알선 등 행위의 처벌에 관한 법률」 제2조 제1항 제1호 '나'목이 규정하고 있는 '유사성교행위'[88]와 같은 의미로 봐야 할 것이다.

그렇다면 동성애는 법과 도덕의 어느 영역에 속하는가? 현행 「군형법」 제92조의6[89]은 '항문성교'[90]를 처벌하고 있으나, 「군형법」은 원칙적으로 대한민국 군인에게 적용되고, 같은 법 제92조의6은 군인이 아닌 일반 국민에게는 적용되지 아니한다.[91]

대법원은 2008년에 "중대장인 피고인이 소속 중대원인 피해자들의 양 젖꼭지를 비틀거나 잡아당기고 손등으로 성기를 때린" 행위가 「군형

Right to Privacy, The Right to Choice, and The "Right to Be Let Alone!", 7 J. L. Society 196, 204 (2006).

87. Williams, 위의 논문, 204쪽.

88. 대법원은 동조항의 "'유사성교행위'란 구강 · 항문 등 신체 내부로의 삽입행위 내지 적어도 성교와 유사한 것으로 볼 수 있는 정도의 성적 만족을 얻기 위한 신체접촉행위를 말하는 것으로 볼 것이고, 어떤 행위가 성교와 유사한 것으로 볼 수 있는 정도의 성적 만족을 얻기 위한 신체접촉행위에 해당하는지 여부는 당해 행위가 이루어진 장소, 행위자들의 차림새, 신체 접촉 부위와 정도 및 행위의 구체적인 내용, 그로 인한 성적 만족감의 정도 등을 종합적으로 평가하여 규범적으로 판단하여야 할 것"이라고 하였다. 대법원 2006.10.26. 선고 2005도8130 판결.

89. 「군형법」 제92조의6(추행) 제1조 제1항부터 제3항까지에 규정된 사람에 대하여 항문성교나 그 밖의 추행을 한 사람은 2년 이하의 징역에 처한다.

90. 개정 전 구(舊) 「군형법」은 "제92조(추행) 계간(鷄姦) 기타 추행을 한 자는 1년 이하의 징역에 처한다"고 규정하고 있었다. 여기서 '계간'이란 '항문성교'를 말하는 것으로서, 다른 말로 비역, 남색(男色), 단수(斷袖), 면수(面首)라고도 하며, 남성간의 항문을 통한 성교를 말한다. 네이버백과사전, 계간(http://krdic.naver.com/search.nhn?query=%EB%B9%84%EC%97%AD)참조. 한편 '계간'은 여성간의 성행위를 포함하지 아니하고, '간(姦)'이란 단어는 부정적인 판단을 담고 있으므로 동성애를 지칭하는 일반적인 용어로 보기는 어렵다고 본다. 허순철, 앞의 논문, 114면, 주) 26 참조.

91. 「군형법」 제1조 참조. 대법원은 동조항이 "군내부의 건전한 공적생활을 영위하기 위한 이른바 군대가정의 성적건강을 유지하기 위한 것이므로 민간인과의 사적생활관계에서의 변태성 성적 만족행위에는 적용되지 않는 것으로 해석"된다고 한 바 있다. 대법원 1973.9.25. 선고 73도1915판결.

법」 제92조[92]의 추행죄에 해당하는지 여부가 문제된 사건에서 다음과 같이 판시하였다.[93]

> 군형법 제92조의 추행죄는 군 내부의 건전한 공적 생활을 영위하고, 이른바 군대가정의 성적 건강을 유지하기 위하여 제정된 것으로서, 주된 보호법익은 '개인의 성적 자유'가 아니라 '군이라는 공동사회의 건전한 생활과 군기'라는 사회적 법익이다. … 군형법 제92조에서 말하는 '추행'이라 함은 계간(항문 성교)에 이르지 아니한 동성애 성행위 등 객관적으로 일반인에게 혐오감을 일으키게 하고 선량한 성적 도덕관념에 반하는 성적 만족 행위로서 군이라는 공동사회의 건전한 생활과 군기를 침해하는 것이라고 할 것이고, 이에 해당하는지 여부는 행위자의 의사, 구체적 행위태양, 행위자들 사이의 관계, 그 행위가 공동생활이나 군기에 미치는 영향과 그 시대의 성적 도덕관념 등을 종합적으로 고려하여 신중히 결정되어야 할 것이다.

대법원의 이러한 판시는 "남성 군인 간 항문성교를 비롯한 성행위가 그 자체만으로 객관적으로 일반인에게 혐오감을 일으키게 하고 선량한 성적 도덕관념에 반하는 행위라는 이유로 사적 공간에서 합의하여 이루어진 성행위인지 여부 등을 따지지 않고 제정 군형법 제92조와 구 군형법 제92조의5 규정이 적용된다는 취지로 판단"한 것이라고 할 수 있다.[94]

한편 헌법재판소는 2016년에 구 「군형법」 제92조의5[95]가 위헌인지 여부가 문제된 사건에서 다음과 같이 판시하였다.[96]

---

92. 구 「군형법」 제92조(추행) 계간 기타 추행을 한 자는 1년 이하의 징역에 처한다.
93. 대법원 2008.5.29. 선고 2008도2222 판결.
94. 대법원 2022.4.21. 선고 2019도3047 전원합의체 판결(대법원 2008.5.29. 선고 2008도2222 판결의 내용을 인용하면서).
95. 구 「군형법」 제92조의5(추행) 계간(鷄姦)이나 그 밖의 추행을 한 사람은 2년 이하의 징역에 처한다.
96. 헌재 2016.7.28. 2012헌바258, 판례집 28-2상, 9쪽.

> 심판대상조항이 '추행'의 대표적이고 전형적인 사례로 '계간'을 들고 있고 '계간'의 사전적 의미가 '사내끼리 성교하듯이 하는 짓'으로서 남성 사이의 항문성교를 뜻하는 점, 자유로운 외부출입이나 독립적인 사생활이 보장되지 못한 채 폐쇄적으로 단체생활을 하면서 동성 사이에 생활관, 화장실, 샤워실 등의 공간을 공동으로 사용하여야 하는 군대 내에서는 개별적이고 독립적인 생활을 영위하는 일반 사회생활에서와 달리 비정상적인 동성 사이의 성적 교섭행위가 발생할 가능성이 매우 높아지는바, 심판대상조항은 바로 이러한 문제 발생을 예방하기 위하여 제정된 것으로서 그 주된 보호법익이 '군이라는 공동사회의 건전한 생활과 군기'라는 사회적 법익인 점 등의 사정을 앞서 본 예시적 입법형식에 있어서의 명확성원칙의 법리에 비추어 보면, 심판대상조항은 계간과 마찬가지로 동성 사이의 성적 행위에만 적용되고, 또한 '군인' 사이의 성적 행위에만 적용될 뿐 '군인'과 '민간인' 사이의 사적 생활관계에서의 성적 행위에는 적용되지 않는다고 보아야 한다.

그런데 2022년에 대법원 전원합의체는 앞서 살펴본 2008년 판례를 변경하면서, "동성 군인이 합의하여 영외의 사적 공간에서 항문성교를 비롯한 성행위를 하는 경우에 군형법 제92조의6추행을 위반하였다고 보아 처벌할 수 있는지 여부"가 문제된 사건에서, "군형법 제92조의6의 문언, 개정 연혁, 보호법익과 헌법 규정을 비롯한 전체 법질서의 변화를 종합적으로 고려하면, 위 규정은 동성인 군인 사이의 항문성교나 그 밖에 이와 유사한 행위가 사적 공간에서 자발적 의사 합치에 따라 이루어지는 등 군이라는 공동사회의 건전한 생활과 군기를 직접적, 구체적으로 침해한 것으로 보기 어려운 경우에는 적용되지 않는다고 봄이 타당하다"고 판결하였다.[97] 이 판결에서 대법원은 그 근거를 다음과 같이 제시하였다.[98]

---

97. 대법원 2022.4.21. 선고 2019도3047 전원합의체 판결.
98. 대법원 2022.4.21. 선고 2019도3047 전원합의체 판결.

현행 규정의 대표적 구성요건인 '항문성교'는 '발기한 성기를 항문으로 삽입하는 성행위'라는 성교행위의 한 형태를 가리키는 것으로서, 이성 간에도 가능한 행위이고 남성 간의 행위에 한정하여 사용되는 것이 아니다. 따라서 현행 규정의 문언만으로는 동성 군인 간의 성행위 그 자체를 처벌하는 규정이라는 해석이 당연히 도출될 수 없고, 별도의 규범적인 고려 또는 법적 평가를 더해야만 그러한 해석이 가능하다. 2013.4.5. 군형법 개정 당시 용어를 순화하였을 뿐이고 여전히 남성 간에 합의로 이루어진 성행위를 처벌하려는 입법의도에는 아무런 변화가 없다고 볼 수도 있다. 그러나 '동성 간의 성행위를 비하하는 용어를 변경하려는 것'이라는 개정이유에는 동성 간 성행위 자체만으로 이를 비하하거나 금기시하여 무조건적인 처벌의 대상으로 삼지 않으려는 의도가 포함되어 있다고 볼 수 있으므로, 이러한 취지를 도외시한 채 종래의 해석을 유지해야 하는 것은 아니다. … 어떤 행위가 추행에 해당하는지에 대한 일반적인 관념이나 동성 간의 성행위에 대한 규범적 평가는 시대와 사회의 변화에 따라 바뀌어 왔고, 동성 간의 성행위가 객관적으로 일반인에게 성적 수치심이나 혐오감을 일으키게 하고 선량한 성적 도덕관념에 반하는 행위라는 평가는 이 시대 보편타당한 규범으로 받아들이기 어렵게 되었다. 대법원 2013.11.14. 선고 2011두11266 판결은 "동성애를 이성애와 같은 정상적인 성적 지향의 하나로 보아야 한다는 주장이 있고, 사회적인 분위기 역시 동성애를 비롯한 성적 소수자에 대한 이해와 관심이 높아져 가고 있다."라는 이유 등을 들어 동성애 성행위 장면이 나오는 영화를 청소년 관람불가 등급으로 분류한 처분을 취소한 원심판단을 받아들였다. 대법원 2014.7.24. 선고 2012므806 판결에서는 "민법 규정에 따라 적법하게 입양신고를 마친 사람이 단지 동성애자로서 동성과 동거하면서 자신의 성과 다른 성 역할을 하는 사람이라는 이유만으로는 입양이 선량한 풍속에 반하여 무효라고 할 수 없다."라고 판단하기도 하였다. … 현행 규정의 체계와 문언, 개정 경위와 함께, 동성 간 성행위에 대한 법규범적 평가의 변화에 따라 동성 군인 간 합의에 따른 성행위를 아무런 제한 없이 군기를 침해하는 행위라고 보기 어려운 점 등을 종합하면, 현행 규정의 보호법익에는 '군이라는 공동사회의

> 건전한 생활과 군기'라는 전통적인 보호법익과 함께 '군인의 성적 자기결정권'도 포함된다고 보아야 한다. 이 사건과 같이 군인이 자신의 사적 공간인 독신자 숙소에서 자유로운 의사로 합의에 따른 성행위를 한 사안으로서 군인의 성적 자기결정권이라는 법익에 대한 침해는 물론, 군이라는 공동사회의 건전한 생활과 군기라는 법익에 대한 침해를 인정하기 어려운 경우까지 처벌대상으로 삼는 해석은 허용될 수 없다. … 위에서 본 동성 간 성행위에 대한 법규범적 평가에 비추어 보면, 동성 군인 간 합의에 의한 성행위로서 그것이 군이라는 공동사회의 건전한 생활과 군기를 직접적, 구체적으로 침해하지 않는 경우에까지 형사처벌을 하는 것은 헌법을 비롯한 전체 법질서에 비추어 허용되지 않는다고 보아야 한다. 이를 처벌하는 것은 합리적인 이유 없이 군인이라는 이유만으로 성적 자기결정권을 과도하게 제한하는 것으로서 헌법상 보장된 평등권, 인간으로서의 존엄과 가치, 그리고 행복추구권을 침해할 우려가 있다. 특히 현행 규정은 장교나 부사관 등 직업군인에게도 적용되는데, 직업군인의 경우 장기간 동안 군형법의 적용을 받게 되므로 기본권 제한의 정도가 매우 크다. 그리고 군인 간의 합의에 의한 항문성교 그 밖의 성행위가 사적 공간에서 은밀히 이루어진 경우 이를 처벌하기 위해서는 지극히 사생활 영역에 있는 행위에 대한 수사가 필수적인데, 이러한 수사는 군인의 사생활의 비밀과 자유를 과도하게 제한하는 것으로 허용되기 어렵다.

우리나라의 경우 일반인들의 동성애는 법적 규율의 대상이 아니며, 이를 규제하는 법 규정은 없다. 다시 말해서 적어도 일반인들의 동성애는 법과 도덕의 영역 중에서 법의 영역에 있는 것이 아니라 도덕의 영역에 있다고 할 것이다.

그렇다면 이와는 반대로 도덕과는 무관한 순수한 법적 규율을 받는 영역이 존재하는가도 생각해 보아야 한다. 행정법이나 「상법」과 같은 기술법적인 성격의 법역에서는 일응 도덕과 무관한 법적 규율만이 문제된다고 볼 수도 있다. 그러나 보는 관점에 따라서는 기술적인 성격의 법규를 지키지 않는 것도 부도덕하다고 한다면 결국 모든 법은 도덕적 요소를 가진다고 할 수 있게 된다. 예를 들어, 법에 문외한인 어떤 사람이 분식집 영업을 하려면 「식품위생법」상 영업신고[99]를 해야 하는 식품접객업[100] 중 휴게음식점영업[101]에 해당한다는 사실을 모르고 영업을 하다가 당국으로부터 영업소 폐쇄[102]를 당한 경우를 생각해 보자. 이 경우 분식집 주인은 생계를 위해 영세한 분식집을 운영하였을 뿐이며 단지 법규정을 몰랐던 것에 불과하므로 도덕적으로 비난받을 행위를 하지 않은 것이라고 할 수 있는가? 다시 말해서 법을 위반하기는 하였으나 도덕을 위반한 것은 아니라고 할 수 있는가가 문제된다.

만약 도덕을 위반한 것은 아니라고 한다면 이는 순수하게 법의 영역에 해당하는 행위라고 할 것이다. 그러나 법제정 당시에는 도덕과는 무관한 기술적인 내용의 법이라고 하더라도 일단 제정되고 나면 지키지 않으면 아니 된다는 도덕의식 내지 준법의식이 생김으로써 실효성이 생긴다고 할 수 있다.[103] 그렇다고 한다면 기술적인 법일지라도 제정된 이후에는 법을 지켜야 한다는 의무로서의 도덕적 요소를 갖게 되므로 도덕과 무관하게 순수한 법적 영역은 없는 것이 된다. 반면에 그의 행위를 도덕적으로 비난할 수 없다고 보는 경우에는 그 행위가 도덕과는 무관한 법적 영역의 규율을 받는 것이라고 할 수도 있을 것이다.

5. 법과 도덕의 관계 도식화 시도

법과 도덕의 관계를 도식화 한다면 크게 세 가지로 나누어 볼 수 있다고 본다. 즉, 양자의 관계를 다음과 같이 교집합의 관계로 볼 수 있다.

---

99. 「식품위생법」 제37조 제4항 참조.
100. 「식품위생법」 제36조 제1항 제3호 참조.
101. 「식품위생법 시행령」 제21조 제8호 가.목 참조.
102. 「식품위생법」 제75조 제1항 제7호 참조.
103. 최종고, 앞의 책, 31쪽.

[법과 도덕의 관계 도식화]

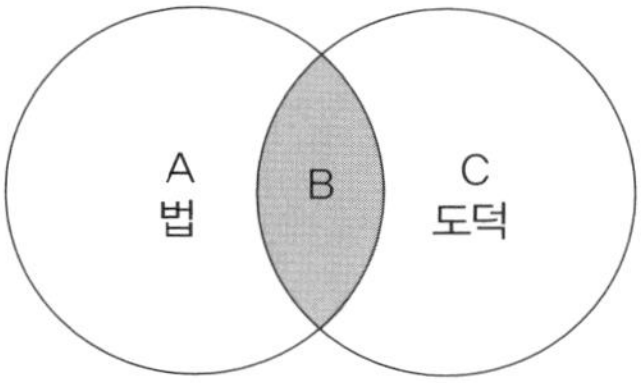

첫째는 A의 경우와 같이 법의 영역에는 속하지만 도덕의 영역에는 속하지 않는 경우를 생각해 볼 수 있다. 「정부조직법」이나 「법원조직법」과 같은 각종의 조직법과 「형사소송법」이나 「민사소송법」과 같은 절차법은 대부분 도덕과는 무관한 내용을 담고 있으므로 여기에 속한다고 할 것이다. 둘째는 B의 경우와 같이 법과 도덕이 교차하여 법이 곧 도덕인 경우를 들 수 있다. 「형법」상 각종의 범죄들, 예컨대 살인죄, 강도죄, 절도죄 등은 도덕이자 곧 법인 경우이다. 셋째는 C의 경우와 같이 도덕의 영역에는 속하지만 법의 영역에는 속하지 않는 경우가 있다. 앞서 설명한 일반인의 동성애의 경우처럼 도덕적으로는 비난받지만 법적으로는 규율되지 않는 경우를 들 수 있다.

Ⅱ 착한 사마리아인의 법

1. 착한 사마리아인의 법의 유래

법과 도덕의 문제와 관련하여 이른바 '착한 사마리아인의 법good samaritan law'에 대해서도 생각해 볼 필요가 있다. 오늘날 착한 사마리아인의 법은 다치거나 병든 타인을 구조한 사람의 법적 책임liability을 면제시켜주는 법원칙을 말한다. 이 원칙은 신약성서에 나오는 다음 내용에서 유래한다.

어떤 율법사가 일어나 예수를 시험하여 가로되 "선생님 내가 무엇을 하여야 영생을 얻으리이까?" 예수께서 이르시되 "율법에 무엇이라 기록되었으며 네가 어떻게 읽느냐?" 대답하여 가로되 "네 마음을 다하며 목숨을 다하며 힘을 다하며 뜻을 다하여 주 너의 하나님을 사랑하고 또한 네 이웃을 네 몸과 같이 사랑하라" 하였나이다. 예수께서 이르시되 "네 대답이 옳도다. 이를 행하라 그러면 살리라" 하시니 이 사람이 자기를 옳게 보이려고 예수께 여짜오되 "그러면 내 이웃이 누구오니이까?" 예수께서 대답하여 가라사대 "어떤 사람이 예루살렘에서 여리고로 내려가다가 강도를 만나매 강도들이 그 옷을 벗기고 때려 거반居半 죽은 것을 버리고 갔더라. 마침 한 제사장이 그 길로 내려가다가 그를 보고 피하여 지나가고 또 이와 같이 한 레위인도 그곳에 이르러 그를 보고 피하여 지나가되 어떤 사마리아인은 여행하는 중 거기 이르러 그를 보고 불쌍히 여겨 가까이 가서 기름과 포도주를 그 상처에 붓고 싸매고 자기 짐승에 태워 주막으로 데리고 가서 돌보아 주고 이튿날에 데나리온 둘을 내어 주막 주인에게 주며 가로되 이 사람을 돌보아 주라 부비가 더 들면 내가 돌아올 때에 갚으리라 하였으니 네 의견에는 이 세 사람 중에 누가 강도 만난 자의 이웃이 되겠느냐?" 가로되 "자비를 베푼 자니이다." 예수께서 이르시되 "가서 너도 이와 같이 하라" 하시니라누가복음 10장 25절-37절.

2. 착한 사마리아인의 법과 사무관리

예를 들어, 어떤 사람이 물에 빠져 허우적거리는 모습을 보고 선한 의도로 그 사람을 구하고자 물에 뛰어들어 가까스로 그 사람을 물가로 끌어냈으나 인공호흡을 제때 실시하지 못하여 그 사람이 사망하였다고 가정해 보자. 이 경우에 사망한 사람의 유가족들은 구조한 사람을 상대로 손해배상을 청구할 수 있는가? 만약 구조자의 과실이 결합되어 피구조자가 사망한 경우라면 어떠한가?

이처럼 법적인 의무가 없음에도 불구하고 타인을 위하여 그의 사무를 처리하는 행위를 '사무관리事務管理'라고 한다「민법」 제734조 이하. 「민법」이

사무관리를 규정하고 있는 것은 우리가 사회생활을 함에 있어서 위의 사례에서와 같이 자살하는 사람을 구조하게 되면 구조를 받는 사람뿐만 아니라 사회 전체적으로도 바람직하기 때문이다. 그런데 이처럼 선한 의도로 한 행위 때문에 법적인 책임을 져야 한다면 사람들은 다른 사람을 도우려고 하지 않을 것이다. 이에 우리 「민법」은 일정한 조건하에 의무 없이 타인의 사무를 처리한 경우에 이를 적법한 것으로 하고 있다. 아울러 사례와 같이 '긴급사무관리'의 경우, 즉 관리자가 타인의 생명, 신체, 명예 또는 재산에 대한 급박한 위해危害를 면하게 하기 위하여 그 사무를 관리한 때에는 고의나 중대한 과실이 없으면 이로 인한 손해를 배상할 책임이 없게 된다「민법」 제735조.

한편 「응급의료에 관한 법률」 제5조의2는 '응급의료종사자'가 아닌 일반시민이 "생명이 위급한 응급환자에게" "응급처치를 제공하여 발생한 재산상 손해와 사상死傷에 대하여 고의 또는 중대한 과실이 없는 경우 그 행위자는 민사책임과 상해傷害에 대한 형사책임을 지지 아니하며 사망에 대한 형사책임은 감면"하도록 규정하고 있다.[104] 이러한 규정을 둔 이유는 선한 의도로 구조하려다가 오히려 법적 책임을 추궁당할 것을 염려하여 곤경에 처한 타인을 구조하지 못하는 경우를 방지하려는데 있다.

3. 의무위반과 형사처벌

프랑스 형법 제223-6조 전문은 "누구든지 자기나 제3자를 위험에 처하도록 하지 않고서도 신체의 완전성을 침해하는 다른 사람의 중죄重

104. 「응급의료에 관한 법률」 제5조의2(선의의 응급의료에 대한 면책) 생명이 위급한 응급환자에게 다음 각 호의 어느 하나에 해당하는 응급의료 또는 응급처치를 제공하여 발생한 재산상 손해와 사상(死傷)에 대하여 고의 또는 중대한 과실이 없는 경우 그 행위자는 민사책임과 상해(傷害)에 대한 형사책임을 지지 아니하며 사망에 대한 형사책임은 감면한다. 1. 다음 각 목의 어느 하나에 해당하지 아니하는 자가 한 응급처치 가. 응급의료종사자 ….

罪나 경죄輕罪를 즉각적인 행동으로 방지할 수 있었음에도 고의로 그러한 행위를 하지 않은 자는 5년이하의 징역 및 75,000프랑 이하의 벌금에 처한다"고 하고, 동조 후문은 "자기 자신이나 제3자에게 위험을 야기하지 않고서도 자신의 행위에 의하거나 또는 구조활동에 착수함으로써 위험에 처한 타인을 구조할 수 있었음에도 고의로 타인을 구조하지 아니한 자에게도 같은 형벌을 부과한다"고 규정하고 있다.[105] 프랑스 이외에도 벨기에, 중국, 독일, 이탈리아, 덴마크, 헝가리, 체코슬로바키아, 네델란드, 노르웨이, 폴란드, 포르투갈, 루마니아, 스위스, 터키 등에도 위험에 처한 타인을 구조하지 않은 자에게 민·형사상 책임을 부과하는 '착한 사마리아인 조항'이 있다고 한다.[106] 반면에 우리 「형법」에는 이러한 조항이 없다. 이에 우리나라에도 착한 사마리아인 조항을 도입해야 한다는 주장이 있다. 그러나 이에 대해서는 도덕적인 의무의 위반을 형벌로 강제하는 것이 과연 옳은 것인가에 대한 반론이 있다.

제3절 | 법의 목적과 이념

I 법의 목적

법이 실현하고자 하는 목적이 무엇인가라는 물음도 법학의 중요한 과제들 중의 하나이다. 여기서 말하는 법의 목적이란 어떤 구체적인 실

---

105. Thomas Lateano et al., Does the Law Encourage or Hinder Bystander Intervention? An Analysis of Good Samaritan Laws, 44 No. 5 Crim. Law Bulletin ART 4(2008); Edward A. Tomlinson, The French Experience with Duty to Rescue: A Dubious Case for Criminal Enforcement, 20 N.Y.L. Sch. J. Int'l & Comp. L. 451, 460-461(2000); French Criminal Law Art. 223-6.

106. Dinah Shelton, The Duty to Assist Famine Victims, 70 Iowa L. Rev. 1309, 1313 (1985).

정법의 입법 목적을 의미하는 것이 아니라 모든 법이 공통적으로 추구하는 목적을 말한다. 법의 목적이 무엇인가에 관하여는 학자들마다 다양한 견해를 제시하고 있지만 가장 중요한 목적은 사회의 '질서' 유지라고 할 수 있을 것이다. 자세히 관찰해 보면 우리가 살고 있는 이 세계는 예측할 수 없는 사건들로 가득한 혼돈이나 무질서가 아니라 일정한 통일성을 가진 조직화된 체계로 되어 있다는 것을 알게 된다. 지구가 지금 이 순간에도 자전을 하면서 일정한 궤도에 따라 태양 주위를 공전하는 것도 일정한 질서라고 할 수 있다. 만약 그러한 질서가 무너진다면 상상할 수 없는 혼돈이 벌어질 것이다.

자연에서와 마찬가지로 인간의 생활에 있어서도 질서는 중요한 역할을 한다. 대부분의 사람들은 자신들의 삶에 있어서 일정한 습관habits을 따라 생활하며 자신의 활동을 체계화한다. 한편 인간은 스스로 집단의 규율에 길들여진 모습을 보이기도 한다. 영화 '콰이강의 다리The Bridge On The River Kwai'에서 볼 수 있듯이, 전쟁포로들도 자발적으로 자신들의 생활을 규율하는 행동규칙을 정하고 이를 준수한다. 물론 사회에는 법에 적대적인 사람들이 있기 마련이다. 타인을 배려하지 아니하고 자신의 기분에 따라 마음대로 행동하려는 사람도 있다. 그러나 사회는 그 사회가 존속하기 위해 필연적으로 질서를 필요로 하기 마련이고, 질서를 어기는 사람에게 제재를 가함으로써 사회의 평화와 질서를 회복하게 된다.

또한 심리적으로 볼 때에도 인간은 자신이 이전에 만족을 얻었던 경험이나 방식을 반복하는 성향이 있다고 한다. 뿐만 아니라 우리 사회에서 흔히 볼 수 있는 보통의 사람들은 안전하고, 질서가 잡힌 예측 가능한 사회를 선호한다.

물론 무정부주의자들은 자율을 중시하고 지배받는 것을 거부한다. 따라서 이들은 무정부주의자가 통치하는 사회에서는 사회 구성원에게 의무가 부과되지 아니하고 자발적인 합의에 의해서만 인간의 모든 일들이 규율되며 강제적인 권력의 사용을 통해서는 규율될 수 없다고 믿는다. 그러나 국가나 정부 없이 인간들 사이의 평화로운 협력이나 질서를 기대한다는 것은 불가능하다. 왜냐하면 사회의 절대 다수가 선한 마음을 가진 사람들이라고 하더라도 질서를 지키지 않는 극소수의 사회구성원이 질서를 지키도록 하기 위해서는 결국 힘, 즉 강제력이 사용될 수밖에 없으며 그러한 강제력은 결국 법에 의해 실행될 수밖에 없기 때문이다.

Ⅱ 법의 이념

법이 추구하는 이상 내지 가치는 무엇인가 하는 물음 역시 법이 해결해야 할 과제이다. 법학을 공부하는 사람이라면 누구나 한 번쯤은 생각해 봐야 할 가장 근본적인 물음이기도 하다. 법의 이념이 무엇인가에 관하여도 지금까지 다양한 견해가 제시되어 왔으나, 라드부르흐Gustav Radbruch, 1878-1949의 설명에 따라 정의, 합목적성 및 법적 안정성의 세 가지를 드는 것이 일반적이다.

1. 정 의

'정의justice[107]란 무엇인가' 하는 물음은 '법이 무엇인가'라는 물음과 마찬가지로 법학, 특히 법철학의 가장 중요하고도 어려운 문제이다. 실제로 무수히 많은 사상가들이 자기 나름의 '정의'를 정의定義해 왔지만 무엇이 정의인지에 대한 답은 없다고 할 수 있다. 다시 말해서 정의는 변화무쌍한 얼굴과 상이한 모양을 가진 매우 다양한 특징들을 지니고 있다고 할 수 있다.[108]

먼저 아리스토텔레스에 의하면 정의는 '평등의 일종some sort of equality'이

107. 미국에서는 연방대법원과 주대법원의 대법관을 'Justice'라고 한다.
108. Edgar Bodenheimer, Jurisprudence: The Philosophy and Method of the Law 196 (2nd. ed. Harvard University Press, 1974).

라고 한다.[109] 정의의 배분적distributive 측면에서 보면, 정의는 이 세상의 것들이 비례적 평등proportionate equality의 원칙에 따라 사회의 구성원에게 공평하게 배분될 것을 요구한다. 즉, 같은 것은 같은 사람들에게, 다른 것들은 다른 사람들에게 배분되어야 한다는 것이다. 만약 X가 Y보다 두 배 더 받을 자격이 있다면, 그의 몫은 두 배 더 많아야 한다는 것이다. 이러한 배분적 정의는 사회의 구성원에게 권리, 권한, 의무 및 책임을 부과하는 경우에 주로 문제된다. 이에 대해 '교정적 정의corrective justice'는 배분적 정의가 사회구성원에 의해 침해되었을 때에 문제된다. 즉, 어떤 사람이 범한 위법한 행위를 바로잡거나 불법적인 이득을 얻은 사람으로부터 그러한 이익을 박탈하는 것이 교정적 정의의 문제라고 한다.[110]

이에 대해 스펜서Herbert Spencer, 1820-1903는 정의의 관념에 결부된 최고의 가치는 평등이 아니라 '자유freedom'라고 보았다.[111] 그는 모든 개인은 자신의 본성이나 능력을 통해 얻을 수 있는 것이면 무엇이든 얻을 권리를 가지고 있으므로, 자신의 이익을 주장하고, 재산을 획득하며 원하는 곳에서는 어디든 자유롭게 이전하며 자기가 원하는 직업을 가질 수 있으며 자유롭게 사상이나 종교적 감정을 표현할 수 있다고 보았다. 다만, 이러한 권리와 자유에 대한 유일한 제약은 다른 사람의 행동을 방해해서는 아니 된다는 개인의 양심과 존중이라고 보았다. 즉, 각자의 자유는 모든 사람의 평등한 자유에 의해서만 제한될 수 있다는 것이다. 이러한 스펜서의 정의의 관념은 "모든 사람은 타인의 평등한 자유를 침해하지 않는 한, 자신이 하고자 하는 것을 할 자유가 있다"는 공식으로 나타났다. 이러한 입장에 의하면 '성매매'처럼 다른 사람에게 해악을 끼치지 않는 행위는 법에 의해 규제되어서는 아니 된다는 결론에 도달한다.

한편 롤즈John Rawls, 1921-2002는 정의의 의미를 분석하는데 있어 자유와

109. Bodenheimer, 위의 책, 197쪽.
110. Bodenheimer, 위의 책, 210쪽.
111. Bodenheimer, 위의 책, 198쪽.

평등을 조화시키려고 하였다. 롤즈의 정의는 다음의 두 가지 원칙들로 이루어져 있다.[112] 첫째 각자는 다른 사람들의 유사한 자유의 체계와 양립할 수 있는 평등한 기본적 자유의 가장 광범위한 체계에 대하여 평등한 권리를 가져야 한다. 둘째, 사회적 · 경제적 불평등은 다음과 같은 두 조건을 만족시키도록, 즉 (a) 모든 사람들의 이익이 되리라는 것이 합당하게 기대되고 (b) 모든 사람들에게 개방된 직위와 직책이 결부되게끔 편성되어야 한다. 그런데 이 두 가지 원칙들은 사회정책에 있어서 같은 가치를 가지는 것은 아니며, 첫 번째 원칙이 두 번째 원칙보다 우선한다. 즉, 자유는 오로지 자유 그 자체를 위해서만 제약될 수 있으며, 사회적 평등과 경제적 평등의 주장은 그러한 평등의 실현이 모든 국민들을 위한 자유의 전체적인 양의 증가를 가져오지 않는 경우에는 자리를 양보해야 한다.[113]

이와는 달리 정의란 개인의 주관적인 가치판단에 따라 다른 결론에 도달한다고 보는 견해도 있다. 예를 들어, 인간의 생명은 그 어떤 가치보다 중요한 최상의 가치라는 윤리적 확신이 있을 수 있다. 이러한 견해에 의하면 살인은 절대적으로 금지된다. 반면에 국가의 이익과 명예가 최선의 가치라고 보는 윤리적 확신도 있다. 이에 의하면 전쟁 시에 모든 국민은 자신의 생명을 희생하고 적군을 죽여야 할 의무가 있는 것이며, 범죄행위에 대한 제재로서 사형을 부과하는 것은 정당하다고 한다. 이처럼 서로 상반된 입장 중에 어떤 것이 정의에 합치되는 것인지에 관하여 결정하는 것은 불가능하며 결국 개인의 감정이나 의지에 따른 결론을 내릴 수밖에 없다는 것이 켈젠의 입장이다. 따라서 켈젠은 정의의 관념은 '비이성적인 이상irrational ideal'이며, 아무리 인간의 자유의지와 행동에 필수불가결한 것이라고 할지라도 인식의 대상일 수는 없다고 한다.[114]

---

112. John Rawls, A Theory of Justice 60 (Harvard University Press, 1971); 존 롤즈(황경식 옮김), 정의론, 이학사, 2003, 105쪽.

113. Rawls, 위의 책, 60-61, 204, 244, 302쪽.

그러나 궁극적인 가치간의 선택이나 서열을 정하는 것이 필요한 경우에는 비합리적인 경우가 완전히 배제될 수는 없으나, 인간의 합리적인 토론과 객관적인 고려에 의해 정의의 문제가 해결될 여지가 있다는 점에서 켈젠의 견해는 받아들이기 어렵다고 할 것이다.[115]

일반적으로 정의의 관념은 아리스토텔레스의 설명에 따라 '평등'으로 이해되어 왔으나, 오늘날에는 정의와 가장 밀접한 관련이 있는 개념으로 '인권'을 드는 것이 일반적이다. 우리 헌법상 최고의 가치 역시 인권, 즉 인간의 자유와 권리를 최대한 보장하는 것이다. 이에 헌법은 제10조에서 "모든 국민은 인간으로서의 존엄과 가치를 가지며, 행복을 추구할 권리를 가진다. 국가는 개인이 가지는 불가침의 기본적 인권을 확인하고 이를 보장할 의무를 진다"고 하고 있다. 또한 '세계인권선언 Universal Declaration of Human Rights (1948)'도 전문에서 "인류 가족 모든 구성원의 고유한 존엄성과 평등권 및 불가양의 권리들을 인정하는 것이 세계의 자유, 정의 및 평화의 기초가 됨을 인정"한다고 하고 있다.

2. 합목적성

비록 정의가 올바른 법인지를 판단하는 척도라고 할지라도, 정의는 특정한 법률이 바람직한 것인지 아닌지의 여부를 결정하는데 사용되는 기준일 뿐이다.[116] 이에 라드부르흐는 "정의는 우리에게 같은 것을 같게, 다른 것을 다르게 취급할 것을 지시하면서도 그 전에 그것들을 같은 것 또는 다른 것으로 인정하기 위하여 어떠한 관점이 필요한가 하는 데에는 아직 아무것도 말하지 아니하고" 있으며, 결국 정의는 법의 목적에 입각하여 해결되어야 한다면서 정의와 함께 합목적성을 제시하였다.[117]

---

114. Hans Kelsen, General Theory of Law and State 13 (Harvard University Press, 1949).
115. Bodenheimer, 앞의 책, 207쪽.
116. Bodenheimer, 위의 책, 213쪽.
117. 라드부르흐(최종고 옮김), 법철학, 삼영사, 2007, 110쪽.

따라서 합목적성이란 법의 목적이 정당하고 또한 법이 그 정당한 목적에 부합해야 한다는 것을 의미한다고 할 것이다. 예컨대 헌법재판소가 혼인빙자간음죄에 대해 "형벌규정을 통하여 추구하고자 하는 목적 자체가 헌법에 의하여 허용되지 않는 것으로서 그 정당성이 인정되지 않는다"고 결정한 것도 합목적성의 관점에서 이해될 수 있다.[118] 그런데 법의 목적이란 결국 국가나 세계관에 따라 달라진다. 사회주의 국가에서는 사회적 평등의 실현을 법의 목적으로 보며, 자유주의 국가에서는 개인의 자유를 최대한 보장하는 것이 국가 내지 법의 목적이라고 할 것이다. 따라서 오늘날 자유민주주의 국가에서 법의 목적은 '자유'와 '권리'의 최대한 보장에 있다고 할 것이다. 결국 합목적성은 법의 목적이 자유와 권리를 최대한 보장하기 위한 것이어야 한다는 것을 의미한다고 할 수 있다.

3. 법적 안정성

파운드Roscoe Pound, 1870-1964는 "법은 안정되어야 하지만, 정지해 있을 수는 없다"[119]고 하였다. 이는 법적 안정성의 중요성을 지적한 동시에 법은 부단히 변화한다는 사실을 말해주고 있다고 할 것이다. 사회의 변화에 따라 법이 변화하는 것은 불가피하다. 그러나 어제의 법이 오늘에 와서 타당한 법이 아니라고 한다면 사람들은 혼란에 빠질 것이다. 따라서 "만약 법이 무엇인지 알 수 없고 예측할 수도 없다면 행동의 지침으로서의 법은 하찮은 것이 되고 만다"[120]고 할 수 있다.

우리 헌법이 채택하고 있는 법치주의는 법적 안정성을 그 요소로 한다. 그러므로 법에 의하여 국가와 사회의 질서를 유지하고 안정성을 도모하기 위해서는 법을 통해 장래를 예측하는 것이 가능하여야 하고, 국

118. 헌재 2009.11.26. 선고 2008헌바58 등, 판례집 제21권 2집 (하), 530쪽.
119. Roscoe Pound, Interpretations of Legal History 1 (Cambridge, Mass., 1923).
120. Benjamin N. Cardozo, The Growth of the Law 3 (New Heaven, 1924).

가의 어떤 행위에 대해 국민의 정당한 신뢰가 형성된 경우에는 그 신뢰가 보호되어야 하며, 이미 부여된 법적인 지위나 가치가 사후에 소급입법遡及立法에 의해 부인되어서는 아니 된다.

법적 안정성을 보장하기 위한 대표적인 제도로는 '시효時效'를 들 수 있다. '시효'란 일정한 사실상태가 아주 오랫동안 계속된 경우에 그 상태를 존중하여 그 상태에 일정한 효력을 부여하는 것을 말한다. 「민법」상 '소멸시효消滅時效'[121]와 '취득시효取得時效'[122] 그리고 「형사소송법」상 '공소시효公訴時效'[123] 등이 이에 속한다. 시효제도를 인정하는 것은 일정한 사실상태가 오랫동안 계속된 경우에는 사회의 구성원들이 그러한 사실상태를 신뢰하고 그러한 상태를 기반으로 다시 새로운 법률관계를 형성하게 되는데, 만약 그러한 새로운 법률관계가 정당하지 못하다고 이를 부인하게 되면 사회는 혼란에 빠지게 되므로 현재의 사실상태를 그대로 인정할 필요성이 있을 뿐만 아니라 오랜 시간이 지난 후에는 증거가 소멸하기 쉽고 법원이 진실한 권리관계를 판단하는 것이 사실상 곤란하게 되기 때문이다. 이에 「민법」은 일정한 기간 동안 권리를 행사하지 아니하면 소멸시효가 완성하여 권리를 행사할 수 없는 것으로 규정하고 있다「민법」 제162조 이하. 또한 「민법」이 권리를 장기간 행사하고 있는 것과 같

---

121. 예컨대 「민법」 제162조(채권, 재산권의 소멸시효)는 "① 채권은 10년간 행사하지 아니하면 소멸시효가 완성한다. ② 채권 및 소유권 이외의 재산권은 20년간 행사하지 아니하면 소멸시효가 완성한다."고 규정하고 있다.

122. 예컨대 「민법」 제245조(점유로 인한 부동산소유권의 취득기간)는 "① 20년간 소유의 의사로 평온, 공연하게 부동산을 점유하는 자는 등기함으로써 그 소유권을 취득한다. ② 부동산의 소유자로 등기한 자가 10년간 소유의 의사로 평온, 공연하게 선의이며 과실없이 그 부동산을 점유한 때에는 소유권을 취득한다."고 규정하고 있다.

123. 「형사소송법」 제249조(공소시효의 기간) ① 공소시효는 다음 기간의 경과로 완성한다. 1. 사형에 해당하는 범죄에는 25년 2. 무기징역 또는 무기금고에 해당하는 범죄에는 15년 3. 장기 10년 이상의 징역 또는 금고에 해당하는 범죄에는 10년 4. 장기 10년 미만의 징역 또는 금고에 해당하는 범죄에는 7년 5. 장기 5년 미만의 징역 또는 금고, 장기 10년 이상의 자격정지 또는 벌금에 해당하는 범죄에는 5년 6. 장기 5년 이상의 자격정지에 해당하는 범죄에는 3년 7. 장기 5년 미만의 자격정지, 구류, 과료 또는 몰수에 해당하는 범죄에는 1년 ② 공소가 제기된 범죄는 판결의 확정이 없이 공소를 제기한 때로부터 25년을 경과하면 공소시효가 완성한 것으로 간주한다.

은 외관이 있는 경우에 권리를 취득하는 효과를 부여하는 '취득시효取得時效' 역시 법적 안정성을 보호하기 위한 제도라고 할 수 있다「민법」 제245조, 246조 참조. 아울러 검사가 일정한 기간 동안 공소를 제기하지 아니하면 국가의 소추권을 소멸시키는 공소시효 제도 역시 일정한 시간이 경과하여 형사처벌을 받지 아니하게 될 것이라는 신뢰를 보호하고 사실상의 상태를 유지하고 존중하는 제도이다「형사소송법」 제249조.

헌법재판소도 "일반적으로 국민이 어떤 법률이나 제도가 장래에도 그대로 존속될 것이라는 합리적인 신뢰를 바탕으로 하여 일정한 법적 지위를 형성한 경우, 국가는 그와 같은 법적 지위와 관련된 법규나 제도의 개폐에 있어서 법치국가의 원칙에 따라 국민의 신뢰를 최대한 보호하여 법적 안정성을 도모하여야 한다. 따라서 법률의 제정이나 개정시 구법질서에 대한 당사자의 신뢰가 합리적이고도 정당하며 법률의 제정이나 개정으로 야기되는 당사자의 손해가 극심하여 새로운 입법으로 달성하고자 하는 공익적 목적이 그러한 당사자의 신뢰의 파괴를 정당화할 수 없다면, 그러한 새로운 입법은 허용될 수 없다"고 함으로써 법적 안정성을 강조하고 있다. 아울러 헌법이 제13조 제2항에서 "모든 국민은 소급입법遡及立法에 의하여 참정권參政權의 제한을 받거나 재산권을 박탈당하지 아니한다"고 규정하고 있는 것도 법적 안정성을 보장하기 위함이다.

제4절 | 법의 효력

I 법의 실질적 효력

1. 서 설

어떤 법이 효력을 가지고 있다는 말은 곧 그 법이 수범자受範者들에게 구속력을 가지고 있다는 것을 의미한다. 따라서 어떤 법이 구속력을 가지는가의 문제는 곧 법의 근본적인 문제이기도 하다. 우리나라의 경우 예를 들어, 낙태落胎는 범죄로 규정되어 있었음에도 불구하고「형법」제269조, 제270조, 실제로 낙태가 처벌되는 경우는 극히 드물었다.[124] 또한 사회 일반인들 역시 낙태죄가 사문화死文化되어 규범으로서의 구속력을 거의 상실하였다고 생각하였다. 이처럼 법규범이 존재함에도 불구하고 구속력이 사실상 거의 없는 경우에는 법이 효력을 가지지 못한다고 할 수 있다.

법이 하나의 규범으로서 제대로 역할을 할 수 있는가의 문제를 법의 효력이라고 한다면 이는 크게 형식적 효력과 실질적 효력으로 나누는 것이 일반적이다. 형식적 효력은 법규범 특히 실정법이 일정한 장소, 시간, 사람에게 효력을 가지는가의 문제이다. 이에 대해 실질적 효력은 법이 의무나 금지를 명령한 경우에 그것이 수범자에 의해 준수되는지의 문제와 법이 개인에게 권리를 부여한 경우에 그러한 권리가 다른 사회구성원에 의해 존중되고 나아가 국가에 의해 적용되는지에 관한 문제이다. 다시 말해서 법의 실질적 효력은 법이 구속력을 가지는 근거가 무엇인가의 문제이다.

그런데 법의 효력이란 말과 함께 일반적으로 법의 '타당성validity'과 법의 '실효성efficacy'이란 말도 사용된다. 법의 실효성이란 법규범이 실제로 사람들에 의해 준수되고 있는가의 문제인 반면에 법의 타당성은 어떤 법규범이 준수될만한 자격이 있는가의 문제이다.[125] 따라서 법이 효력을 가진다는 것은 타당성과 실효성을 모두 갖춘 경우를 의미한다고 할 수 있다. 앞서 예로든 낙태죄의 경우 헌법재판소는 2019년 헌법불합치 결정을 하면서 다음과 같이 판시하였다.[126]

---

124. 2017년의 경우 '낙태의 죄'로 재판을 받은 사람은 모두 25명이며, 이들이 받은 처분을 기준으로 분류해 보면 각각 유기 자유형 2명, 집행유예 13명, 재산형 2명, 선고유예 7명, 기타 1명인 것으로 나타났다. 법원행정처, 사법연감, 2017, 938-939쪽.

125. Bodenheimer, 앞의 책, 260쪽.

126. 헌재 2019.4.11. 선고 2017헌바127, 판례집 31-1, 404쪽-406쪽.

자기낙태죄 조항은 모자보건법이 정한 예외를 제외하고는 임신기간 전체를 통틀어 모든 낙태를 전면적·일률적으로 금지하고, 이를 위반할 경우 형벌을 부과함으로써 임신의 유지·출산을 강제하고 있으므로, 임신한 여성의 자기결정권을 제한한다. 자기낙태죄 조항은 태아의 생명을 보호하기 위한 것으로서, 정당한 입법목적을 달성하기 위한 적합한 수단이다. 임신·출산·육아는 여성의 삶에 근본적이고 결정적인 영향을 미칠 수 있는 중요한 문제이므로, 임신한 여성이 임신을 유지 또는 종결할 것인지 여부를 결정하는 것은 스스로 선택한 인생관·사회관을 바탕으로 자신이 처한 신체적·심리적·사회적·경제적 상황에 대한 깊은 고민을 한 결과를 반영하는 전인적全人的 결정이다. 현 시점에서 최선의 의료기술과 의료 인력이 뒷받침될 경우 태아는 임신 22주 내외부터 독자적인 생존이 가능하다고 한다. 한편 자기결정권이 보장되려면 임신한 여성이 임신 유지와 출산 여부에 관하여 전인적 결정을 하고 그 결정을 실행함에 있어서 충분한 시간이 확보되어야 한다. 이러한 점들을 고려하면, 태아가 모체를 떠난 상태에서 독자적으로 생존할 수 있는 시점인 임신 22주 내외에 도달하기 전이면서 동시에 임신 유지와 출산 여부에 관한 자기결정권을 행사하기에 충분한 시간이 보장되는 시기이하 착상 시부터 이 시기까지를 '결정가능기간'이라 한다까지의 낙태에 대해서는 국가가 생명보호의 수단 및 정도를 달리 정할 수 있다고 봄이 타당하다. 낙태갈등 상황에서 형벌의 위하가 임신종결 여부 결정에 미치는 영향이 제한적이라는 사정과 실제로 형사처벌되는 사례도 매우 드물다는 현실에 비추어 보면, 자기낙태죄 조항이 낙태갈등 상황에서 태아의 생명 보호를 실효적으로 하지 못하고 있다고 볼 수 있다. 낙태갈등 상황에 처한 여성은 형벌의 위하로 말미암아 임신의 유지 여부와 관련하여 필요한 사회적 소통을 하지 못하고, 정신적 지지와 충분한 정보를 제공받지 못한 상태에서 안전하지 않은 방법으로 낙태를 실행하게 된다. 모자보건법상의 정당화사유에는 다양하고 광범위한 사회적·경제적 사유에 의한 낙태갈등 상황이 전혀 포섭되지 않는다. 예컨대, 학업이나 직장생활 등 사회활동에 지장이 있을 것에 대한 우려, 소득이 충분하지 않거나 불안정한 경우, 자녀가 이미 있어서 더 이상의 자녀를 감당할 여력이 되지 않는 경우, 상대 남성과 교제를 지속할 생각이 없거나 결혼 계획이 없는 경우, 혼인이 사실상 파탄에 이른 상태에서 배우자의 아이를 임신했음을 알게 된 경우, 결혼하지 않은 미성년자가 원치 않은 임신을 한 경우 등이 이에 해당할 수 있다. 자기낙태죄 조항은 모자보건법에서 정한 사유에 해당하지 않는다면 결정가능기간 중에 다양하고 광범위한 사회적·경제적 사유를 이유로 낙태갈등 상황을 겪고 있는 경우까지도 예외 없이 전면적·일률적으로 임신의 유지 및 출산을 강제하고, 이를 위반한 경우 형사처벌하고 있다. 따라서, 자기낙태죄 조항은 입법목적을 달성하기 위하여 필요한 최소한의 정도를 넘어 임신한 여성의 자기결정권을 제한하고 있어 침해의 최소성을 갖추지 못하였고, 태아의 생명 보호라는 공익에 대하여만 일방적이고 절대적인 우위를 부여함으로써 법익균형성의 원칙도 위반하였으므로, 과잉금지원칙을 위반하여 임신한 여성의 자기결정권을 침해한다. 자기낙태죄 조항과 동일한 목표를 실현하기 위하여 임신한 여성의 촉탁 또는 승낙을 받아 낙태하게 한 의사를 처벌하는 의사낙태죄 조항도 같은 이유에서 위헌이라고 보아야 한다. 자기낙태죄 조항과 의사낙태죄 조항에 대하여 각각 단순위헌결정을 할 경우, 임신 기간 전체에 걸쳐 행해진 모든 낙태를 처벌할 수 없게 됨으로써 용인하기 어려운 법적 공백이 생기게 된다. 더욱이 입법자는 결정가능기간을 어떻게 정하고 결정가능기간의 종기를 언제까지로 할 것인지, 결정가능기간 중 일정한 시기까지는 사회적·경제적 사유에 대한 확인을 요구하지 않을 것인지 여부까지를 포함하여 결정가능기간과 사회적·경제적 사유를 구체적으로 어떻게 조합할 것인지, 상담요건이나 숙려기간 등과 같은 일정한 절차적 요건을 추가할 것인지 여부 등에 관하여 앞서 헌법재판소가 설시한 한계 내에서 입법재량을 가진다. 따라서 자기낙태죄 조항과 의사낙태죄 조항에 대하여 단순위헌 결정을 하는 대신 각각 헌법불합치 결정을 선고하되, 다만 입법자의 개선입법이 이루어질 때까지 계속적용을 명함이 타당하다.

이처럼 낙태죄는 실효성이 없는 경우로서 법으로서의 완전한 효력을 가지고 있지 않았다. 이와 관련하여 헌법재판소 역시 "자기낙태죄 조항이 낙태갈등 상황에서 태아의 생명 보호를 실효적으로 하지 못하고 있다고 볼 수 있다"는 점을 지적하였다.

2. 실질적 효력에 관한 학설

1) 법학적 효력설

켈젠은 법의 효력근거를 상위의 규범에서 찾으려고 하였다. 그는 이를 다음과 같이 설명하였다.[127]

> 다른 규범의 타당성validity의 이유가 되는 규범을, 앞에서 살펴보았듯이, '상위 규범higher norm'이라고 부른다. 그러나 어떤 규범의 타당성의 이유를 찾는 것은 어떤 효과의 원인을 찾는 것과 같이 무한히 계속될 수는 없다. 그것은 이미 전제되어 있는 최종적이고 최상위인 규범에서 끝나야 한다. 그러한 탐구search는 '사실로 받아들여질posited' 수가 없기 때문에 즉, 어떤 권위에 의해 창조된 규범은 더 높은 상위의 규범에 의존해야 할 것이기 때문에, 전제presupposed되어야 한다. 이러한 최종적인 규범의 타당성은 그 보다 상위의 규범으로부터 전래될 수 없으며, 그 규범의 타당성의 근거는 문제될 수 없다. 그러한 전제된 최상위의 규범이 이 책에서 근본규범basic norm이라고 명명한 것이다. 모든 타당성을 가진 규범들은 규범의 체계, 즉 규범적인 질서를 구성하는 단일하고 동일한 근본규범으로 거슬러 올라갈 수 있다. 이러한 근본 규범이 같은 질서 내에 속하는 모든 규범의 타당성의 공통적인 원천 즉, 타당성의 공통적인 이유이다.

켈젠은 어떤 규범의 타당성의 원천은 그 규범보다 상위의 규범이라고 보았다. 그런데 그 상위의 규범의 타당성의 원천은 다시 그보다 상위의 규범에서 찾을 수밖에 없으므로 무한한 순환논리가 될 수밖에 없게

127. Kelsen, 앞의 책, 194-195쪽.

된다. 이에 켈젠은 최종적인 단계의 규범이 존재한다고 가정하고 이를 '근본규범'이라고 한 것이다. 예를 들어, "십계명Ten Commandments의 타당성의 근거는 여호와 하나님이 시나이산Mount Sinai에서 이를 주었다는데 있다"거나 "인간은 원수를 사랑해야 한다. 왜냐하면 하나님의 아들, 예수께서 산상수훈Sermon on the Mount에서 이러한 명령을 내렸기 때문이다"라는 말들은 모두 타당성의 근거가 하나님이나 그의 아들이 어떤 때 어떤 장소에 어떤 규범을 내렸다는데 있는 것이 아니라 하나님이나 그의 아들의 명령에 복종해야 한다는 묵시적으로 전제된 규범 때문이라는 것이다.[128]

그러나 켈젠의 근본규범은 단순히 '논리적 전제'이므로 법효력의 문제를 거의 해결하지 못한다는 비판과 이와는 반대로 근본규범이 순전히 동적인 원리로만 파악되어 어떠한 헌법에도 그것이 실효적이기만 하면 그 내용에 관계없이 축복을 내려 법효력의 문제를 "너무 많이 해결해준다"는 비판이 있다고 한다.[129]

2) 사회학적 효력설

(1) 사실의 규범적 효력설

법의 효력의 근거를 '사실事實'에서 구하려는 입장이다. 옐리네크가 강조한 이 학설은 관행慣行이라는 사실로부터 관습, 더 나아가서 관습법이라고 하는 규범이 생기는 것, 또 혁명革命이라는 사실에 의하여 종래의 규범체제가 붕괴되고 새로이 창설된 규범체계가 효력을 가지게 되는 것 등을 '사실의 규범력'으로 설명한다.[130]

(2) 실력설

실력설에 따르면 "법은 그것을 실현할 수 있는 실력에 의하여 명령

---

128. Kelsen, 위의 책, 193-194쪽.
129. 심헌섭, 앞의 책, 78쪽.
130. 최종고, 앞의 책, 106쪽.

되고 있다는 데에서 효력을 가진다"고 한다.[131] 다시 말해서 국가의 강제에 의해 실현되는 것이 법이라는 것이다. 법이 실효성을 가지기 위해 강제력 내지 힘에 의한 법의 실현을 필요로 한다는 점은 사실이다. 그러나 실력설은 정당성의 문제에 대한 해답을 주지는 못한다. 라드부르흐는 "명령과 실력은 단지 의욕과 능력을 의미할 뿐이며, 모든 경우 수명자에 대하여 필연을 생기게 할 수는 있지만 당위를 생기게 할 수는 없다. 그리고 복종을 발생케 할 수 있을지는 모르나 결코 복종의 의무를 발생케 할 수는 없다. 피스톨을 손에 쥐고 타인에게 그것을 지불수단으로 건네주도록 강요된다고 하여 가치 없는 종이가 통용력을 가질 수 없는 것과 같이 명령도 조소하며 이것에서 빠져나갈 길을 알고 있는 자에 대하여는 물론 이를 갈면서 그것에 복종할 것을 강제당하고 있는 자에 대하여서도 효력을 가지는 것은 아니다"라고 비판하였다.[132]

(3) 명령설

오스틴은 법을 주권자의 국민에 대한 명령으로 보았다. 따라서 법이 효력을 가지는 근거는 주권자의 의사에 있다는 것이다. 그러나 명령설命令說은 법이 지배와 복종의 관계에 있다는 점을 지적한 점에서는 의미가 있으나, 법의 타당성의 근거를 설명하지 않고 있다는 비판이 있다.[133]

(4) 승인설

승인설承認說은 법이 효력을 가지는 근거를 사회 구성원 다수의 승인承認에서 구하는 입장이다. 다시 말해서 다수인이 법을 자신들의 행위의 준칙으로 승인하고 이를 지키기 때문이라는 것이다. 그러나 법이 효력을 가지는 경우에도 그 사회의 구성원의 의사와는 무관하게 효력을 가지는 것이므로 그 사회 구성원 다수의 심리만으로 효력을 설명하는 것은 미흡하다는 비판이 있다. 예컨대 양심범良心犯의 경우에는 실정법 질

---

131. 라드브루흐(최종고 옮김), 앞의 책, 120쪽.
132. 라드부르흐(최종고 옮김), 위의 책, 120쪽.
133. Brian Bix, Jurisprudence: Theory and Context 37-38 (2009).

서를 부정하지만 그에게도 법이 효력을 미친다. 따라서 승인설은 승인하지 아니한 자에게도 효력을 가지는 근거를 설명하지 못한다는 비판을 받고 있다.

3) 철학적 효력설

앞서 살펴본 여러 학설로도 법의 효력을 충분히 설명할 수 없게 되자 학자들은 법의 효력의 근거를 결국 법의 이념에서 찾으려고 하고 있다. 라드브루흐는 "법의 효력은 실정법규에도 힘이나 승인承認과 같은 사실에도 의거할 수 없고, 오로지 더 높은 또는 가장 높은 당위, 즉 하나의 초실정적인 가치에만 의거할 수 있다"고 하였다.[134] 법의 이념과 법의 효력을 연관시켜 설명하려는 이러한 법이념설法理念說들은 법의 효력의 근거를 법이념, 법가치法價値 나아가 도덕에서 찾으려고 한 점에서는 동일하지만 아직 법의 효력을 완전하게 설명하지는 못하고 있다. 그래서 마이어Max Ernst Mayer, 1875-1923는 "마치 둥지에서 쫓겨난 새처럼 법효력의 개념은 가는 곳마다 자리잡으나 어느 곳에도 안정을 찾지 못하고 법철학의 여기저기를 날아다닌다"고 하였다.[135] 다만 오늘날에는 승인설을 바탕으로 하면서 법이념설을 고려하는 것이 일반적인 경향인 것으로 보인다.[136]

Ⅱ 법의 형식적 효력

법의 형식적 효력은 성문법 내지는 제정법과 관련한 문제이다. 제정법은 입법권자에 의해 만들어지고 법집행기관에 의해 구체적 사안에 적

---

134. Radbruch, Vorschule der Rechtsphilosophie, Göttingen 1959, 36면(심헌섭, 앞의 책, 83쪽에서 재인용).
135. M. E. Mayer, Rechtsphilosophie, 2. Aufl., Berlin, 1926, S. 56(최종고, 앞의 책, 108쪽에서 재인용).
136. 심헌섭, 앞의 책, 93쪽; 최종고, 앞의 책, 108쪽.

용된다. 이 때 비로소 법의 형식적 효력의 문제, 즉 법의 시간적 효력, 장소적 효력 및 대인적 효력이 문제된다.

1. 시간적 효력

1) 법의 시행

법이 언제부터 언제까지 효력을 가지는가의 문제가 법의 시간적 효력의 문제이다. 그런데 자연법의 경우에는 그 존재를 긍정하는 경우일지라도 시간적 효력을 말하는 것은 불가능하다. 또한 관습법을 비롯한 불문법의 경우에도 관념상으로는 그러한 법이 존재한다는 것과 그것이 법으로서 효력을 갖는 시기가 동일하다고 볼 수 있지만, 과연 어느 시점에 그러한 법이 존재하는 것으로 볼 것인지 내지는 어느 시점에 폐지된 것으로 볼 것인지의 문제는 매우 어려운 문제이다. 따라서 법의 시간적 효력은 결국 제정법에 대한 논의일 수밖에 없다고 할 것이다.

제정법은 그 법이 시행된 날로부터 폐지된 날까지 효력을 갖는다. 이처럼 시행일로부터 폐지일까지의 기간을 법의 '유효기간有效期間' 또는 '시행기간施行期間'이라고 한다. 시행일은 크게 두 가지 경우로 나누어 볼 수 있다. 첫째, 당해 법이 부칙에서 직접 시행일을 규정하고 있는 경우가 있다. 이 경우에는 부칙이 정한 날이 시행일이 된다. 여기에는 다시 '공포한 날부터 시행'하는 경우와 공포일로부터 시행일까지의 시간적 간격을 두는 경우가 있다. 후자의 경우 공포일로부터 시행일까지의 기간을 법의 '주지기간周知期間'이라고 한다. 법이 주지기간을 두는 이유는 국민이 법의 시행에 관하여 알고 대처할 수 있도록 시간적 여유를 두기 위함이다. 예컨대 1958년 2월 22일에 법률 제471호로 공포公布된 「민법」은 부칙 제28조시행일에 따라 1960년 1월 1일부터 시행되었다. 이처럼 「민법」의 경우에는 공포일로부터 시행일까지 약 2년 가까이의 주지기간을 두었던 것이다.

둘째, 시행일을 명시하지 아니한 경우에는 법률은 공포한 날로부터 20일을 경과함으로써 효력을 발생한다헌법 제53조 제7항. 이에 대해 「법령 등 공포에 관한 법률」은 국민의 권리제한 또는 의무부과義務賦課와 직접 관련되는 법률·대통령령大統領令·총리령總理令 및 부령部令은 긴급緊急히 시행施行하여야 할 특별한 이유가 있는 경우를 제외하고는 공포일公布日로부터 적어도 30일이 경과한 날로부터 시행되도록 하여야 한다고 규정하고 있다제13조의2.

한편 공포公布는 법률 등의 효력발생요건이다. 헌법개정憲法改正·법률·조약條約·대통령령·총리령 및 부령의 공포는 관보官報에 게재揭載하여 이를 한다「법령 등 공포에 관한 법률」 법 제11조 제1항. 법령 등의 공포일은 그 법령 등을 게재揭載한 관보 또는 신문이 발행된 날로 한다「법령 등 공포에 관한 법률」 제12조. 그런데 예전에는 종이관보만 있었으나, 요즘에는 인터넷을 이용하여 '전자관보'를 볼 수 있게 되었다. 이에 「법령 등 공포에 관한 법률」은 "관보의 내용 해석 및 적용 시기 등에 대하여 종이관보와 전자관보는 동일한 효력을 가진다"고 규정하고 있다제11조 제4항.

2) 법의 폐지

법이 효력을 잃는 것을 법의 폐지廢止라고 한다. 법이 폐지되는 원인은 그 원인이 법 자체에 있는 경우와 외적 사정에 있는 경우로 나누어 볼 수 있다.

(1) 내적 원인에 의한 폐지

법이 내적 원인에 의해 폐지되는 경우란 법 자체에 시행기간이 미리 규정되어 있는 경우로서 그 기간의 만료로 당연히 그 법은 폐지된다. 그런데 형벌법규와 관련하여 한시법限時法의 개념, 소급효 인정여부 등에 관하여는 이론적 대립이 있다.

먼저 한시법의 개념에 관하여 다수설은 형벌법규에 유효기간이 명시되어 있는 것에 한정해야 한다고 하면서 유효기간의 명시는 유효기간

내의 행위라면 유효기간 후에도 처벌하겠다는 입법자의 의사가 명시된 것이므로 그렇지 않은 법령과 구별해야 하고, 소수설이 주장하는 '일시적 사정'이 모호하다는 점을 근거로 한다. 반면에 소수설은 다수설이 말하는 바와 같이 형벌법규에 유효기간이 명시된 것뿐만 아니라 법령의 내용과 목적이 일시적 사정에 대응하기 위한 것이기 때문에 유효기간이 사실상 제한되지 않을 수 없는 법령, 즉 임시법臨時法도 한시법에 포함된다고 한다.

한편 「형법」 제1조 제1항은 "범죄의 성립成立과 처벌處罰은 행위시의 법률에 의한다"고 함으로써 '행위시법주의'를 원칙으로 하고 있으나, 제1조 제2항에서는 "범죄후犯罪後 법률의 변경變更에 의하여 그 행위가 범죄를 구성構成하지 아니하거나 형刑이 구법舊法보다 경한 때에는 신법新法에 의한다"고 함으로써 예외를 인정하고 있다. 그런데 제1조 제2항의 규정에 의하면 유효기간이 제한되어 있어서 미리 폐지가 예상되는 법률 즉 한시법의 경우에는 그 법의 폐지 전의 범죄에 대해 폐지 후에 이를 처벌할 수 없다는 결과가 된다. 이에 형벌법규에 그 유효기간 중의 위반행위에 대하여 추급효追及效를 인정한다는 명문의 규정이 없는 경우에도 유효기간이 지난 후 이를 처벌할 수 있는가에 관하여 견해가 대립된다.

먼저 다수설인 추급효부정설은 한시법도 그 유효기간이 경과하면 당연히 실효되는 것이므로 추급효를 인정할 수 없다고 하면서, 「형법」 제1조 제2항이 신법주의를 규정하고 있으므로 한시법의 추급효를 인정하기 위해서는 행위시법주의行爲時法主義로 환원하는 규정이 있어야 하는데 그러한 규정이 없고, 법률이 실효된 후에 특별한 규정이 없음에도 추급효를 인정하는 것은 죄형법정주의에 반한다는 것을 근거로 한다. 반면에 소수설인 추급효인정설은 비록 유효기간이 경과하였다 하더라도 경과 전의 범행은 비난할 가치가 있으며, 추급효를 인정하지 않으면 유효기간의 종료가 가까워져 위반행위가 속출하여도 처벌할 수 없게 되어 법의 실효성을 유지할 수 없으며 불공평하다는 것을 이유로 한다. 판례는 이른바 동기설動機說의 입장에서 법률이 변경된 동기가 법적 견해의 변경인 경우에는 처벌할 수 없지만, 단순한 사실관계의 변화에 기인한 경우에는 한시법의 추급효를 인정하여 처벌해 왔다.[137]

먼저 법적 견해가 변경된 사례를 살펴보면, 청소년을 여관에 출입시킨 업주들을 「청소년 보호법」위반을 이유로 유죄로 판단한 원심판결이 문제된 사건에서 대법원은 구 「청소년 보호법」에 따르면 여관은 '청소년유해업소'에 해당되고,[138] 여관주인들이 이 법을 위반하는 행위를 하였을 당시에는 처벌하는 규정이 있었으나,[139] "청소년의 숙박업소 출입을 전면적으로 금지하는 것이 과연 합리적이고 바람직스러운 것인지 문제되어 왔다고 보일 뿐만 아니라 … 구법과 달리 1999.7.1.부터 시행된 청소년보호법에서는 오히려, 숙박업은 청소년유해업소 중 청소년의 출입은 가능하나 고용은 유해한 것으로 인정되는 업소에 해당하는 것으로 변경된 점[140] 및 위 법 개정 당시 그 부칙 등에 위 법 시행 전의 위와 같은 출입허용행위에 대한 벌칙의 적용에 있어서는 이에 대한 아무런 경과규정을 두지 아니한 점 등을 종합하여 보면, 그 변경은 청소년의 숙

---

137. 한시법에 관하여 자세한 것은 이재상, 형법총론, 앞의 책, 34쪽 이하 참조.
138. 구 「청소년 보호법」(1999.2.5. 법률 제5817호로 개정되기 전의 것) 제2조 제5호는 "'청소년유해업소'라 함은 청소년기본법의 규정에 의한 청소년에게 유해한 업소, 풍속영업의 규제에 관한 법률의 규정에 의한 풍속영업, 음반및비디오물에관한법률의 규정에 의한 비디오물감상실, 기타 대통령령이 정하는 업소를 말한다"고 규정하고 있었다. 또한 구 「풍속영업의 규제에 관한 법률」(1999.3.31. 법률 제5942호로 개정되기 전의 것) 제2조는 "이 법에서 '풍속영업'이라 함은 다음 각호의 1에 해당하는 영업을 말한다"고 하면서, 같은 조 제2호에서 "공중위생관리법 제2조 제1항 제2호 내지 제4호의 규정에 의한 숙박업, 이용업, 목욕장업 중 대통령령으로 정하는 것"이라고 규정하고 있었다.
139. 구 「청소년 보호법」(1999.2.5. 법률 제5817호로 개정되기 전의 것) 제24조 제2항은 "청소년출입 · 고용금지업소의 업주 및 종사자는 출입자의 연령을 확인하여 청소년이 당해 업소에 출입하거나 이용하지 못하게 하여야 한다"고 규정하고 있었다. 또한 같은 법 제51조는 "다음 각호의 1에 해당하는 자는 2년이하의 징역 또는 1천만원 이하의 벌금에 처한다"고 하면서, 같은 조 제7호에서 "제24조 제2항의 규정에 위반하여 청소년을 유해업소에 출입시킨 자"라고 규정하고 있었다.
140. 구 「청소년 보호법」(1999.2.5. 법률 제5817호로 개정되기 전의 것) "제2조 제5호 (나)목 (2)공중위생관리법에 의한 숙박업, 이용업, 목욕장업 중 대통령령으로 정하는 것…."

박행위까지 처벌대상으로 삼은 종전의 조치가 부당하다는 데서 나온 반성적 조치라고 보아야 할 것이므로 이는 범죄 후 법률의 변경에 의하여 그 행위가 범죄를 구성하지 아니한 경우에 해당"한다고 하면서 원심을 파기하였다.[141]

반면에 대법원은 단란주점의 영업시간을 제한하고 있던 보건복지부 고시告示가 유효기간이 만료되어 실효된 사건에서 "영업시간 제한이 해제됨으로써 그 후로는 이 사건과 같은 영업시간제한 위반행위를 더 이상 처벌할 수 없게 되기는 하였으나, 이와 같은 영업시간제한의 해제는 법률 이념의 변천으로 종래의 규정에 따른 처벌 자체가 부당하다는 반성적 고려에서 비롯된 것이라기보다는 사회상황의 변화에 따른 식품접객업소의 영업시간제한 필요성의 감소와 그 위반행위의 단속과정에서 발생하는 부작용을 줄이기 위한 특수한 정책적인 필요 등에 대처하기 위하여 취하여진 조치에 불과하므로, 위와 같이 영업시간제한이 해제되었다고 하더라도 그 이전에 범하여진 피고인의 이 사건 위반행위에 대한 가벌성이 소멸되는 것은 아니라고 할 것"이라고 하였다.[142] 따라서 대법원의 판결에 의하면 이 사건은 법적 견해가 변경된 것이 아니라 단지 사실관계의 변화 때문에 형이 폐지된 경우이므로 영업시간 제한이 해제되기 이전에 있었던 법위반행위는 여전히 처벌할 수 있는 경우에 해당하였다.

그런데 최근 음주운전으로 4회 처벌받은 전력이 있는 피고인이 "혈중알코올농도 0.209%의 술에 취한 상태로 전동킥보드를 운전"하여 기소된 사건에서, "범죄 후 법령의 변경에 의하여 그 행위가 범죄를 구성하지 아니하게 되거나 형이 가벼워진 경우 형법 제1조 제2항과 형사소송법 제326조 제4호를 적용하여 피고인에게 유리하게 변경된 신법에 따를 것인지 여부"가 다시 문제가 되었다.[143] 이 사건에서 문제가 된 법률

141. 대법원 2000.12.8. 선고 2000도2626 판결.
142. 대법원 2000.6.9. 선고 2000도764 판결.

개정 과정을 살펴보면, "구 도로교통법이 2020.6.9. 법률 제17371호로 개정되어 원심판결 선고 후인 2020.12.10. 개정 도로교통법이 시행되면서 제2조 제19호의2 및 제21호의2에서 이 사건 전동킥보드와 같은 '개인형 이동장치'와 이를 포함하는 '자전거등'에 관한 정의규정을 신설하였다. 이에 따라 개인형 이동장치는 자전거등에 해당하게 되었으므로, 자동차등 음주운전 행위를 처벌하는 제148조의2의 적용 대상에서 개인형 이동장치를 운전하는 경우를 제외하는 한편, 개인형 이동장치 음주운전 행위에 대하여 자전거등 음주운전 행위를 처벌하는 제156조 제11호를 적용하도록 규정하였다 이하 '이 사건 법률 개정'이라고 한다. 그 결과 이 부분 공소사실과 같이 도로교통법 제44조 제1항 위반 전력이 있는 사람이 다시 술에 취한 상태로 전동킥보드를 운전한 행위에 대하여, 이 사건 법률 개정 전에는 구 도로교통법 제148조의2 제1항을 적용하여 2년 이상 5년 이하의 징역이나 1천만 원 이상 2천만 원 이하의 벌금으로 처벌하였으나, 이 사건 법률 개정 후에는 도로교통법 제156조 제11호를 적용하여 20만 원 이하의 벌금이나 구류 또는 과료로 처벌하게 되었다. 이 사건 법률 개정은 이러한 내용의 신법 시행 전에 이루어진 구 도로교통법 제148조의2 제1항 위반행위에 대하여 종전 법령을 그대로 적용할 것인지에 관하여 별도의 경과규정을 두고 있지 아니"하였다.[144] 이에 대해 대법원은 기존의 '동기설'에 따른 판결들을 변경하면서 다음과 같이 판시하였다.[145]

> 범죄 후 법률이 변경되어 그 행위가 범죄를 구성하지 아니하게 되거나 형이 구법보다 가벼워진 경우에는 신법에 따라야 하고 형법 제1조 제2항, 범죄 후의 법령 개폐로 형이 폐지되었을 때는 판결로써 면소의 선고를 하여야 한다 형사소송법 제326조 제4호. 이러한 형법 제1조 제2항과 형

143. 대법원 2022.12.22. 선고 2020도16420 전원합의체 판결.
144. 대법원 2022.12.22. 선고 2020도16420 전원합의체 판결.
145. 대법원 2022.12.22. 선고 2020도16420 전원합의체 판결.

사소송법 제326조 제4호의 규정은 입법자가 법령의 변경 이후에도 종전 법령 위반행위에 대한 형사처벌을 유지한다는 내용의 경과규정을 따로 두지 않는 한 그대로 적용되어야 한다. 따라서 범죄의 성립과 처벌에 관하여 규정한 형벌법규 자체 또는 그로부터 수권 내지 위임을 받은 법령의 변경에 따라 범죄를 구성하지 아니하게 되거나 형이 가벼워진 경우에는, 종전 법령이 범죄로 정하여 처벌한 것이 부당하였다거나 과형이 과중하였다는 반성적 고려에 따라 변경된 것인지 여부를 따지지 않고 원칙적으로 형법 제1조 제2항과 형사소송법 제326조 제4호가 적용된다.

이러한 대법원의 판례 변경은 다수의견이 지적하고 있는 바와 같이 "범죄 후 법률이 변경되어 그 행위가 범죄를 구성하지 아니하게 되거나 형이 구법보다 가벼워진 이유"가 "반성적 고려에 따른 것인지에 따라 그 해당 여부를 달리하여야 하는 근거를 찾기가 어"려울 뿐만 아니라, "법문을 기초로 한 엄격해석의 원칙은 형사법 해석의 기본 원칙으로서 최대한 존중되어야 하고, 목적론적 해석도 문언의 통상적인 의미를 벗어나서는 아니 된다"는 점에서 타당하다고 할 것이다.

(2) 외적 원인에 의한 폐지

법이 외적 원인에 의해 폐지되는 경우는 크게 두 가지 경우이다. 첫째는 신법에서 구법의 폐지를 명시적으로 규정하는 경우이다. 예컨대, 「민법」 제정 당시의 부칙법률 제471호, 1958.2.22. 제27조[146]의 경우와 「가족관계의 등록 등에 관한 법률」의 부칙제8435호, 2007.5.17. 제2조폐지법률가 "호적법은 폐지한다"고 규정하고 있는 경우가 여기에 해당한다.

둘째는 신법이 제정됨으로써 구법이 묵시적으로 폐지되는 경우가

146. 제27조 (폐지법령) 다음 각호의 법령은 이를 폐지한다. 1. 조선민사령 제1조의 규정에 의하여 의용된 민법, 민법시행법, 연령계산에관한법률 2. 조선민사령과 동령 제1조에 의하여 의용된 법령중 본법의 규정과 저촉되는 법조 3. 군정법령중 본법의 규정과 저촉되는 법조.

있다. 이는 동일한 사안에 대하여 구법의 규정이 신법의 규정에 저촉되는 경우로서 그 저촉되는 범위에서 구법은 당연히 효력을 상실한다. 이때에는 "신법은 구법을 깨뜨린다"는 원칙이 적용된다. 그러나 일반법의 변경이 있더라도 기존의 특별법은 영향을 받지 아니한다. 왜냐하면 "특별법은 일반법에 우선한다"는 원칙이 적용되기 때문이다.

3) 소급효 금지의 원칙

법률은 효력이 발생한 때로부터 그 이후에 발생한 사실에 대해서만 적용되며, 과거의 사실에 소급하여 적용되지 않는다는 원칙을 '법률 불소급不遡及의 원칙' 내지 '소급효 금지의 원칙'이라고 한다. 이 원칙은 법률의 소급을 인정하는 경우에 발생하게 될 법적 혼란을 피하고, 기존의 법에 의해 이미 인정된 기득권을 존중하기 위함이다. 헌법 제13조 제2항은 "모든 국민은 소급입법遡及立法에 의하여 참정권參政權의 제한을 받거나 재산권財産權을 박탈剝奪당하지 아니한다"고 규정하고 있다.

헌법재판소는 "과거에 완성된 사실 또는 법률관계를 규율의 대상으로 하는 이른바 진정소급입법眞正遡及立法에 있어서는 입법권자의 입법형성권보다도 당사자가 구법질서에 기대하였던 신뢰보호의 견지에서 그리고 법적 안정성을 도모하기 위하여 특단의 사정이 없는 한 구법에 의하여 이미 얻은 자격 또는 권리를 존중할 입법의무가 있다 할 것이고, 이미 과거에 시작하였으나 아직 완성되지 아니하고 진행과정에 있는 사실 또는 법률관계를 규율의 대상으로 하는 이른바 부진정소급입법不眞正遡及立法의 경우에는 구법질서에 대하여 기대했던 당사자의 신뢰보호보다는 광범위한 입법권자의 입법형성권을 경시하여서는 아니 될 것이므로, 특단의 사정이 없는 한 새 입법을 하면서 구법관계 내지 구법상의 기대이익을 존중하여야 할 의무가 발생하지는 않는다"고 한다.[147]

헌법재판소는 '친일반민족행위자재산조사위원회'가 친일재산으로 결

147. 헌재 2008.7.31. 선고 2005헌가16, 판례집 제20권 2집 (상), 11쪽.

정한 재산을 그 취득·증여 등의 원인행위시에 국가의 소유로 귀속되도록 규정한 「친일반민족행위자 재산의 국가귀속에 관한 특별법」의 규정들이 "소유자들로부터 소급하여 재산권을 박탈하는 것"인지 여부가 문제된 사건에서, 같은 법 제3조 제1항이 "친일재산국제협약 또는 협정 등에 의하여 외국 대사관이나 군대가 사용·점유 또는 관리하고 있는 친일재산 및 친일재산 중 국가가 사용하거나 점유 또는 관리하고 있는 재산도 포함한다은 그 취득·증여 등 원인행위시에 이를 국가의 소유로 한다"고 규정한 것은 "진정소급입법에 해당하지만 소급입법을 예상할 수 있었던 예외적인 사안이고 진정소급입법을 통해 침해되는 법적 신뢰는 심각하다고 볼 수 없는 데 반해 이를 통해 달성되는 공익적 중대성은 압도적이라고 할 수 있으므로 진정소급입법이 허용되는 경우에 해당한다. 그러므로 이 사건 귀속조항이 진정소급입법이라는 이유만으로 위헌이라 할 수 없다"고 결정하였다.[148]

한편 부진정소급입법과 관련하여 헌법재판소는 "청구인이 임용될 당시인 1992년에 시행 중이던 구 공무원연금법 제46조 제1항에 의하면, 공무원은 20년 이상 재직하면 퇴직 직후부터 퇴직연금을 수령할 수 있었"는데, 개정된 법률조항들이 "퇴직연금의 지급개시연령에 제한"을 두어 청구인의 경우 55세에 도달하는 2026년 2월부터 퇴직연금을 받을 수 있도록 한 것이 "소급입법금지원칙과 신뢰보호원칙에 반하여 청구인의 재산권을 침해하는 것"인지 여부가 문제된 사건에서, "이 사건 법률조항들은 현재 공무원으로 재직하고 있는 자가 퇴직연금에 대한 기여금을 납입하고 퇴직하는 경우에 장차 받게 될 퇴직연금의 지급시기를 변경한 것인바, 이러한 퇴직연금에 대한 기대는 재산권의 성질을 가지고 있으나 확정되지 아니한 형성 중에 있는 권리이다. 따라서 이 사건 법률조항들은 아직 완성되지 아니하고 진행과정에 있는 사실 또는 법률관계를 규율대상으로 하는 이른바 '부진정소급입법'에 해당되는 것이어서 원칙적으로 허용된다"고 판시하였다.[149]

148. 헌재 2011.3.31. 선고 2008헌바141 등.

한편 형벌법규와 관련하여서는 법률의 소급효가 엄격하게 금지된다. 예를 들어, 카메라를 이용하여 수치심을 유발할 수 있는 다른 사람의 신체부위를 촬영하는 소위 '몰래카메라'를 처벌하는 법률은 1998년 12월 28일부터 시행되었다.[150] 따라서 이 법이 시행되기 이전, 즉 1998년 12월 27일 이전에 있었던 행위는 처벌할 수 없었다. 특히 헌법 제13조 제1항은 "모든 국민은 행위시行爲時의 법률에 의하여 범죄를 구성하지 아니하는 행위로 소추訴追되지 아니"한다고 규정하고 있다. 이는 행위 시에 범죄가 되지 않는다고 믿고 행동한 자를 사후에 처벌하면 법적 안정성과 예측가능성을 담보하는 법치국가의 원리에 반하기 때문이다. 그러나 이러한 형벌불소급의 원칙 내지 소급효 금지의 원칙은 행위자를 위한 보호규범으로서 절대적인 것은 아니다. 따라서 「형법」 제1조 제2항은 신법新法이 구법舊法보다 경한 때에는 예외적으로 신법의 소급효를 인정하고 있다.

4) 경과법

새로운 법령이 제정되거나 개정되었을 경우에는 원칙적으로 구법 시행시의 사항에는 구법이 적용되고 신법 시행 이후의 사항에는 신법이 적용된다. 그런데 구법 시행 시에 발생한 사항이 신법 시행 이후에도 계속되고 있는 경우에는 구법과 신법 중 어느 법을 적용하여야 하는가가 문제된다. 이러한 경우에 어느 법을 적용할 것인지를 규정하고 있는 법

---

149. 헌재 2015.12.23. 선고 2013헌바259.

150. 구「성폭력범죄의 처벌 및 피해자보호 등에 관한 법률」 제14조의2는 "카메라 기타 이와 유사한 기능을 갖춘 기계장치를 이용하여 성적 욕망 또는 수치심을 유발할 수 있는 타인의 신체를 그 의사에 반하여 촬영한 자는 5년이하의 징역 또는 1천만원이하의 벌금에 처한다. [본조신설 1998.12.28]"고 규정하고 있었다. 현재는 이 법을 대신하여「성폭력범죄의 처벌 등에 관한 특례법」 제14조 제1항이 "카메라나 그 밖에 이와 유사한 기능을 갖춘 기계장치를 이용하여 성적 욕망 또는 수치심을 유발할 수 있는 다른 사람의 신체를 그 의사에 반하여 촬영하거나 그 촬영물을 반포·판매·임대·제공 또는 공공연하게 전시·상영한 자는 5년 이하의 징역 또는 1천만원 이하의 벌금에 처한다"고 규정하고 있다.

을 경과법經過法이라고 한다.

예를 들어, 현행 「민법」의 시행 전에는 법률행위로 인한 부동산의 물권변동에 관하여 대항요건주의對抗要件主義 내지 의사주의意思主義를 취하여 물권의 변동은 물권변동을 목적으로 하는 의사표시만 있으면 발생하고 '등기登記'라는 공시방법이 물권변동의 요건으로 요구되지 않았다. 다만 제3자에게 물권변동을 가지고 대항하기 위해 등기가 필요할 뿐이었다. 예를 들어, A가 B에게 토지를 1천만원에 매각한다는 계약을 체결하게 되면 아직 등기 명의가 B에게로 이전되지 않았음에도 토지의 소유권이 B에게 이전되는 법률효과가 발생되었다.

그런데 1960년 시행된 현행 「민법」은 제186조에서 "부동산에 관한 법률행위로 인한 물권의 득실변경得失變更은 등기하여야 그 효력이 생긴다"고 함으로써 성립요건주의成立要件主義를 취하고 있다. 따라서 당사자의 의사표시만으로는 물권변동이 일어나지 아니하고, 그 밖에 등기를 갖추어야만 비로소 물권변동이 일어나게 되었다. 이에 1960년 이전에 부동산의 물권을 취득한 자가 「민법」 시행 이후에도 등기를 하고 있지 않은 경우에는 어떻게 할 것인지가 문제되었다.

이에 「민법」 부칙 제10조소유권이전에 관한 경과규정 제1항은 "본법 시행일전의 법률행위로 인한 부동산不動産에 관한 물권物權의 득실변경得失變更은 이 법 시행일施行日로부터 6년 내에 등기하지 아니하면 그 효력을 잃는다"는 경과규정을 두게 되었다.

한편 경과법은 일반적으로 당해 법의 부칙에 규정하는 것이 일반적이나, 「상법시행법」법률 제1687호과 같이 별도의 법률로 정하는 경우도 있다.

2. 장소적 효력

한 국가의 법은 그 국가의 영역 내에서만 효력을 가지는 것이 원칙이다. 왜냐하면 법은 주권의 표현으로서 세계 각국은 자국의 영역 내에

[부동산 등기부 등본]

등기부 등본 (현재 유효사항) - 건물 [제출용]

[건물] 경상남도 마산시 월영동 449

고유번호 1901-1996-504787

【 표 제 부 】 (건물의 표시)

표시번호	접 수	소재지번 및 건물번호	건 물 내 역	등기원인 및 기타사항
2		경상남도 마산시 월영동 449	철근콩크리트 스라브즙4층건 学교1동 건평356평9홉1작 2층평348평3홉7작 3층평348평3홉7작 4층평348평3홉7작 옥상 49평 지하실 98평9홉8작	전산이기 오류로 인하여 2005년3월31일 등기 도면편철장 제65책제199장

【 갑 구 】 (소유권에 관한 사항)

순위번호	등 기 목 적	접 수	등 기 원 인	권 리 자 및 기 타 사 항
1 (전 1)	소유권보존	1974년3월27일 제7891호		소유자 ~~학교법인경남학원~~ 마산시 월영동 449
1-1 (전 1-1)	1번등기명의인표시변경	1989년2월1일 제3239호	1987년11월16일 명칭변경	학교법인경남학원의 성명(명칭) 학교법인한마학원

-- 이 하 여 백 --

[인터넷 발급] 문서 하단의 바코드를 스캐너로 확인하거나, **인터넷등기소(http://www.iros.go.kr)의 발급확인 메뉴**에서 **발급확인번호**를 입력하여 **위·변조 여부를 확인할 수 있습니다. 발급확인번호**를 통한 확인은 발행일부터 3개월까지 5회에 한하여 가능합니다.

발행번호 190201190011900210109651611610047454354187464611111 1/2 **발급확인번호 AANV-ZAFY-7876** 발행일 2010/02/16

[건물] 경상남도 마산시 월영동 449　　　　고유번호 1901-1996-504787

수수료 800원 영수함　　　　관할등기소 창원지방법원 마산등기소 / 발행등기소 법원행정처 등기정보중앙관리소

이 등본은 부동산 등기부의 내용과 틀림 없음을 증명합니다.

서기 2010년 2월 16일

법원행정처 등기정보중앙관리소　　　　전산운영책임관

* 실선으로 그어진 부분은 말소사항을 표시함. * 등기부에 기록된 사항이 없는 갑구 또는 을구는 생략함. * 등기부는 컬러 또는 흑백으로 출력 가능함.

[인터넷 발급] 문서 하단의 바코드를 스캐너로 확인하거나, **인터넷등기소(http://www.iros.go.kr)의 발급확인 메뉴**에서 **발급확인번호**를 입력하여 **위·변조 여부를 확인할 수 있습니다. 발급확인번호**를 통한 확인은 발행일부터 3개월까지 5회에 한하여 가능합니다.

발행번호 19020119001190021010965161161004745435428746461111　　**2/2**　　**발급확인번호 AANV-ZAFY-7876**　　발행일 2010/02/16

서 주권을 행사하고 있기 때문이다. 헌법 제3조는 "대한민국의 영토領土는 한반도韓半島와 그 부속도서附屬島嶼로 한다"고 규정하고 있으며, 여기에는 영해領海와 영공領空이 모두 포함된다.

그런데 문제는 북한지역의 법적 성격을 어떻게 이해할 것인가에 있다. 헌법 제3조는 당연히 북한지역도 포함하는 것으로 규정하고 있기 때문이다. 동조에 의할 때 "한반도에서 유일한 주권국가는 대한민국뿐"이며, "휴전선 이북지역은 인민공화국이 불법적으로 점령한 미수복지역"이라고 할 것이다.[151] 이에 대해 헌법재판소는 "현 단계에 있어서의 북한은 조국의 평화적 통일을 위한 대화와 협력의 동반자임과 동시에 대남적화노선을 고수하면서 우리 자유민주체제의 전복을 획책하고 있는 반국가단체라는 성격도 함께 갖고 있음이 엄연한 현실"이라고 하고 있다.[152] 대법원도 "저작권법의 규정들에 의하면 … 이러한 저작재산권은 특별한 경우를 제외하고는 저작자가 생존하는 동안과 사망 후 50년간 존속한다고 규정하고 있다. 그리고 이 법규정의 효력은 대한민국 헌법 제3조에 의하여 여전히 대한민국의 주권범위내에 있는 북한지역에도 미치는 것"이라고 하고 있다.[153]

따라서 대한민국의 법은 대한민국 영역 전체에서 효력을 가지며, 내국인과 외국인을 불문하고 적용되는 것이 원칙이다. 다만, 장소적 특별법의 경우에는 법의 효력을 장소적으로 제한하는 경우가 있다. 예를 들어, 「제주특별자치도 설치 및 국제자유도시 조성을 위한 특별법」은 제주특별자치도에만 적용되는 특별법이다.[154]

151. 권영성, 헌법학원론, 법문사, 2009, 123쪽; 정종섭, 헌법학원론, 박영사, 2018, 113쪽.
152. 헌재 1993.7.29. 선고 92헌바48, 판례집 제5권 2집, 75쪽.
153. 대법원 1990.9.28. 선고 89누6396 판결.
154. 「제주특별자치도 설치 및 국제자유도시 조성을 위한 특별법」 제3조 참조.

3. 인적 효력

법이 누구에게 적용되는가가 인적 효력의 문제이다. 법은 시간적·장소적 효력을 갖는 경우에는 원칙적으로 그 범위 안에 있는 누구에게나 적용된다. 따라서 법이 누구에게 적용되는가의 문제는 결국 예외적으로 법의 적용을 받지 않는 사람이 누군가의 문제가 된다. 이는 크게 국내법상 예외와 국제법상 예외로 나누어 볼 수 있다.

1) 국내법상 예외

(1) 대통령의 불소추특권

대통령은 내란內亂 또는 외환外患의 죄를 범한 경우를 제외하고는 재직 중 형사상의 소추訴追를 받지 아니한다헌법 제84조. 여기서 말하는 '내란의 죄'에는 「형법」 제2편 제1장 '내란의 죄'에 규정된 범죄들이 포함된다.[155] '내란'이란 "국토를 참절僭竊하거나 국헌國憲을 문란紊亂할 목적으로 폭동"하는 것을 말한다「형법」 제87조. '국토를 참절'할 목적이란 대한민국의 영토주권의 전부 또는 일부를 배제할 목적, 즉 영토내란의 목적을 말하며, 여기에는 대한민국의 영토를 외국에 양도하거나 대한민국의 국가적 통일성을 배제하거나 또는 대한민국의 영토의 일부를 분리하는 것이 포함된다.[156] 또한 '국헌을 문란'할 목적이란 "헌법 또는 법률에 정한 절차에 의하지 아니하고 헌법 또는 법률의 기능을 소멸시키는 것" 또는 "헌법에 의하여 설치된 국가기관을 강압強壓에 의하여 전복顚覆 또는 그 권한행사權限行使를 불가능하게 하는 것"을 말한다「형법」 제91조.

마찬가지로 '외환의 죄'에는 「형법」 제2편 제2장 '외환의 죄'에 규정되어 있는 범죄들이 포함된다.[157] '외환의 죄'란 "외환外患을 유치하거나

155. 구체적으로는 내란죄, 내란목적살인죄, 내란죄의 미수와 내란목적살인죄의 미수, 내란죄의 예비·음모·선동·선전의 죄와 내란목적살인죄의 예비·음모·선동·선전의 죄가 이에 해당한다. 「형법」 제87조부터 제90조까지 참조.

156. 이재상, 형법각론, 앞의 책, 669쪽 참조.

157. 여기에는 외환유치죄, 여적죄, 모병이적죄, 시설제공이적죄, 시설파괴이적죄, 물건제공이

대한민국에 항적抗敵하거나 적국에 이익을 제공하여 국가의 안전을 위태롭게 하는 범죄"를 의미한다.[158] 외환의 죄는 "외부로부터 국가의 존립을 위태롭게 하는" 범죄라는 점에서 "내부적으로 국가존립을 위태롭게 하는 범죄"인 '내란의 죄'와 구별된다.[159]

'형사상의 소추'는 기소起訴를 의미하며, 대통령은 내란죄나 외환죄에 해당하지 아니하는 범죄를 범한 경우에는 재직 중에 기소되어 법원의 재판을 받지 않는다.

(2) 국회의원의 면책특권과 불체포특권

국회의원國會議員은 국회에서 직무상職務上 행한 발언發言과 표결表決에 관하여 국회외에서 책임을 지지 아니한다헌법 제45조. 발언이란 의제에 관한 의사의 표시를 말하며, 의제에 관한 발의, 토론, 연설, 질문, 진술 등 모든 의사표시가 이에 해당된다. 또한 표결이라 함은 의제에 관하여 찬·반의 의사를 표시하는 것을 말하며, 그 방법에는 제한이 없다.[160] 면책대상이 되는 행위는 '직무상' 행위이기 때문에 의사당내에서 행한 발언일지라도 "발언내용 자체에 의하더라도 직무와는 아무런 관련이 없음이 분명하거나, 명백히 허위임을 알면서도 허위의 사실을 적시하여 타인의 명예를 훼손하는 경우 등까지 면책특권의 대상이 된다고 할 수는 없다"고 할 것이다.[161]

대법원은 "국회의원인 피고인이, 구 국가안전기획부 내 정보수집팀이 대기업 고위관계자와 중앙일간지 사주 간의 사적 대화를 불법 녹음한 자료를 입수한 후 그 대화 내용과, 전직 검찰간부인 피해자가 위 대기업으로부터 이른바 떡값 명목의 금품을 수수하였다는 내용이 게재된

적죄, 간첩죄, 일반이적죄와 이들 범죄의 미수와 이들 범죄의 예비, 음모, 선동, 선전의 죄 및 전시군수계약불이행죄가 포함된다. 「형법」 제92조부터 제101조까지 참조.

158. 이재상, 앞의 책, 673쪽.
159. 이재상, 위의 책, 673, 663쪽.
160. 권영성, 앞의 책, 941-942쪽.
161. 대법원 2007.1.12. 선고 2005다57752 판결.

보도자료를 작성하여 국회 법제사법위원회 개의 당일 국회 의원회관에서 기자들에게 배포한 사안에서", "피고인이 국회 법제사법위원회에서 발언할 내용이 담긴 이 사건 보도자료를 사전에 배포한 행위는 국회의원의 면책특권의 대상이 되는 직무부수행위에 해당"한다고 하였다.[162] 그러나 대법원은 이 사건에서 위 피고인이 "위 대기업으로부터 이른바 떡값 명목의 금품을 수수하였다는 검사들의 실명이 게재된 보도자료를 작성하여 자신의 인터넷 홈페이지에 게재하였다고 하여 통신비밀보호법 위반으로 기소된 사안"에 대해서는 다음과 같이 판시하였다.[163]

> 피고인이 국가기관의 불법 녹음 자체를 고발하기 위하여 불가피하게 이 사건 도청자료에 담겨 있던 대화 내용을 공개한 것이 아님은 분명하다. 또한 위 대화의 시점은 이 사건 공개행위시로부터 8년 전의 일로서, 이를 공개하지 아니하면 공익에 대한 중대한 침해가 발생할 가능성이 현저한 경우로서 비상한 공적 관심의 대상이 되는 경우에 해당한다고 보기 어렵다. 한편 피고인이 검찰의 수사를 촉구할 목적으로 이 사건 보도자료를 자신의 인터넷 홈페이지에 게재하였다고는 하나, 이미 언론매체를 통하여 그 전모가 공개된 데다가 국회의원이라는 피고인의 지위에 기하여 수사기관에 대한 수사의 촉구 등을 통하여 그 취지를 전달함에 어려움이 없었음에도 굳이 전파성이 강한 인터넷 매체를 이용하여 불법 녹음된 대화의 상세한 내용과 관련 당사자의 실명을 그대로 공개한 행위는 그 방법의 상당성을 결여한 것으로 보아야 할 것이다. 나아가 피고인의 이 사건 공개행위가 재계와 검찰의 유착관계를 고발하고 이에 대한 수사를 촉구한다는 점에서 공익적인 측면을 갖고 있다고 하더라도, 이러한 공익적 효과는 이미 언론의 보도를 통하여 상당 부분 달성된 바로서, 위 대화의 내용이 이를 공개하지 아니하면 공익에 중대한 침해가 발생할 가능성이 현저한 경우라고 보기 어려운 터에 굳이 인터넷 홈페이지 게재라고 하는 새

162. 대법원 2011.5.13. 선고 2009도14442 판결.
163. 대법원 2011.5.13. 선고 2009도14442 판결.

> 로운 방식의 공개를 통하여 위 대화의 직접 당사자나 위 대화에 등장하는 관련자들에게 그로 인한 추가적인 불이익의 감수까지 요구할 수는 없다고 할 것이다. 이와 같은 사정에 앞서 본 이 사건 공개행위의 목적과 방법 등 모든 사정을 종합하여 보면, 이 사건 공개행위에 의하여 얻어지는 이익 및 가치가 통신비밀이 유지됨으로써 얻어지는 이익 및 가치를 초월한다고 볼 수 없다. 그렇다면 설사 피고인이 이 사건 도청자료를 취득하는 과정에 위법한 점이 없었다고 하더라도 이를 내용으로 하는 이 사건 보도자료를 인터넷 홈페이지에 게재함으로써 통신비밀을 공개한 행위는 형법 제20조의 정당행위로서 위법성이 조각되는 경우에 해당한다고 볼 수 없다.

국회의원에게는 불체포특권, 즉 "현행범인인 경우를 제외하고는 회기 중 국회의 동의 없이 체포 또는 구금되지 아니"하고, "회기 전에 체포 또는 구금된 때에는 현행범인이 아닌 한 국회의 요구가 있으면 회기 중 석방"되는 특권이 인정되고 있다.[164] 여기서 말하는 '회기 중'이란 국회의 집회일부터 폐회일까지의 기간을 말하고, 휴회 중인 기간도 포함된다. 또한 '체포' 또는 '구금'에는 「형사소송법」상 강제처분은 물론 「경찰관 직무집행법」상 보호조치와 같은 행정상 즉시강제도 포함된다. 국회의원이 "체포 또는 구금된 의원의 석방요구를 발의할 때에는 재적의원 4분의 1 이상의 연서로 그 이유를 첨부한 요구서를 의장에게 제출"하여야 하고,[165] 국회는 "재적의원 과반수의 출석과 출석의원 과반수의 찬성으로 의결"한다.[166]

2) 국제법상의 예외

(1) 치외법권을 가진 자

국제법상 외국을 방문하는 국가원수나 정부수반에게는 그 방문의

---

164. 헌법 제44조 제1항 및 제2항 참조.
165. 「국회법」 제28조 참조.
166. 헌법 제49조 참조.

성격이 공적이든 사적이든 일정 범위의 특권과 면제가 부여되고 있으며, 그러한 특권과 면제는 수행원과 가족 그리고 그 가족의 수행원에 대하여도 적용되는데, 이들은 모두 방문국의 민사 및 형사관할권으로부터 면제된다.[167]

한편 「외교관계外交關係에 관한 비엔나 협약協約」 제31조 제1 전문은 "외교관은 접수국의 형사재판관할권으로부터의 면제를 향유한다"고 규정하고, 동협약 제37조 제1은 "외교관의 세대를 구성하는 외교관의 가족은 접수국의 국민이 아닌 경우"에 형사재판관할권의 면제를 비롯한 특권과 면제를 향유한다고 규정하고 있다. 이처럼 외교관과 그의 가족 및 공관의 행정 및 기능직원 등은 체류하고 있는 국가, 즉 접수국의 법을 적용받지 않는 이른바 면책특권免責特權을 가진다.

(2) 외국의 군대

대한민국과 미국 사이에는 「대한민국과 미합중국간의 상호방위조약」이 체결되어 있고, 동조약 제4조에 따라 체결된 「대한민국과 아메리카합중국간의 상호방위조약 제4조에 의한 시설과 구역 및 대한민국에서의 합중국 군대의 지위에 관한 협정」 제22조형사재판권 제3은 "재판권을 행사할 권리가 경합競合하는 경우"에 (가)에서 "합중국 군 당국은 다음의 범죄에 관하여는 합중국군대의 구성원이나 군속軍屬 및 그들의 가족에 대하여 재판권을 행사할 제1차적 권리를 가진다"고 규정하면서 그러한 범죄로 (2)에서 "공무집행 중의 작위 또는 부작위에 의한 범죄"를 들고 있다. 반면에 제22조 제3 (나)는 "기타의 범죄에 관하여는 대한민국 당국이 재판권을 행사할 제1차적 권리를 가진다"고 규정하고 있다.

따라서 공무집행 중의 미군의 범죄에 대해서 우리 「형법」의 적용이 무조건 배제되는 것은 아니며, 미국이 제1차적으로 재판권을 행사할 권리를 가지고 만약 미국이 재판권을 행사하지 아니하기로 결정한 때에

167. 김정건, 국제법, 박영사, 2004, 720쪽.

우리나라가 재판권을 행사하게 된다. 미군의 범죄가 공무집행 중의 범죄가 아닌 경우에는 우리나라가 재판권을 행사할 제1차적 권리를 가진다.

4. 「형법」의 적용

우리 「형법」은 그 적용에 있어서 속지주의屬地主義를 원칙으로 하면서, 속인주의屬人主義와 보호주의保護主義를 가미하고 있다.

1) 속지주의의 원칙

'속지주의'란 한 국가의 영역 내에 있는 모든 사람들에게 그 국가의 법을 적용하는 것을 말한다. 「형법」 제2조는 "본법本法은 대한민국 영역 내에서 죄罪를 범犯한 내국인內國人과 외국인外國人에게 적용適用한다"고 함으로써 속지주의를 원칙으로 선언하고 있다. 여기의 영역에는 영토·영공 및 영해가 포함되며, 대법원은 "북한도 대한민국의 영토에 속하는 것이 분명"하다고 한다.[168]

한편 「형법」 제4조는 "본법은 대한민국 영역 외에 있는 대한민국의 선박船舶 또는 항공기내航空機內에서 죄를 범한 외국인에게 적용"한다고 함으로써 이른바 기국주의旗國主義를 채택하고 있다.

2) 속인주의

속인주의란 자국민의 범죄에 대하여는 범죄지犯罪地를 불문하고 자국의 형법을 적용하는 원칙을 말한다. 「형법」은 "대한민국 영역 외에서 죄를 범한 내국인에게 적용한다"고 함으로써제3조, 속인주의屬人主義를 가미하고 있다.

3) 보호주의

보호주의란 자국 또는 자국의 국민에 대한 범죄에 대하여는 누구에

168. 대법원 1997.11.20. 선고 97도2021 전원합의체 판결.

의해 어디서 발생하였는가를 불문하고 자국의 형법을 적용하는 원칙을 말한다. 그런데 이러한 보호주의는 다른 나라와의 마찰이 생길 수 있다. 우리 「형법」은 대한민국의 영역 외에서 내란의 죄 등을 범한 외국인에 대하여 적용된다제5조. 또한 「형법」은 대한민국 영역외에서 대한민국 또는 대한민국 국민에 대하여 제5조에 기재한 이외의 죄를 범한 외국인에게도 적용된다제6조. 다만, 이 경우에는 행위지의 법률에 의하여 범죄를 구성하지 아니하거나 소추訴追 또는 형刑의 집행執行을 면제免除할 경우에는 예외로 한다제6조 단서.

4) 세계주의

세계주의世界主義란 "누가 어디서 누구에게 범한 범죄인가를 불문하고 문명국가에서 인정되는 공통된 법익을 침해하는 범죄에 대하여 자국형법을 적용하는 원칙"을 말한다.[169] 우리나라가 비준한 조약에 의하여 외국인의 국외범에 대해 「형법」이 적용되는 경우 즉, 외국인이 외국에서 저지른 항공기납치에 대하여 우리나라의 구 「항공기운항안전법」이 적용되었던 것은 세계주의 때문이라고 한다.[170]

2016년에 제정된 「국민보호와 공공안전을 위한 테러방지법」 제19조는 "제17조의 죄는 대한민국 영역 밖에서 저지른 외국인에게도 국내법을 적용한다"고 함으로써 같은 법 제17조의 죄[171] 즉, "테러단체 구성

169. 이재상, 형법총론, 박영사, 2008, 43쪽.

170. 이재상, 위의 책, 44쪽. 대법원은 "항공기운항안전법 제3조의 규정과 위 토오쿄오협약 제1조, 제3조, 제4조의 규정 및 항공기의 불법납치 억제를 위한 협약(이른바 헤이그협약으로서 1973. 2. 17 대한민국에 대하여 효력발생) 제1조, 제3조, 제4조, 제7조의 각 규정들을 종합하여 보면 이 사건 민간항공기 납치사건에 대하여는 항공기 등록지국에 원칙적인 재판관할권이 있는 외에 이 사건 항공기의 착륙국인 우리나라에도 경합적으로 재판관할권이 생기어 우리나라 항공기운항안전법은 외국인의 국외범까지도 모두 적용대상이 된다고 할 것"이라고 하였다. 대법원 1984.5.22. 선고 84도39 판결.

171. 「국민보호와 공공안전을 위한 테러방지법」 제17조(테러단체 구성죄 등) ① 테러단체를 구성하거나 구성원으로 가입한 사람은 다음 각 호의 구분에 따라 처벌한다. 1. 수괴(首魁)는 사형 · 무기 또는 10년 이상의 징역 2. 테러를 기획 또는 지휘하는 등 중요한 역할을 맡은 사람은 무기 또는 7년 이상의 징역 3. 타국의 외국인테러전투원으로 가입한 사

죄 등"의 범죄에 대해서는 세계주의를 채택하고 있다.

람은 5년 이상의 징역 4. 그 밖의 사람은 3년 이상의 징역 ② 테러자금임을 알면서도 자금을 조달·알선·보관하거나 그 취득 및 발생원인에 관한 사실을 가장하는 등 테러단체를 지원한 사람은 10년 이하의 징역 또는 1억원 이하의 벌금에 처한다. ③ 테러단체 가입을 지원하거나 타인에게 가입을 권유 또는 선동한 사람은 5년 이하의 징역에 처한다. ④ 제1항 및 제2항의 미수범은 처벌한다. ⑤ 제1항 및 제2항에서 정한 죄를 저지를 목적으로 예비 또는 음모한 사람은 3년 이하의 징역에 처한다. ⑥「형법」등 국내법에 죄로 규정된 행위가 제2조의 테러에 해당하는 경우 해당 법률에서 정한 형에 따라 처벌한다.

제 3 장

법은 어떤 모습으로 존재하는가

제 3 장

법은 어떤 모습으로 존재하는가

제1절 | 법원의 의의

법은 어디에 있는가? 다시 말해서 어떤 모습으로 존재하는가의 문제도 중요하다. 이것이 바로 법원法源의 문제이다. 일반적으로 법원이란 '법의 연원淵源'의 줄임말이라고 설명된다.[1] 그런데 법원이라는 말의 의미를 '법의 생성연원生成淵源'과 '법의 인식연원認識淵源'의 두 가지로 보는 견해도 있으나, 일반적으로는 '법의 존재형식存在形式 또는 현상형태'라는 의미로 사용된다고 보는 것이 다수의 입장이다.[2] 법은 원래 행위의 준칙으로서 인간의 관념에 존재하는 것이지만, 인간이 이를 인식할 수 있도록 일정한 형식으로 존재해야 한다. 그런 의미에서 법원을 법의 '존재형식' 또는 '현상형태'라고 이해하는 것이다.

이러한 법원에는 크게 성문법written law과 불문법unwritten law이 있다. 성문법은 말 그대로 문자로 표시되고 일정한 제정절차를 거쳐 성립되는 법이며, 제정법이라고도 한다. 반면에 불문법은 성문법 이외의 모든 법을 말한다. 대표적인 불문법으로는 관습법과 판례법 및 조리가 있다.

어느 한 국가의 법규범이 성문법을 중심으로 이루어진 경우를 '성문법주의'라고 하고, 불문법이 중심을 이루는 경우를 '불문법주의'라고 한

1. 곽윤직, 민법총칙, 박영사, 2002, 12쪽.
2. 이은영, 조리의 법원성, 저스티스 제28권 제2호, 1995, 64쪽.

다. 다시 말해서 제1차적인 법원이 성문법이냐 아니면 불문법이냐를 기준으로 그와 같이 나누어 볼 수 있으며, 따라서 우리나라는 성문법주의를 취하는 국가라고 할 수 있다.

제2절 | 법원의 종류

I 성문법

1. 성문법의 의의

앞서 살펴본 바와 같이 성문법 내지 제정법은 입법권자에 의하여 문자의 형식으로 만들어진 법을 말한다. 성문법은 문자로 되어 있으므로 법의 존재 여부에 대한 다툼이 생길 여지가 적다. 또한 국민들이 행위규범으로 삼는 데에는 성문법이 불문법보다 유리하다. 왜냐하면 국민들은 법전을 통해 법의 내용을 쉽게 확인할 수 있기 때문이다. 우리 헌법도 제37조 제2항에서 “국민의 모든 자유와 권리는 국가안전보장 · 질서유지 또는 공공복리를 위하여 필요한 경우에 한하여 법률로써 제한”할 수 있도록 하고 있다. 여기서 말하는 ‘법률’이란 성문법으로서 원칙적으로 국회에서 제정한 형식적 의미의 법률을 말한다. 이는 달리 말하면 국민의 입장에서 자신의 자유와 권리가 언제, 어떻게, 어느 정도 제한되는 것인지를 법률을 보면 예측할 수 있다는 점에서 국민의 기본권을 보장하는 데에는 성문법이 보다 유리하다고 할 수 있다. 또한 범죄와 형벌이 미리 법률로써 정해져야 한다는 죄형법정주의 역시 국가형벌권의 자의적인 행사로부터 국민의 자유와 권리를 보호하게 된다. 다른 한편 성문법은 법전화code 되어 있으므로 체계적이고 통일되어 있다는 장점도 있다.

반면에 성문법은 문자로 되어 있기 때문에 필연적으로 해석을 요구한다. 인간의 행위태양은 실로 다양한데도 불구하고 문자로 이를 다 규율한다는 것은 사실상 불가능하기 때문이다. 또한 문자를 해석하는 사람마다 그 의미 내용에 대한 이해가 다를 수 있고, 입법자가 잘못된 표현을 사용하는 경우도 있을 수 있다. 다른 한편 성문법은 변화하는 사회의 현실을 충실하게 반영하지 못할 수도 있다. 특히 법률과 같은 경우에는 헌법과 「국회법」이 정하는 일정한 절차를 거쳐야 하므로, 오늘날과 같이 급속하게 변화하는 사회의 수요에 신속하게 대처하지 못하는 경우가 발생할 수 있다.

2. 성문법의 종류

1) 헌 법

헌법憲法은 국민의 기본권과 국가기관의 조직 및 작용에 관하여 규정한 국가의 최고법을 말한다. 헌법은 한 국가 내에서 최상위에 위치하는 최고규범으로서 법률을 비롯한 하위 규범들은 최상위 규범인 헌법에 위반되어서는 아니 된다. 따라서 법률이 헌법에 위반되는 여부가 재판의 전제가 된 경우에는 헌법재판소가 이를 심판하며헌법 제107조 제1항, 명령이나 규칙 등이 헌법이나 법률에 위반되는 여부가 재판의 전제가 된 경우에는 대법원이 이를 최종적으로 심사한다헌법 제107조 제2항.

대한민국 헌법은 1948년 7월 12일에 제정되고 같은 해 7월 17일에 공포·시행되었으며, 지금까지 모두 9번 개정되었다. 1987년 10월 29일 공포된 현행 헌법은 전문과 본문 130개조, 부칙 6개조로 구성되어 있다.

2) 법 률

일반적으로 넓은 의미의 법률法律이란 법law 그 자체를 말하며 모든 형태의 법을 포함하는 개념으로 사용된다. 이에 대해 좁은 의미의 '법률Act'이란 헌법과 법률이 정한 절차에 따라 국회에서 의결하고 대통령예외적인 경우 국회의장이 공포한 '법률 제○○○○호'라는 번호가 붙은 것을 말한다헌법 제53조 참조. 이를 특별히 넓은 의미의 법률과 구별하기 위하여 '형식적 의미의 법률'이라고 한다. 헌법은 "국민의 모든 자유와 권리는 국가안전보장國家安全保障·질서유지秩序維持 또는 공공복리公共福利를 위하여 필요한 경우에 한하여 법률로써 제한할 수 있으며, 제한하는 경우에도 자유와 권리의 본질적인 내용을 침해할 수 없다"고 하고 있다헌법 제37조 제2항.

3) 명 령

원래 입헌민주국가에서는 국민의 자유와 권리에 관한 사항은 국민의 대표기관인 국회에서 제정한 법률의 형식으로 규율하는 것을 원칙으로 한다. 그러나 오늘날 행정국가 내지 적극국가에서 국회가 국민의 권리와 의무에 관한 모든 사항을 법률로 직접 규정한다는 것은 불가능하게 되었다. 따라서 오늘날에는 행정입법行政立法이 일반화 되어 있으며, 대표적인 것이 바로 명령命令이다. 명령이란 국회의 의결을 거치지 아니하고 대통령을 비롯한 행정기관이 제정한 법규를 말한다. 이러한 명령은 법률보다는 하위의 규범이지만, 예외적으로 대통령의 긴급재정경제명령緊急財政經濟命令과 긴급명령緊急命令과 같이 형식은 명령이지만 법률의 효력을 가지는 경우도 있다헌법 제76조 참조.

명령은 제정하는 기관에 따라 대통령령헌법 제75조, 총리령헌법 제95조, 부령헌법 제95조으로 나눌 수 있는데, 대통령령은 총리령과 부령보다 상위에 있고, 총리령과 부령은 우열상 차이가 없는 것으로 보는 것이 다수설이다. 예를 들어, 「의료법」이라는 법률의 하위규범으로서 의료법에서 위임된 사항과 그 시행에 필요한 사항을 규정함을 목적으로 하는 「의료법 시행령」은 대통령이 제정한 명령, 즉 대통령령이다. 또한 「의료법」 및 「의료법 시행령」에서 위임된 사항과 그 시행에 필요한 사항을 규정함을 목적으로 하는 「의료법 시행규칙」은 보건복지부장관이 제정한 명령, 즉 부령이다.

한편 헌법 제75조는 "대통령은 법률에서 구체적으로 범위를 정하여 위임委任받은 사항과 법률을 집행執行하기 위하여 필요한 사항에 관하여 대통령령을 발할 수 있다"고 규정하고 있다. 여기서 법률에서 구체적으로 범위를 정하여 위임받은 사항에 관하여 발하는 명령이 위임명령이고, 법률을 집행하기 위하여 필요한 사항에 관하여 발하는 명령이 집행명령이다. 그런데 헌법 제75조에 따라 국회는 반드시 "구체적으로 범위를 정하여" 대통령령에 위임하여야 한다. 이를 가리켜 '포괄위임금지원칙'이라고 한다. 그리고 "법률에서 구체적으로 범위를 정하여 위임받은 사항"이란 "법률에 이미 대통령령으로 규정될 내용 및 범위의 기본사항이 구체적이고도 명확하게 규정되어 있어서 누구라도 당해 법률로부터 대통령령에 규정될 내용의 대강을 예측할 수 있어야 함을 의미"한다.[3]

「공직선거법」에 따르면 선거에서 특정 정당 및 후보자를 당선되게 하거나 당선되지 못하도록 선거운동을 할 수 없음에도 불구하고, 인터넷신문의 발행인과 일반주간신문 사회팀장인 언론인들이 국회의원 선거에 출마한 후보자들이 당선되게 하기 위하여 선거운동을 하였다는 이유로 기소된 사안을 살펴보자.[4] 이 사건에서 문제가 된 「공직선거법」은 '부정선거운동죄'를 범죄로 규정하여 처벌하고,[5] 선거운동을 할 수 없는 자 중의 하나로서[6] '대통령령으로 정하는 언론인'을 규정하고 있었다.[7] 이에 대해 헌법재판소는 언론인들의 선거운동을 금지하는 조항이 단지

---

3. 헌재 2016.6.30. 선고 2013헌가1, 판례집 제28권 1집 (하), 422쪽.
4. 신지민, 헌재 "언론인 선거운동 금지 조항 위헌", 법률신문, 2016년 6월 30일자 기사 참조.
5. 구 「공직선거법」 제255조(부정선거운동죄) ① 다음 각 호의 어느 하나에 해당하는 자는 3년 이하의 징역 또는 600만원이하의 벌금에 처한다. … 2. 제60조(선거운동을 할 수 없는 자) 제1항의 규정에 위반하여 선거운동을 하거나 하게 한 자 ….
6. 구 「공직선거법」 제60조(선거운동을 할 수 없는 자) ① 다음 각 호의 어느 하나에 해당하는 사람은 선거운동을 할 수 없다. … 5. 제53조(공무원 등의 입후보) 제1항 제2호 내지 제8호에 해당하는 자(제4호 내지 제6호의 경우에는 그 상근직원을 포함한다) ….
7. 구 「공직선거법」 제53조(공무원 등의 입후보) ① 다음 각 호의 어느 하나에 해당하는 사람으로서 후보자가 되려는 사람은 선거일 전 90일까지 그 직을 그만두어야 한다. … 8. 대통령령으로 정하는 언론인 ….

"'대통령령으로 정하는 언론인'이라고만 하여 '언론인'이라는 단어 외에 대통령령에서 정할 내용의 한계를 설정해 주는 다른 수식어가 없다"고 하면서, 해당 법률의 다른 조항들에 규정되어 있는 "'방송 · 신문 · 통신 · 잡지 기타의 간행물', '인터넷언론사', '정기간행물 등', '방송사', '언론사', '언론기관', '언론매체'와 같은 용어들 … 을 종합하여 보아도 금지조항의 하위 법령에 규정될 언론기관이 구체적으로 어떨지 예측하기는 어렵다. 다양한 언론매체방송, 신문, 뉴스통신, 잡지 등 정기간행물, 인터넷언론사 등 중에서 어느 범위로 한정될지, 같은 언론매체 내에서는 어느 기준으로 설정될지, 외형적인 사항과 매체의 실질적인 컨텐츠 중에서 무엇이 고려될지, 선거의 공정성을 훼손할 가능성이 거의 없는 매체는 무엇으로 판단할 것인지 등에 대하여 대강이라도 예측할 수 있는 기준 자체가 없기 때문"에, 해당 조항이 "선거운동이 전면 금지되는 언론인에 관하여 구체적으로 범위를 정하지 아니한 채 포괄적으로 대통령령에 입법을 위임하고 있으므로 포괄위임금지원칙에 위반"된다고 결정하였다.[8]

한편 위임명령은 법률의 위임에 따른 명령이므로 법률에 종속된다. 따라서 모법인 법률이 개정되거나 소멸한 때에는 위임명령도 개정되거나 소멸된다. 다만, 위임명령은 법률이 위임한 범위 안에서는 법률이 직접 규정하지 아니한 새로운 입법사항도 규정할 수 있는 반면에 집행명령은 특정한 법률이나 상위의 명령을 시행하기 위하여 필요한 구체적인 절차와 방법 등을 규정하는 것이므로 새로운 입법사항을 규정할 수 없다.

또한 명령은 법규명령法規命令과 행정명령行政命令으로 나뉜다. 법규명령은 행정기관이 헌법에 근거하여 국민의 권리 · 의무에 관한 사항 즉, 법규사항을 규정한 명령을 말한다. 이에 대해 행정명령은 헌법상 근거 없이 행정기관이 그 고유한 권한으로써 비법규사항非法規事項을 규정하는 것으로서 행정부 내부에서만 효력을 가지는 명령을 말하며 행정규칙行政規

8. 헌재 2016.6.30. 선고 2013헌가1, 판례집 제28권 1집 (하), 422-423쪽.

則 또는 행정내규라고도 한다. 다만, 오늘날에는 일정한 유형의 행정규칙은 준법규적準法規的 성질이 인정된다고 보는 것이 일반적이다.[9]

이밖에도 헌법 제108조는 "대법원은 법률에 저촉되지 아니하는 범위 안에서 소송에 관한 절차, 법원의 내부규율內部規律과 사무처리事務處理에 관한 규칙規則을 제정할 수 있다"고 함으로써 대법원에 '규칙제정권'을 인정하고 있다. 예를 들어, 「형사소송규칙」은 '소송에 관한 절차'에 관하여 대법원이 정한 규칙으로서 명령에 해당한다. 또한 헌법은 국회의 규칙제정권제64조 제1항과 중앙선거관리위원회의 규칙제정권제114조 제6항도 인정하고 있다.

4) 자치법규

자치법규란 지방자치단체가 법령의 범위 안에서 제정하는 법규를 말한다헌법 제117조 제1항. 이러한 자치법규에는 지방의회가 법령의 범위 안에서 그 지방의 사무에 관하여 정하는 조례條例와 지방자치단체의 장長이 법령과 조례의 범위 안에서 그 권한에 속하는 사무에 관하여 정하는 규칙規則이 있다.

[성문법의 종류]

---

9. 김동희, 행정법 I, 박영사, 2008, 165쪽.

Ⅱ 불문법

불문법이란 성문법 이외의 모든 법을 말한다. 오늘날 성문법을 제1차적 법원으로 하는 성문법 국가에서도 불문법은 필연적으로 존재한다. 왜냐하면 성문법이 모든 법적 규율 대상을 빠짐없이 규정한다는 것은 불가능하며, 사회는 계속해서 변화하고 발전해 나가기 때문에 새로이 규율되어야 할 현상들은 끊임없이 생겨나기 때문이다. 이러한 불문법에는 관습법, 판례법 및 조리 등이 포함된다.

1. 관습법

1) 관습법 의의

관습법customary law이란 오랫동안 사회적으로 반복되어온 관습이 규범으로서 법적 구속력을 가지게 된 것을 말한다. 「민법」은 제1조에서 "민사民事에 관하여 법률에 규정이 없으면 관습법慣習法에 의하고 관습법이 없으면 조리條理에 의한다"고 규정하고, 제106조에서는 "법령法令중의 선량善良한 풍속風俗 기타 사회질서社會秩序에 관계없는 규정과 다른 관습慣習이 있는 경우에 당사자의 의사가 명확하지 아니한 때에는 그 관습에 의한다"고 하고 있다. 여기서 관습법과 관습은 구별되는 것으로서 일반적으로 관습이 '법적 확신'을 갖춘 때에 관습법이 된다고 한다.[10]

2) 관습법의 사례

「민법」 제185조는 "물권物權은 법률 또는 관습법慣習法에 의하는 외에는 임의任意로 창설創設하지 못한다"고 하고 있다. 이는 법률 이외에 관습법에 의하여도 물권이 성립될 수 있음을 인정한 것으로서 판례가 인정하는 것은 두 가지가 있다. 그 중 하나는 이른 바, '분묘기지권墳墓基地權'[11]

---

10. 곽윤직, 앞의 책, 17쪽.
11. 이는 다른 말로 기지물권(基地物權), 위기물권(位基物權), '기지소유(基地所有)를 위한

이라 불리는 것으로서 "타인 소유의 토지에 분묘를 설치한 자는 20년간 평온·공연히 분묘의 기지를 점유한 때에는 시효로 인하여 당해 기지 및 벌내에 대하여 지상권에 유사한 일종의 물권을 취득"한다고 한다.[12] 그러나 최근에는 화장火葬의 증가, 조상숭배 관념의 쇠퇴와 같은 사회적 의식의 변화로 말미암아 그 의의가 크게 줄어들고 있으며, 「장사 등에 관한 법률」이 시행됨에 따라 많은 제한을 받게 되었다.

2017년 대법원은 분묘의 설치기간을 30년으로 제한하고 "1회에 한하여 그 설치기간을 30년으로 하여 연장"하되 이를 "2001년 1월 13일 이후 최초로 설치된 분묘부터 적용한다"고 규정하고 있는 「장사 등에 관한 법률」의 시행으로 인해,[13] 그동안 관습법으로 인정되어 온 "분묘기지권 또는 그 시효취득에 관한 관습법"이 소멸 또는 변경되었는지 여부가 문제된 사건을 심리하게 되었다.[14] 이 사건에서 대법원은 "화장률 증가 등과 같이 전통적인 장사방법이나 장묘문화에 대한 사회 구성원들의 의식에 일부 변화가 생겼다고 하더라도 여전히 우리 사회에 분묘기지권의 기초가 된 매장문화가 자리 잡고 있고 사설묘지의 설치가 허용되고 있으며, 기록상 분묘기지권에 관한 관습에 대하여 사회 구성원들의 법적 구속력에 대한 확신이 소멸하였다거나 그러한 관행이 본질적으로 변경되었다고 인정할 수 있는 자료는 쉽게 찾아볼 수 없"다고 하면서, "타인 소유의 토지에 분묘를 설치한 경우에 20년간 평온, 공연하게 그 분묘의 기지를 점유하면 지상권과 유사한 관습상의 물권인 분묘기지권을 시효로 취득한다는 점은 오랜 세월 동안 지속되어 온 관습 또는 관행으로서 법적 규범으로 승인되어 왔고, 이러한 법적 규범이 장사법법률 제6158호 시행일인 2001. 1. 13. 이전에 설치된 분묘에 관하여 현재까지 유지되

지상권(地上權) 유사(類似)의 물권(物權)'이라고도 한다.

12. 대법원 1955.9.29. 선고 4288민상210.

13. 「장사 등에 관한 법률」 제19조 제1항, 제2항 및 부칙 제2조 참조.

14. 대법원 2017.1.19. 선고 2013다17292 전원합의체 판결.

고 있다"고 판시하였다.[15] 최근 대법원은 분묘기지권자가 토지소유자에게 지료를 지급할 의무가 있는지 여부가 문제된 사건에서, 「장사 등에 관한 법률」 "시행일 이전에 타인의 토지에 분묘를 설치한 다음 20년간 평온 · 공연하게 그 분묘의 기지를 점유함으로써 분묘기지권을 시효로 취득하였더라도, 분묘기지권자는 토지소유자가 분묘기지에 관한 지료를 청구하면 그 청구한 날부터의 지료를 지급할 의무가 있다고 보아야 한다"고 판시하였다.[16]

한편 판례가 관습법에 의하여도 물권이 성립될 수 있음을 인정한 다른 하나는 '관습법상 법정지상권'이라는 것으로서, "동일한 소유자에 속하는 대지와 그 지상건물이 매매 등에 의하여 각기 그 소유자가 달라지게 된 경우에는 특히 그 건물을 철거한다는 조건이 없는 한 건물소유자는 그 대지 위에 그 건물을 위한 관습법상의 법정지상권을 취득하는 것이고, 한편 건물 소유를 위하여 법정지상권을 취득한 사람으로부터 경매에 의하여 그 건물의 소유권을 이전받은 매수인은 매수 후 건물을 철거한다는 등의 매각조건하에서 경매되는 경우 등 특별한 사정이 없는 한 건물의 매수취득과 함께 위 지상권도 당연히 취득"하게 된다고 한다.[17]

한편 종래의 대법원은 "종중은 공동선조의 분묘수호, 제사, 종원상호간의 친목을 목적으로 하여 공동선조의 후손 중 성년 이상의 남자를 종원으로 하여 구성되는 종족의 자연적 집단으로서 관습상 당연히 성립하는 것"[18]이라고 하였다. 그러나 대법원은 2005년에 전원합의체 판결을 통해 "종원의 자격을 성년 남자로만 제한하고 여성에게는 종원의 자격을 부여하지 않는 종래 관습에 대하여 우리 사회 구성원들이 가지고 있던 법적 확신은 상당 부분 흔들리거나 약화되어 있고, 무엇보다도 헌

15. 대법원 2017.1.19. 선고 2013다17292 전원합의체 판결.
16. 대법원 2021.4.29. 선고 2017다228007 전원합의체 판결.
17. 대법원 2013.9.12. 선고 2013다43345 판결.
18. 대법원 1983.2.22. 선고 81다584 판결.

법을 최상위 규범으로 하는 우리의 전체 법질서는 개인의 존엄과 양성의 평등을 기초로 한 가족생활을 보장하고, 가족 내의 실질적인 권리와 의무에 있어서 남녀의 차별을 두지 아니하며, 정치 · 경제 · 사회 · 문화 등 모든 영역에서 여성에 대한 차별을 철폐하고 남녀평등을 실현하는 방향으로 변화되어 왔으며, 앞으로도 이러한 남녀평등의 원칙은 더욱 강화될 것인바, 종중은 공동선조의 분묘수호와 봉제사 및 종원 상호간의 친목을 목적으로 형성되는 종족단체로서 공동선조의 사망과 동시에 그 후손에 의하여 자연발생적으로 성립하는 것임에도, 공동선조의 후손 중 성년 남자만을 종중의 구성원으로 하고 여성은 종중의 구성원이 될 수 없다는 종래의 관습은, 공동선조의 분묘수호와 봉제사 등 종중의 활동에 참여할 기회를 출생에서 비롯되는 성별만에 의하여 생래적으로 부여하거나 원천적으로 박탈하는 것으로서, 위와 같이 변화된 우리의 전체 법질서에 부합하지 아니하여 정당성과 합리성이 있다고 할 수 없다. 따라서 종중 구성원의 자격을 성년 남자만으로 제한하는 종래의 관습법은 이제 더 이상 법적 효력을 가질 수 없게 되었다"고 하면서 "공동선조와 성과 본을 같이 하는 후손은 성별의 구별 없이 성년이 되면 당연히 그 구성원이 된다고 보는 것이 조리에 합당"하다고 함으로써 판례를 변경하였다.[19] 이 사건에서 대법원은 새로운 판례의 적용 시점과 이 사건에 소급 적용이 가능한 것인지에 관하여, "종중 구성원의 자격에 관한 대법원의 견해의 변경은 관습상의 제도로서 대법원판례에 의하여 법률관계가 규율되어 왔던 종중제도의 근간을 바꾸는 것인바, 대법원이 이 판결에서 종중 구성원의 자격에 관하여 위와 같이 견해를 변경하는 것은 그동안 종중 구성원에 대한 우리 사회일반의 인식 변화와 아울러 전체 법질서의 변화로 인하여 성년 남자만을 종중의 구성원으로 하는 종래의 관습법이 더 이상 우리 법질서가 지향하는 남녀평등의 이념에 부

---

19. 대법원 2005.7.21. 선고 2002다1178 전원합의체 판결.

합하지 않게 됨으로써 그 법적 효력을 부정하게 된 데에 따른 것일 뿐만 아니라, 위와 같이 변경된 견해를 소급하여 적용한다면, 최근에 이르기까지 수십 년 동안 유지되어 왔던 종래 대법원판례를 신뢰하여 형성된 수많은 법률관계의 효력을 일시에 좌우하게 되고, 이는 법적 안정성과 신의성실의 원칙에 기초한 당사자의 신뢰보호를 내용으로 하는 법치주의의 원리에도 반하게 되는 것이므로, 위와 같이 변경된 대법원의 견해는 이 판결 선고 이후의 종중 구성원의 자격과 이와 관련하여 새로이 성립되는 법률관계에 대하여만 적용된다고 함이 상당하다. 다만, 대법원이 위와 같이 종중 구성원의 자격에 관한 종래의 견해를 변경하는 것은 결국 종래 관습법의 효력을 배제하여 당해 사건을 재판하도록 하려는 데에 그 취지가 있고, 원고들이 자신들의 권리를 구제받기 위하여 종래 관습법의 효력을 다투면서 자신들이 피고 종회의 회원宗員 자격이 있음을 주장하고 있는 이 사건에 대하여도 위와 같이 변경된 견해가 적용되지 않는다면, 이는 구체적인 사건에 있어서 당사자의 권리구제를 목적으로 하는 사법작용의 본질에 어긋날 뿐만 아니라 현저히 정의에 반하게 되므로, 원고들이 피고 종회의 회원宗員 지위의 확인을 구하는 이 사건 청구에 한하여는 위와 같이 변경된 견해가 소급하여 적용되어야 할 것"이라고 함으로써 예외적인 소급적용을 인정하였다.[20]

3) 관습법의 성립근거

(1) 학 설

관습법이 법으로서의 효력을 갖는 근거에 관하여는 여러 가지 학설이 대립되고 있다. 이하에서 살펴본다.

가. 관행설

관행설慣行說은 치텔만Ernst Zitelmann, 1852-1923이 주장한 학설로서 어떤 행

---

20. 대법원 2005.7.21. 선고 2002다1178 전원합의체 판결.

위가 오랫동안 반복되어 관행이 되면 관습법이 된다는 입장이다. 이는 관행이기 때문에 정당하다는 것이다. 그러나 이에 대해서는 관습법과 관습법을 이루는 소재로서의 관행을 혼동한 것이라는 비판이 있다. 아울러 관행의 존재만으로 관습법이 되는 것은 아니라고 할 것이다.

나. 확신설

확신설確信說은 사비니Friedrich Carl von Savigny, 1779-1861, 푸흐타Georg Friedrich Puchta, 1798-1846 등의 역사법학파가 주장한 학설로서, 관습이 법적 구속력을 가지는 것은 사회 일반의 관념상 당해 관습이 법으로서 강제되어야 한다고 믿는 이른바 법적 확신opinio juris이 있기 때문이라고 보는 입장이다. 이에 대해서는 "그러한 법적 확신에 의한 관습법은 필경 사회학적 견지에서 그렇게 부르는 것이며, 일정한 국가 제정법 체계에서의 그것은 아니고 이러한 법적 확신은 국가법적 견지에서는 그의 입법적 소재는 될 수 있지만 법 그 자체라고 할 수는 없다"는 비판이 있다.[21]

다. 승인설

빈딩Karl Ludwig Lorenz Binding, 1841-1920, 오스틴John Austin, 1790-1859 등에 의해 주장된 승인설承認說은 관습이 법이 되기 위해서는 의회나 법관이 그 관습에 법적 힘을 부여해야만 한다고 한다.[22] 다시 말해서 국가가 어떤 관습을 법으로 승인함으로써 비로소 관습법이 된다는 것이다. 따라서 국민들이 법적 확신을 갖고 있는 경우에도 관습만으로는 법이 될 수 없으며, 그 관습에 법으로서의 가치를 부여하는 주권자의 승인recognition이 있어야 한다는 것이다. 이에 대해서는 "법원은 사실인 관습을 법으로 창조할 수는 없는 것이며, 오직 사회생활 속에서 관행되는 관습법을 확인하는 것에 불과한 것"이라는 비판이 있다.[23]

---

21. 최종고, 법학통론, 박영사, 2008, 68쪽.
22. Austin, The Province of Jurisprudence Determined, ed. H.L.A. Hart 30-33 (1954).
23. 구병삭, 신법학원론, 박영사, 1999, 59쪽.

(2) 판 례

대법원은 "관습법이란 사회의 거듭된 관행으로 생성한 사회생활규범이 사회의 법적 확신과 인식에 의하여 법적 규범으로 승인·강행되기에 이른 것을 말하고, 그러한 관습법은 법원法源으로서 법령에 저촉되지 아니하는 한 법칙으로서의 효력이 있는 것"이라고 함으로써,[24] 학설이 주장하는 '관행', '법적 확신' 및 '승인'이라는 세 가지 요소를 모두 개념요소로 들고 있다. 특히 '법적 확신'과 관련하여서는 "사회 구성원들이 그러한 관행의 법적 구속력에 대하여 확신을 갖지 않게 되었다"면 "관습법은 법적 규범으로서의 효력이 부정될 수밖에 없다"고 함으로써 법적 확신이 관습법의 요건임을 명확히 하고 있다.[25]

4) 관습법의 성립요건

관습법이 성립하기 위해서는 첫째, 오랜 세월동안 반복된 관습이 있어야 하고 둘째, 그 관습에 대한 국민들의 법적 확신이 있어야 하며 셋째, 공서양속公序良俗, 즉 '선량한 풍속 기타 사회질서'에 위반되지 않아야 한다「민법」 제103조. 관습법과 성문법의 효력관계에 관하여 관습법이 성문법에 보충적 효력을 가지는 것으로 보는 입장은 여기에 덧붙여 관습법은 법령의 규정에 의하여 인정되는 것이거나 또는 법령에 규정이 없는 사항에 관한 것이어야 한다는 요건을 추가한다.[26] 한편 대법원은 관습법이 "헌법을 최상위 규범으로 하는 전체 법질서에 반하지 아니하는 것으로서 정당성과 합리성이 있다고 인정될 수 있는 것"이어야 한다고 하고 있다.[27]

이에 대해 헌법재판소는 "관습헌법이 성립하기 위하여서는 관습법

24. 대법원 2005.7.21. 선고 2002다1178 전원합의체 판결.
25. 대법원 2005.7.21. 선고 2002다1178 전원합의체 판결.
26. 홍천용 외, 시민생활과 법, 박영사, 2004, 31쪽; 구병삭, 앞의 책, 60쪽.
27. 대법원 2003.7.24. 선고 2001다48781 전원합의체 판결; 대법원 2005.7.21. 선고 2002다1178 전원합의체 판결.

의 성립에서 요구되는 일반적 성립 요건이 충족되어야 한다. 이러한 요건으로서 첫째, 기본적 헌법사항에 관하여 어떠한 관행 내지 관례가 존재하고, 둘째, 그 관행은 국민이 그 존재를 인식하고 사라지지 않을 관행이라고 인정할 만큼 충분한 기간 동안 반복 내지 계속되어야 하며반복·계속성, 셋째, 관행은 지속성을 가져야 하는 것으로서 그 중간에 반대되는 관행이 이루어져서는 아니 되고항상성, 넷째, 관행은 여러 가지 해석이 가능할 정도로 모호한 것이 아닌 명확한 내용을 가진 것이어야 한다명료성. 또한 다섯째, 이러한 관행이 헌법관습으로서 국민들의 승인 내지 확신 또는 폭넓은 컨센서스를 얻어 국민이 강제력을 가진다고 믿고 있어야 한다국민적 합의. 이와 같이 관습헌법의 성립을 인정하기 위해서는 이러한 요건들이 모두 충족되어야 한다"고 하였다.[28]

또한 헌법재판소는 관습헌법의 개정과 관련하여 "관습헌법도 헌법의 일부로서 성문헌법의 경우와 동일한 효력을 가지기 때문에 그 법규범은 최소한 헌법 제130조에 의거한 헌법개정의 방법에 의하여만 개정될 수 있는 것이다. 따라서 재적의원 3분의 2 이상의 찬성에 의한 국회의 의결을 얻은 다음헌법 제130조 제1항 국민투표에 붙여 국회의원 선거권자 과반수의 투표와 투표자 과반수의 찬성을 얻어야 한다헌법 제130조 제3항"고 하면서 "우리나라와 같은 성문의 경성헌법[29] 체제에서 인정되는 관습헌법사항은 하위규범형식인 법률에 의하여 개정될 수 없다. 영국과 같이 불문의 연성헌법 체제에서는 법률에 대하여 우위를 가지는 헌법전이라는 규범형식이 존재하지 아니하므로 헌법사항의 개정은 일반적으로 법률개정의 방법에 의할 수밖에 없을 것이다. 그러나 우리 헌법의 경우 헌법 제10장 제128조 내지 제130조는 일반법률의 개정절차와는 다른 엄격한 헌법개정절차를 정하고 있으며, 동 헌법개정절차의 대상을 단지 '헌법'

28. 헌재 2004.10.21. 선고 2004헌마554, 판례집 제16권 2집 (하), 40-41쪽.
29. 헌법 개정절차가 법률의 개정절차보다 까다로우면 '경성헌법(硬性憲法, rigid constitution)'이라고 하고, 그렇지 않으면 '연성헌법(軟性憲法, flexible constitution)'이라고 한다.

이라고만 하고 있다. 따라서 관습헌법도 헌법에 해당하는 이상 여기서 말하는 헌법개정의 대상인 헌법에 포함된다고 보아야 한다"고 한다.[30]

5) 관습법의 효력

관습법의 법원성을 인정한다고 하더라도 성문법과의 관계를 어떻게 볼 것인지가 문제된다. 다시 말해서 관습법이 성문법을 개폐改廢하는 효력을 가지는 것으로 볼 것인지 아니면 단순히 성문법이 없는 경우에 보충적으로 적용되는 것인지에 관하여는 견해의 대립이 있다. 관습법이 성문법을 개폐하는 효력을 갖는다고 보는 견해는 그 근거로서 '수목의 집단 및 미분리未分離의 과실의 소유권이전에 관한 명인방법'과 '동산의 양도담보' 등을 근거로 든다.[31]

'명인방법明認方法'이란 나무에 달린 열매와 같이 원물元物에서 아직 분리되지 아니한 천연과실天然果實, 즉 미분리未分離의 과실 또는 수목의 집단集團을 토지와 분리하지 않은 채 토지소유권으로부터 독립된 거래의 대상으로 하기 위해 이용되는 관습법상 공시방법公示方法을 말한다. 판례에 의하면 입목소유권확인판결에 따라 "임야의 입구 부근에 그 지상입목들이 원고의 소유에 속한다는 공시문을 붙인 팻말"을 설치한 경우가 이에 해당한다.[32] 한편 양도담보讓渡擔保란 「민법」이 규정하고 있는 담보물권이 아니면서도 실제 거래에서는 담보로서 기능을 수행하고 있는 비전형담보非典型擔保로서, 채권담보를 위하여 채무자 또는 제3자가 목적물의 소유권을 채권자에게 이전하고, 만약 채무자가 채무를 변제하지 않으면 채권자가 그 목적물의 소유권을 취득하거나 목적물로부터 우선변제를 받지만, 채무자가 채무를 변제하면 목적물을 원래의 소유자에게 반환하는 방식에 의한 담보를 말한다. 예를 들어, A가 B에게 돈을 빌려주기로 하

---

30. 헌재 2004.10.21. 선고 2004헌마554, 판례집 제16권 2집 (하), 48-49쪽.
31. 심헌섭, 법철학 Ⅰ, 법문사, 1982, 55쪽; 김용한, 민법총칙론, 박영사, 1986, 21쪽.
32. 대법원 1989.10.13. 선고 89다카9064 판결.

고, B가 채무를 담보하기 위하여 자신이 소유하는 물건의 소유권을 A에게 이전하는 경우로서 A는 B에게 채무의 변제를 청구할 권리를 가지는 경우가 이에 해당한다. 관습법이 성문법을 개폐한다고 주장하는 견해는 실정법상 명문의 규정이 없음에도 불구하고 판례에 의해 '명인방법'과 '동산의 양도담보'가 인정되고 있다는 점을 근거로 든다.

반면에 성문법에 대한 관습법의 보충적 효력만을 인정하는 견해는 「민법」 제1조를 근거로 제시한다. 동조는 "민사民事에 관하여 법률에 규정이 없으면 관습법慣習法에 의하고 관습법이 없으면 조리條理에 의한다"고 규정하고 있다. 그런데 여기서 말하는 '민사에 관하여'는 널리 '사법관계에 관하여'라는 뜻으로 이해하는 것이 일반적이며, 여기의 '법률'은 널리 '성문법' 내지 '제정법'을 뜻하는 것이라고 새겨야만 성문법주의에 부합된다고 한다.[33] 따라서 이러한 견해는 사법관계에 관하여 제1차적으로 성문법 내지 제정법이 법원이 되고, 관습법은 성문법이 없는 경우에 보충적으로 적용되는 것이라고 설명한다.[34] 대법원도 같은 입장에서 관습법의 제정법에 대한 보충적 성격을 인정하고 있다.[35]

또한 「민법」 제185조가 규정하고 있는 "물권物權은 법률 또는 관습법慣習法에 의하는 외에는 임의任意로 창설創設하지 못한다"의 해석에 관하여도 견해가 대립한다. 동조가 관습법에 대하여 성문법과 대등한 효력을 인정한 것이라고 새기고, 이 점에서 「민법」 제1조에 대한 예외라고 보는 견해가 있다.[36] 반면에 관습법을 성문법과 대등한 것으로 보는 것은 물권법정주의에 정면으로 부딪치는 것이고, 물권법의 강행법규성에도 명백히 모순되며, "현행법은 제1조에 있어서나 또는 제185조에 있어서나 관습법에 대하여 보충적 효력을 인정할 뿐"이며 "민법 기타의 법률

33. 곽윤직, 앞의 책, 13쪽.
34. 곽윤직, 위의 책, 15쪽.
35. 대법원 1983.6.14. 선고 80다3231 판결.
36. 이영준, 물권법, 박영사, 1996, 19쪽; 최종고, 앞의 책, 70-71쪽.

이 규정하고 있는 물권과 다른 물권을 관습법상 인정하는 것은 허용되지 않으며, 법률이 특별히 규정하고 있지 않은 종류나 내용의 물권만이 관습법상 성립이 인정된다고 해석하여야 한다"는 반론이 있다.[37]

한편 헌법재판소는 '신행정수도의 건설을 위한 특별조치법 위헌확인' 사건에서 "우리나라는 성문헌법을 가진 나라로서 기본적으로 우리 헌법전憲法典이 헌법의 법원法源이 된다. 그러나 성문헌법이라고 하여도 그 속에 모든 헌법사항을 빠짐없이 완전히 규율하는 것은 불가능하고 또한 헌법은 국가의 기본법으로서 간결성과 함축성을 추구하기 때문에 형식적 헌법전에는 기재되지 아니한 사항이라도 이를 불문헌법不文憲法 내지 관습헌법으로 인정할 소지가 있다. 특히 헌법제정 당시 자명自明하거나 전제前提된 사항 및 보편적 헌법원리와 같은 것은 반드시 명문의 규정을 두지 아니하는 경우도 있다. 그렇다고 해서 헌법사항에 관하여 형성되는 관행 내지 관례가 전부 관습헌법이 되는 것은 아니고 강제력이 있는 헌법규범으로서 인정되려면 엄격한 요건들이 충족되어야만 하며, 이러한 요건이 충족된 관습만이 관습헌법으로서 성문의 헌법과 동일한 법적 효력을 가지는 것"이라고 하면서, "헌법 제1조 제2항은 '대한민국의 주권은 국민에게 있고, 모든 권력은 국민으로부터 나온다'고 규정한다. 이와 같이 국민이 대한민국의 주권자이며, 국민은 최고의 헌법제정권력이기 때문에 성문헌법의 제·개정에 참여할 뿐만 아니라 헌법전에 포함되지 아니한 헌법사항을 필요에 따라 관습의 형태로 직접 형성할 수 있는 것이다. 그렇다면 관습헌법도 성문헌법과 마찬가지로 주권자인 국민의 헌법적 결단의 의사의 표현이며 성문헌법과 동등한 효력을 가진다고 보아야 한다"고 하였다.[38]

결국 헌법재판소는 헌법적 차원에서는 관습헌법이 성문헌법과 동등한 효력을 가진다는 것이다. 그러나 관습헌법이 성문헌법 하에서도 인

37. 곽윤직, 물권법, 박영사, 2002, 16쪽.
38. 헌재 2004.10.21 선고 2004헌마554, 판례집 제16권 2집 (하), 39-40쪽.

정될 수는 있지만 이는 성문헌법의 흠결을 보완하기 위한 것이므로 당연히 성문헌법에 대하여 보충적일 수밖에 없다고 할 것이다.[39] 나아가 헌법재판소가 관습헌법이 "헌법 제130조에 의거한 헌법개정의 방법에 의하여만 개정될 수 있는 것"이라고 함으로써 관습헌법이라는 불문헌법이 성문헌법의 개정절차에 의해서만 개정될 수 있다고 보는 것은 부당하다고 할 것이다.

2. 판례법

1) 서 설

판례법case law이란 법원의 재판을 통해 형성된 법을 말한다. 법원의 재판은 구체적인 사건에 관한 판단이라고 하더라도 이 속에는 추상적인 이론이나 법원리가 포함되어 있다. 그러한 이론이나 원리가 반복되어 쌓이게 되면 하나의 추상적인 규범이 되는데 그것이 바로 판례법이다. 판례법이 법원으로서 구속력을 가지는가의 여부는 대륙법계 국가와 영미법계 국가에서 다르다. 대륙법계 국가인 독일의 다수의 견해는 제정법과 관습법만을 법원으로 인정하며, 판례는 독립한 법원으로 인정하지 않는다.[40]

판례의 법원성을 부정하는 논거로는 첫째, 권력분립의 원칙상 법의 제정은 법원의 과제가 아니고 입법자의 과제이며 둘째, 법원이 한번 내린 판결은 당해 사건에 관한 것으로서 이후의 판결이 선례와 다른 판결을 하더라도 법위반이 아니고 셋째, 한번 제정된 법률이 개정된 경우에 그 개정된 법률은 법률불소급의 원칙에 따라 개정 전의 사건에는 적용

39. 정연주, 신행정수도의건설을위한특별조치법 위헌결정에 대한 헌법적 검토－헌재결 2004.10.21, 2004헌마554·556병합, 공법학연구 제7권 제1호, 2006, 274쪽.
40. 다만, 이러한 다수의 견해 중에서도 일부는 일정한 판례에 대하여(대부분은 관습법의 일종으로 분류하여) 법원성을 인정한다고 한다. 김학동, 판례의 법원성, 저스티스 제26권 제2호, 1993, 7쪽.

되지 않으나, 선례가 번복된 경우에는 이는 재심사유가 되므로「민사소송법」 제451조 제1항 제8호, 그 이전에 행하여진 판결에 대하여도 소급효를 가지며 넷째, 법관에 의한 판결근거의 제시는 일반적인 규범을 목표로 하는 입법자의 의사와 동일한 가치를 가지지 않는다는 점 등이 제시되고 있다.[41] 우리나라의 경우에도 판례의 법원성을 부정하는 견해가 다수의 입장을 차지하고 있다.

2) 영미법상 판례법

보통법계 국가에서 개개 사건에 있어서 법원의 판례들은 법원法源이 되며 판례 전체를 '판례법case law'이라고 부른다. 따라서 법원의 판례는 과거의 분쟁을 해결할 뿐만 아니라 선례로서 장래에도 효력을 가진다. 이처럼 보통법계 국가에서 판례가 법원으로서 법적 구속력을 가지게 되는 것은 이른바 '선례구속의 원칙stare decisis'이라는 법원리, 즉 장래의 사건들은 과거의 판례와 같은 방식으로 결정되어야 한다는 원리 때문이다.[42] 원래 '*stare decisis*'의 정확한 의미는 "*stare decisis et nonquieta movere*"라는 라틴어구에 잘 표현되어 있는데, 이는 "선례를 고수하며 확립된 논점을 흩뜨리지 아니 한다"는 의미를 가진다.[43] 다시 말해서 직접적으로 어떤 사항에 관하여 선례가 생기면 후속 사건들은 그 선례에 따라야 한다는 것이다. 이러한 선례구속의 원칙이 인정되는 이유는 이 원칙이 첫째, 예측가능성을 보장하고 둘째, 변호인들에게 법적 추론을 할 수 있는 확립된 근거를 제공하며 셋째, 법관의 자의적 판단을 억제하며 넷째, 효율적인 사법행정을 촉진하고 다섯째, 인간의 정의 관념에 합치된다는 것이다.[44]

---

41. 자세한 것은 김학동, 위의 논문, 7쪽 이하 참조.
42. William Burnham, Introduction to the Law and Legal System of the United States 38 (West, 2002).
43. Edgar Bodenheimer, Jurisprudence: The Philosophy and Method of the Law 425 (end. ed. Harvard University Press, 1974).
44. Bodenheimer, 위의 책, 426-427쪽.

이 중 가장 많이 인용되는 것은 다섯째 논거로서, 르웰린Karl Llewellyn, 1893-1962은 모든 사람이 같은 상황에서 동일하게 대우받아야 하는 것이 보편타당한 정의의 관념에 합치된다고 보았다. 이는 만약 A가 한 달 전에 영장 없는 사생활 침해에 대해 법적인 보호를 받았다면, B 역시 한 달 전의 A의 경우와 마찬가지의 상황에 처했음에도 불구하고 이번 달에는 B에게 A에게 인정된 것과 같은 법적 보호를 인정하지 않는다면 이는 부당한 것이 된다는 관념에 근거하고 있다.

그러나 만약 판사가 시대에 뒤처지거나 불합리한 선례에 구속된다면 어떠할까? 이 경우에도 선례구속의 원칙에 따라 이전의 판례에 따라야 하는가가 문제된다. 영국의 경우 선례구속의 원칙은 절대적이라는 법리가 확립되어 있었으나,[45] 1966년에 이르러 영국의 상원House of Lords은 "너무 선례에 과도하게 집착하는 것은 특정한 사건에서 정의에 반하는 결과를 초래할 수 있으며 법의 적절한 발전에 부당한 제약이 될 수 있다"고 함으로써 선례가 일반적으로는 구속력이 있으나 필요한 경우 그 구속에서 벗어날 수 있다고 함으로써 입장을 변경하였다.[46]

이에 대해 미국의 경우는 선례구속의 원칙이 절대적인 명령이라고 보지 않으며, 선례를 따라야할 의무뿐만 아니라 선례를 파기할 권리도 있다고 본다. 예를 들어, 미국연방대법원은 1986년에 Bowers v. Hardwick 판결[47]에서 동성 간의 성행위가 미국헌법에 의해 보호되지 않는다고 판결하였으며, 이 판결은 선례로서 구속력을 갖게 되었다. 그러나 이 판결은 2003년 Lawrence v. Texas 판결[48]에서 파기되었으며 더 이상 선례로서의 구속력을 갖지 않게 되었다.[49]

---

45. London Street Tramways Co. v. London City Council, L. R. (1898) Appeal Cases, 375.
46. W. Barton Leach, Revisionism in the House of Lords: The Bastion of Rigid Stare Decisis Falls, 80 Harv. L. Rev. 797 (1967).
47. 478 U.S. 186 (1986).
48. 539 U.S. 558 (2003).
49. 그런데 Lawrence 판결에서 반대의견을 제시한 스칼리아(Scalia) 대법관은 선례구속의 원칙이 파기되기 위해서는 첫째, 그 판결의 근거가 후속 판결에 의해 손상되어 왔고 둘째,

한편 보통법계 국가에 있어서 판례법은 크게 두 가지로 나누어 볼 수 있다. 하나는 보통법상 판례법이며, 다른 하나는 제정법을 해석한 판례법이다.[50]

3) 우리나라의 판례법

영미법계의 국가들과 달리 대륙법계 국가들에서는 일반적으로 상급법원의 판례가 하급법원의 판단에 구속력을 갖지 않는다. 우리 헌법은 "법관은 헌법과 법률에 의하여 그 양심에 따라 독립하여 심판한다"고 규정하고 있다제103조.

한편 「법원조직법」은 "상급법원 재판에서의 판단은 해당 사건에 관하여 하급심下級審을 기속羈束한다"고 규정하고 있다제8조. 그런데 여기서 상급법원 재판에서의 판단이 하급심을 기속하는 것은 오로지 '해당' 사건에 한하고, 일반적으로 하급심을 구속하는 효력은 없다. 따라서 우리의 법상으로는 판례의 법원성은 부인된다고 할 수 있다.

우리나라의 경우에 '해당' 사건에 관하여서는 상급법원의 '판단'에 하급법원이 기속되도록 하는 이유는 심급제도 때문이다. 만약 대법원이 원심인 고등법원의 판결을 파기하여 환송하였음에도 불구하고, 해당 사건에서 고등법원이 대법원의 판단에 따르지 아니하고 그와 다른 판결을 한다면 재판의 구속력은 확보될 수 없을 것이다.

한편 법적으로 판례의 구속력이 인정되지는 않으나 '사실상'의 구속력은 인정된다는 점을 유의하여야 한다. 실제로 어느 1심 법원의 판사가 내기골프를 한 피고인들이 상습도박으로 기소된 사건에서 "도박죄가 성립하기 위하여는 우연에 의하여 승부가 결정될 것을 요하는바, 운동

실질적이고도 계속적인 비판을 받아 왔으며 셋째, 그 판례가 파기되지 못하도록 할 정도의 개인 또는 사회의 신뢰를 이끌어 내지 못했어야 한다고 주장하였다. 허순철, 미국헌법상 동성애 – Lawrence v. Texas판결의 헌법적 의의를 중심으로, 공법학연구 제9권 제1호, 2008, 122쪽.

50. Burnham, 앞의 책, 39쪽.

경기, 바둑, 장기 등과 같이 당사자의 육체적・정신적 조건, 역량, 숙련도, 재능 등에 의하여 승패가 결정되는 '경기'의 경우 참가자들이 결국 기능과 기술을 다하여 승패를 결정하려고 하고 그에 따라 승패가 결정된 때에는 이를 우연이라고 할 수 없으며, 나아가 도박죄의 성립은 종래에 그 도박성이 인정되어 온 화투, 카드, 카지노 등과 같이 당해 승패의 귀추에 있어 지배적이고도 결정적인 부분이 우연에 좌우되는 경우특히, 화투, 카드의 경우에 있어서는 가지게 될 패의 결정부터 우연성의 지배를 받게 된다에 한정되어야 할 것이지, 운동경기와 같이 승패의 전반적인 부분은 경기자의 기능과 기량에 의하여 결정되고, 사소한 부분에 있어서만 우연이 개입되는 경우에는 도박죄가 성립되지 않는다"는 전제에서 내기골프는 기량과 재능에 주로 지배되는 운동경기의 일종이어서 그 승패에 관련하여 재물을 걸었다고 하여도 도박죄를 구성하지 않는다고 보아 피고인들에게 무죄를 선고한 적이 있었다.[51]

그러나 이 판결은 2심법원에서 파기되었고,[52] 대법원도 도박죄에서 말하는 "'우연'이라 함은 주관적으로 '당사자에 있어서 확실히 예견 또는 자유로이 지배할 수 없는 사실에 관하여 승패를 결정하는 것'을 말하고, 객관적으로 불확실할 것을 요구하지 아니하며, 당사자의 능력이 승패의 결과에 영향을 미친다고 하더라도 다소라도 우연성의 사정에 의하여 영향을 받게 되는 때에는 도박죄가 성립할 수 있다"고 하였다.[53]

이 사건을 담당한 1심 법원의 판사가 이처럼 대법원의 확립된 판례와는 다른 판결을 내림으로써 세간의 이목을 끌기도 했으나,[54] 하급법원의 판사는 재판에 있어서 상급법원의 판례를 고려하지 않을 수 없을 것

51. 서울남부지법 2005.2.18. 선고 2004고단4361 판결.
52. 서울고법 2006.1.11. 선고 2005노2065 판결.
53. 대법원 2008.10.23. 선고 2006도736 판결.
54. 국민일보, 이정렬 판사 "판례 무조건 따르기보다 불합리 해결하고 싶었다," 2005년 7월 14일자 기사; 법률신문, 서울고법, '내기골프는 도박' … 무죄 선고한 원심 뒤집어, 2006년 1월 12일자 기사 등 참조.

이다. 만약 자신이 대법원의 확고한 판례와 상반된 판결을 내리면 이 사건에서처럼 결국 상급법원에서 자신의 판결이 파기될 가능성이 높기 때문이다. 다시 말해서 상급법원의 판례는 사실상의 구속력을 갖는다고 할 수 있다.

그렇다면 대법원이 판례의 일관성을 유지하는 이유는 무엇일까? 그것은 바로 '법적 안정성' 내지 '판결의 통일성'에 있다고 할 것이다. 유사한 사안에 있어서 대법원의 판결에 일관성이 없고 그때그때마다 판결이 다르게 내려진다면 국민들은 사법부를 불신하게 될 것이며, 법적 안정성을 기대할 수 없게 된다. 「법원조직법」도 "종전에 대법원에서 판시한 헌법・법률・명령 또는 규칙의 해석적용에 관한 의견을 변경할 필요가 있음을 인정하는 경우"에는 대법관 전원의 3분의 2이상의 합의체에서 심판하는 것으로 하고 있다제7조 제1항 제3호. 이처럼 판례를 바꾸어야할 필요성이 없는 한 대법원은 판결의 일관성을 유지함으로써 판례가 축적되게 되고 그것이 곧 판례법으로서 '사실상' 하급심을 기속하는 효력을 가지게 되는 것이다.

4) 판례의 인용

법학을 공부하면서 중요한 판례들을 접하게 되므로 이하에서는 간단하게 판례의 인용방법에 관하여 설명한다.

(1) 헌법재판소 판례

> 헌재 2009.2.26. 선고 2005헌마764 교통사고처리특례법 제4조 제1항 등 위헌확인

위의 예시는 다음과 같은 의미를 가진다. 첫째, '헌재'란 헌법재판소의 결정을 의미한다. 둘째, '2009.2.26.'은 선고일자를 의미한다. 셋째,

'2005'는 사건이 접수된 연도를 의미한다. 넷째, '헌마'는 사건의 종류에 따라 붙여지는 부호이다. 즉, '헌가'는 위헌법률심판사건, '헌나'는 탄핵심판사건, '헌다'는 정당해산심판사건, '헌라'는 권한쟁의심판사건, '헌마'는 「헌법재판소법」 제68조 제1항에 의한 헌법소원심판사건소위 '권리구제형헌법소원', '헌바'는 「헌법재판소법」 제68조 제2항에 의한 헌법소원심판사건소위 '위헌심사형헌법소원', '헌사'는 각종 신청사건국선대리인선임신청, 가처분신청, 기피신청 등, '헌아'는 각종 특별사건재심 등에 붙여진다. 다섯째, '764'는 사건번호로서 그 해에 접수된 사건의 순서대로 붙인다. 여섯째, '교통사고처리특례법 제4조 제1항 등 위헌확인'은 사건명을 말한다.

(2) 대법원 판례

대법원 2009.5.21. 선고 2009다17417 전원합의체 판결【무의미한 연명치료장치 제거 등】

위에 예시된 판례는 다음과 같은 의미를 가지고 있다. 첫째, '대법원'은 판결을 선고한 법원이 대법원임을 표시한다. 둘째, '2009.5.21.'은 선고일자를 나타낸다. 셋째, '2009'는 사건이 접수된 연도를 의미한다. 다만, 1999년 이전에 접수된 사건의 경우에는 끝의 두 자리만 기재된다. 넷째, '다'는 사건부호로서 '다'는 민사상고사건을 의미한다. '가합'은 민사1심합의사건, '가단'은 민사1심단독사건, '가소'는 민사소액사건, '나'는 민사항소사건, '라'는 민사항고사건, '마'는 민사재항고사건, '노'는 형사항소사건, '도'는 형사상고사건, '로'는 형사항고사건, '드합'은 가사1심합의사건, '드단'은 가사1심단독사건, '르'는 가사항소사건 등을 의미한다. 그 밖의 사건별 사건부호는 '사건별 부호문자의 부여에 관한 예규재판예규 제1812호' 별표를 보면 알 수 있다. 다섯째, '17417'은 사건접수 순서에 따라 붙여진 번호이다. 여섯째, '전원합의체 판결'은 대법관 전원의 3분의

2이상의 합의체에서 판결하였음을 의미한다. 일곱째, '무의미한 연명치료장치 제거 등'은 사건명을 의미한다. 다만, 손해배상사건의 경우에 있어서 '손해배상(자)'는 교통사고로 인한 손해배상, '손해배상(지)'는 지식재산권의 침해로 인한 손해배상, '손해배상(기)'는 기타의 사유로 인한 손해배상을 의미한다.

(3) 미국 판례

참고로 미국 판례의 표기법에 관하여 살펴보면 다음과 같다.

Roe v. Wade, 410 U.S. 113, 93 S.Ct. 705, 35 L.Ed.2d 147 (1973).

위에서 보듯이 미국의 판례 표기는 우리와 다르다. 즉, 판례에 당사자의 이름과 판례가 수록된 판례집의 권, 호수가 표시된다는 점이다. 구체적으로 살펴보면 첫째, '로Roe'는 상고인의 이름이다. 사건의 심급에 따라 해당 심급의 소를 제기한 자의 이름이 왼편에 기록된다. 이 사건에서 상고인의 실제 이름은 '맥커비Norma Leah McCorvey'이었으나, 낙태관련 사건이라 실명을 밝히기를 꺼려서 '로Jane Roe'라는 가명을 사용하였다. 가명을 사용하는 경우에 여성은 '로Roe', 남성은 '도Doe'라는 가명을 쓰는 것이 일반적이라고 한다. 둘째, '웨이드Wade'는 피상고인을 말하며, 이 사건 당시에 웨이드는 텍사스주의 달라스 카운티Dallas County 지방검사였다. 셋째, '410 U.S. 113'은 연방대법원 판결을 수록하는 공식 판례집인 'United States Reports'의 제410권 제113면 이하에 이 판례가 수록되어 있음을 의미한다. 또한 '93 S.Ct. 705'와 '35 L.Ed.2d 147' 역시 각각 'Supreme Court Reporter'의 제93권 제705면 이하와 'Lawyer's Edition'의 제35권 제147면 이하에 이 판례가 수록되어 있음을 나타낸다. 넷째, '1973'은 판결이 선고된 연도를 의미한다.

(4) 판결문 예시

[2021도14514 판결문]

대 법 원

제 3 부

판 결

사 건	2021도14514 공문서부정행사
피 고 인	피고인
상 고 인	피고인
변 호 인	변호사 김석현
원 심 판 결	창원지방법원 2021. 10. 14. 선고 2021노765 판결
판 결 선 고	2022. 9. 29.

주 문

원심판결을 파기하고, 사건을 창원지방법원에 환송한다.

이 유

상고이유를 판단한다.

1. 공소사실 요지

피고인은 2020. 5. 20. 23:15경 이 사건 아파트 지하주차장에 승용차를 주차하면서 사실은 위 승용차는 장애인사용자동차가 아닌데도 공문서인 부산광역시 ○○구청장 명의의 '장애인사용자동차표지(보호자용)'를 위 승용차의 전면에 비치하였다. 이로써 피고인은 공문서를 부정행사하였다.

2. 원심 판단

원심은 다음과 같은 이유로 이 사건 공소사실을 유죄로 인정한 제1심을 그대로 유지하였다. 즉 장애인사용자동차표지는 장애인이 사용하는 자동차를 지원하는 데에 편리하도록 장애인이 사용하는 자동차임을 알아볼 수 있게 하는 표지이고, 장애인전용주차구역 주차는 장애인사용자동차표지의 용도 중 하나에 불과하다. 따라서 피고인이 장애인전용주차구역에 승용차를 주차하지 않았다고 하더라도 사용권한이 없는 장애인사용자동차표지를 승용차에 비치하여 마치 장애인이 사용하는 자동차인 것처럼 외부적으로 표시하였으므로 장애인사용자동차표지를 부정행사한 경우에 해당한다.

3. 대법원 판단

원심의 판단은 받아들일 수 없다. 그 이유는 다음과 같다.

가. 형법 제203조의 공문서부정행사죄는 공문서의 사용에 대한 공공의 신용을 보호법익으로 하는 범죄로서 추상적 위험범이다. 형법 제230조는 본죄의 구성요건으로 단지 '공무원 또는 공무소의 문서 또는 도화를 부정행사한 자'라고만 규정하고 있어, 자칫 처벌범위가 지나치게 확대될 염려가 있으므로 본죄에 관한 범행의 주체, 객체 및 태양을 되도록 엄격하게 해석하여 처벌범위를 합리적인 범위 내로 제한하여야 한다(대법원 2001. 4. 19. 선고 2000도1985 전원합의체 판결 참조). 사용권한자와 용도가 특정되어 있는 공문서를 사용권한 없는 자가 사용한 경우에도 그 공문서 본래의 용도에 따른 사용이 아닌 경우에는 공문서부정행사죄가 성립되지 아니한다(대법원 2003. 2. 26. 선고 2002도4935 판결 등 참조).

나. 장애인복지법은 '국가와 지방자치단체는 장애인의 자립을 지원하고, 보호가 필요

한 장애인을 보호하여 장애인의 복지를 향상시킬 책임을 지고(제9조 제1항), 국가와 지방자치단체, 그 밖의 공공단체는 장애인이 이동수단인 자동차 등을 편리하게 사용할 수 있도록 하고 경제적 부담을 줄여주기 위하여 조세감면 등 필요한 지원정책을 강구하여야 하며(제39조 제1항), 시장·군수·구청장은 장애인이 이용하는 자동차 등을 지원하는 데에 편리하도록 장애인이 사용하는 자동차 등임을 알아 볼 수 있는 표지(이하 '장애인사용자동차표지'라 한다)를 발급하여야 한다(같은 조 제2항)'고 규정한다. 장애인복지법 시행규칙은 장애인사용자동차표지의 발급대상으로 '장애인복지법 제32조에 따라 등록한 장애인 또는 그 장애인과 주민등록표상의 주소를 같이 하면서 함께 거주하는 장애인의 배우자, 직계존·비속, 직계비속의 배우자, 형제·자매, 형제·자매의 배우자 및 자녀의 명의로 등록하여 장애인이 사용하는 자동차'를 규정한다(제26조 제2호 가, 나목).

「장애인·노인·임산부 등의 편의증진 보장에 관한 법률」(이하 '장애인등편의법'이라 한다)은 '국가보훈처장과 특별자치시장·특별자치도지사, 시장·군수·구청장은 보행에 장애가 있는 사람이 신청하는 경우 장애인전용주차구역에 주차할 수 있음을 표시하는 장애인전용주차구역 주차표지를 발급하여야 한다'고 규정한다(제17조 제2항). 장애인등편의법 시행령은 장애인전용주차구역 주차표지의 발급대상으로 '장애인복지법 제32조에 따라 등록한 장애인으로서 보건복지부장관이 정하는 보행상 장애가 있는 사람의 명의로 등록하여 사용하는 자동차 한 대'로 규정한다(제7조의3 제1항 제1호 가목).

이러한 장애인복지법과 장애인등편의법의 규정과 관련 법리에 따르면, 장애인사용자동차표지는 장애인이 이용하는 자동차에 대한 조세감면 등 필요한 지원의 편의를 위하여 장애인이 사용하는 자동차를 대상으로 발급되는 것이고, 장애인전용주차구역 주차표지가 있는 장애인사용자동차표지는 보행상 장애가 있는 사람이 이용하는 자동차에 대한 지원의 편의를 위하여 발급되는 것이다. 따라서 장애인사용자동차표지를 사용할 권한이 없는 사람이 장애인전용주차구역에 주차하는 등 장애인 사용 자동차에 대한 지원을 받을 것으로 합리적으로 기대되는 상황이 아니라면 단순히 이를 자동차에 비치하였더라도 장애인사용자동차표지를 본래의 용도에 따라 사용했다고 볼 수 없어 공문서부정행사죄가 성립하지 않는다.

다. 원심판결 이유와 기록에 따르면, 피고인은 실효된 '장애인전용주차구역 주차표지가 있는 장애인사용자동차표지'를 승용차에 비치한 채 이 사건 아파트의 주차장 중 장애인전용주차구역이 아닌 장소에 승용차를 주차한 사실을 알 수 있다. 이는 피고인이 장애인사용자동차에 대한 지원을 받을 것으로 합리적으로 기대되는 상황에서 장애인사용자동차표지를 승용차에 비치한 경우에 해당한다고 볼 수 없고, 달리 이를 인정할 만한 사정도 보이지 않는다.

라. 이러한 사실을 앞서 본 법리에 비추어 살펴보면, 피고인이 장애인사용자동차표지를 본래의 용도에 따라 사용한 것으로 볼 수 없으므로 공문서부정행사죄가 성립하지 않는다. 따라서 이 사건 공소사실을 유죄로 인정한 원심판결에는 공문서부정행사죄에서 '부정행사'에 관한 법리를 오해하여 판결에 영향을 미친 잘못이 있다. 이를 지적하는 상고이유 주장은 이유 있다.

4. 결론

그러므로 원심판결을 파기하고 사건을 다시 심리·판단하도록 원심법원에 환송하기로 하여, 관여 대법원의 일치된 의견으로 주문과 같이 판결한다.

- 4 -

재판장	대법관	안철상	____________
	대법관	노정희	____________
주 심	대법관	이흥구	____________

3. 조 리

이성reason 또는 사물의 본질Nature of Things[55]을 조리條理라고 한다. 우리 「민법」은 "민사民事에 관하여 법률에 규정이 없으면 관습법慣習法에 의하고 관습법이 없으면 조리條理에 의한다"고 규정하고 있다제1조. 이에 민법학자들 중 다수는 조리의 법원성을 인정하고 있다. 반면에 조리는 법이 아니지만 법원에 의하여 적용되는 것이라는 부정설도 있다.[56]

아무튼 「민법」은 조리를 재판의 준칙으로 규정하고 있다. 따라서 법관은 제정법은 물론 관습법도 없는 경우에는 조리에 따라 재판하게 된다. 다시 말해서 조리는 성문법이나 관습법이 존재하지 않을 때에 적용되는 보충적 규범이 된다.

대법원은 헌법이 규정하고 있는 환경권에 근거하여 사법상 권리로서의 환경권이 인정될 수 있는지 여부가 문제된 사건에서, "헌법 제35조 제1항은 '모든 국민은 건강하고 쾌적한 환경에서 생활할 권리를 가지며, 국가와 국민은 환경 보전을 위하여 노력하여야 한다'고 규정하여 환경권을 국민의 기본권의 하나로 승인하고 있으므로, 사법私法의 해석과 적용에 있어서도 이러한 기본권이 충분히 보장되도록 배려하여야 할 것임은 당연하다고 할 것이나, 헌법상의 기본권으로서의 환경권에 관한 위 규정만으로서는 그 보호대상인 환경의 내용과 범위, 권리의 주체가 되는 권리자의 범위 등이 명확하지 못하여 이 규정이 개개의 국민에게 직접으로 구체적인 사법상의 권리를 부여한 것이라고 보기는 어렵고, 또 사법적 권리인 환경권을 인정하면 그 상대방의 활동의 자유와 권리를 불가피하게 제약할 수밖에 없는 것이므로, 사법상의 권리로서의 환경권이 인정되려면 그에 관한 명문의 법률규정이 있거나 관계법령의 규정취지나 조리에 비추어 권리의 주체, 대상, 내용, 행사방법 등이 구체

---

55. Bodenheimer, 앞의 책, 357쪽.
56. 곽윤직, 앞의 책, 23쪽; 이은영, 앞의 논문, 78쪽 이하 참조.

적으로 정립될 수 있어야 할 것이다"라고 판시하였다.[57]

57. 대법원 1995.5.23. 선고 94마2218 결정.

제 4 장

법에는 어떤 것들이 있는가

제4장

법에는 어떤 것들이 있는가

제1절 | 서 설

법은 여러 가지 표준에 의하여 분류될 수 있지만, 국내법과 국제법, 공법과 사법, 일반법과 특별법, 실체법과 절차법, 강행법과 임의법 등으로 나누는 것이 일반적이다. 그런데 법의 분류를 공부함에 있어서는 분류의 기준과 이유를 이해하는 것이 필요하다. 예를 들어 법을 공법과 사법으로 나누는 이유는 무엇인지 내지는 그 기준은 무엇인지를 알아야 한다. 반면에 법의 분류는 절대적인 것이 아니라는 점에도 유의해야 한다. 사법으로 분류되는 「민법」에도 공법적인 요소가 있으며, 국제법으로 분류되는 조약도 헌법에 의해 체결·공포되면 국내법과 같은 효력을 가지기 때문이다. 이하에서 차례로 살펴보기로 한다.

제2절 | 국제법과 국내법

국제법[1]international law 또는 law of nations이란 국제사회의 법으로서 주로 국

1. "'국제법'이란 용어의 기원은 로마법의 jus gentium(유스 겐티움, 만민법)에서 유래한다. 이것은 그 판도 내에 있는 로마인과 외국인간 및 외국인 상호간의 관계를 규율하는 로마법으로서 just civile(유스 키비레, 시민법)와 대비되는 개념이다. 또 이것은 실제로 '여러

가간의 관계를 규율하는 법을 말한다.[2] 개인으로 구성된 국내에 다양한 종류의 국내법이 있는 것과 같이 다수의 국가가 존재하는 국제사회에도 역시 법이 있다.

그런데 국제법은 진정한 의미에서 '법'이라고 할 수 있는가에 관한 논의 즉, 국제법의 법적 성질에 관한 논의는 이미 국제'법'이라는 용어가 나왔을 때부터 시작된 것이었다. 그러나 오늘날에는 국제법의 법적 성질을 부정하는 학자는 많지 않고, 다만 그 법적 성질을 둘러싸고 한쪽에서는 국제법을 '세계 공동사회의 법' 내지는 여기에 이르는 중도에 있는 법으로서 세계법 가능의 입장에서 규정하는 사고방식이 있는가 하면, 그 반대편에서 국제법을 권력정치에 종속하는 이른바 '권력의 법'이라고 규정하는 접근 방식도 있다.[3] 이러한 입장에서 제기되는 공통된 문제점은 법이란 규범의 하나이지만 도덕이나 습속과 같은 다른 사회규범과 다른 점은 그것이 최소한 공적으로 강제되는 사회규범이라는 것, 나아가서 그 강제성을 보장하기 위한, 즉 법의 실효성을 확보하기 위한 강제수단을 갖추고 있다는 점인데, 과연 국제법이 이러한 강제성 내지 실효성을 갖추고 있는 법규범인가 하는 것이다.

국제법의 법적 성질을 부정하는 입장은 첫째, 국제법에는 법의 본질적 요소인 강제가 없으므로 이를 위반할 경우에도 제재를 가하거나 강제로 이행시킬 방법이 없고, 둘째, 국제사회에는 법을 제정하고 명령하며 또한 강제와 제재를 행할 수 있는 입법자나 권력자가 없으며, 셋째, 법의 위반을 결정하는 법원이 없고, 넷째, 국제단체의 조직이 불완전하다는 점 등을 지적하고 있다.[4] 그러나 국제사회가 고도로 발달된 오늘날

민족의 법'(또는 '여러 국가의 법' 또는 '여러 인민의 법')이 아니라 로마판도 내의 개인간의 관계를 규정한 로마 국내법이라는 점에서 국제법과는 전혀 다른 것이었다. 그러나 jus gentium이라는 말이 문자 그대로 해석하면 '여러 민족의 법'이라는 의미이므로 근대 유럽 각국은 이 말을 'law of nations' 등으로 번역하여 국제법을 지칭하게 되었다." 이한기, 국제법강의, 박영사, 1997, 4-5쪽.

2. 이한기, 위의 책, 1쪽.
3. 이한기, 위의 책, 29쪽.

에 있어서는 대체로 국제법의 법적 성질을 인정하는 쪽으로 견해가 모아지고 있다.

한편 국내법domestic law, municipal law이란 한 국가에 있어서 국민과 국가의 관계 및 국민 상호간의 관계를 주로 규율하는 법을 말한다. 대한민국의 현행 헌법, 「민법」, 「형법」, 「상법」 등은 모두 국내법이다. 국제사법은 '국제'라는 명칭이 들어있지만 국내법임을 유의하여야 한다. 이 법은 원래 「섭외사법」涉外私法이란 명칭을 가지고 있었으나, 2001년 4월 7일법률 제6465호에 「국제사법」이란 명칭으로 전부 개정되어 2001년 7월 1일부터 시행되었다. 이 법은 예컨대 한국인 남자와 미국인 여자가 일본에서 결혼을 하는 경우에 있어서 혼인의 방식은 어느 나라의 법에 따라야 하는가와 같이 외국적 요소가 있는 법률관계에 있어서 국제재판관할에 관한 원칙과 준거법을 정하는 국내법이다.

또한 국제법과 국내법의 관계를 어떻게 볼 것인가에 관하여도 상반된 견해가 존재한다. 즉, 일원론은 국제법과 국내법을 동일한 법적 기초에 근거를 둔 하나의 통일된 법질서를 구성한다고 본다. 일원론은 다시 국제법과 국내법의 우열관계에 관하여 견해가 나뉜다. 먼저 국제법우위론은 국내법이 국제법에 의하여 위임된 부분질서이며, 자연법 체계 중의 상위법인 국제법이 우선한다고 한다. 반면에 국내법우위론은 국제법의 성립근거가 국내 헌법에 있으므로 국내법이 국제법의 근거가 된다고 한다. 한편 국제법과 국내법이 상호간에 상이한 구조와 기능 및 발전과정을 가진 독립된 법질서로서 서로 영향을 미치지 않는다고 보는 이원론도 있다.

우리 헌법은 "헌법에 의하여 체결·공포된 조약과 일반적으로 승인된 국제법규는 국내법과 같은 효력을 가진다제6조 제1항"고 규정하고 있다. 이 조항에 따라 국제법을 수용할 때 국내법의 형식을 취하는 경우에는

4. 김정균·성재호, 국제법, 박영사, 2006, 15쪽.

별다른 문제가 발생하지 아니하나, 국내법의 형식을 취하지 아니하고 바로 국내적으로도 직접 효력이 발생한다고 하는 경우에는 국제법과 국내법의 우열관계가 문제된다. 그런데 국제법과 국내법의 관계에 관하여 헌법 제6조 제1항은 일원론과 이원론의 어느 입장에서도 해석이 가능하다. 국내의 학설과 판례는 대체적으로 일원론과 국내법우위론을 지지한다.[5] 이에 대해 헌법재판소는 "헌법 제6조 제1항의 국제법 존중주의는 우리나라가 가입한 조약과 일반적으로 승인된 국제법규가 국내법과 같은 효력을 가진다는 것으로서 조약이나 국제법규가 국내법에 우선한다는 것은 아니다"라고 결정한 바 있다.[6]

한편 조약에 대하여 우리 헌법재판소가 위헌심판을 할 수 있는지의 문제도 있다. 일반적으로 조약이란 명시적으로 '조약條約'이라는 명칭을 붙인 것에 한하지 않고, 명칭여하에 관계없이 국제법 주체간에 국제법률관계를 설정하기 위하여 체결한 명시적인 합의를 말한다.[7] 헌법재판소는 재판권 면제 등을 규정한 「국제통화기금협정」 제9조[8] 등의 위헌여부가 문제된 사건에서, "헌법재판소법 제68조 제2항은 심판대상을 '법률'로 규정하고 있으나, 여기서의 '법률'에는 '조약'이 포함된다고 볼 것이다. 헌법재판소는 국내법과 같은 효력을 가지는 조약이 헌법재판소의 위헌법률심판대상이 된다고 전제하여 그에 관한 본안판단을 한 바 있다. 이 사건 조항은 각 국회의 동의를 얻어 체결된 것이므로 헌법 제6조

5. 정종섭, 헌법학원론, 박영사, 2018, 263쪽.
6. 헌재 2001.4.26. 선고 99헌가13, 판례집 제13권 1집, 773쪽.
7. 헌재 2001.3.21. 선고 99헌마139, 판례집 제13권 1집, 706쪽.
8. 「국제통화기금협정」 "제9조(지위, 면제 및 특권) … 제3항(사법절차의 면제) 기금 및 소재지와 소지자의 여하를 불문하고 그 재산 및 자산은 기금이 모든 형식의 사법절차의 면제를 포기하거나 또는 계약의 조건에 의하여 그 면제를 포기한다는 것을 명시한 경우를 제외하고는 모든 형식의 사법절차에서 면제된다. … 제8항(직원 및 피용자의 면제와 특권) 모든 기금의 각국위원, 이사, 대리자, 직원 및 피용자는 다음의 면제 및 특권을 가진다. … (i) 공적 자격으로 행한 행위에 관하여는, 기금이 면제를 포기하였을 때를 제외하고는, 법적 절차로부터 면제된다. … " 헌재 2001.9.27. 선고 2000헌바20, 판례집 제13권 2집, 324쪽.

제1항에 따라 국내법적 효력을 가지며, 그 효력의 정도는 법률에 준하는 효력이라고 이해된다. 한편 이 사건 조항은 재판권 면제에 관한 것이므로 성질상 국내에 바로 적용될 수 있는 법규범으로서 위헌법률심판의 대상이 된다고 할 것"이라고 결정하였다.[9]

제3절 | 공법과 사법

I 서 설

법을 공법公法과 사법私法으로 구별하는 것은 로마법 이래의 전통적인 태도이다. 일반적으로 실정법 중에서 「민법」, 「상법」 등은 사법에 속하고, 헌법, 행정법, 「형법」, 「형사소송법」, 「민사소송법」 등은 공법에 속한다.[10] 그러나 사법으로 분류되는 「민법」의 규정 중에도 공법적인 요소를 가진 규정들이 있다. 예컨대 법인을 설립하기 위해서는 주무관청의 허가를 얻어야 하며제32조, 법인의 사무는 주무관청이 검사, 감독하도록 하고 있다제37조. 뿐만 아니라 법인의 이사 등이 '등기를 해태懈怠' 하는 등 충실하게 직무를 수행하지 않은 경우에는 500만원 이하의 과태료에 처한다제97조. 따라서 단일한 법률 안에도 공법과 사법이 병존하는 경우가 있으므로, 공법과 사법의 구별은 상대적인 것이라고 할 수 있다.

---

9. 헌재 2001.9.27. 선고 2000헌바20, 판례집 제13권 2집, 327쪽.
10. 다만, 학자에 따라서는 "주의할 것은, 공·사법을 나누는 것은, 실체법에 관하여서만 의미가 있으며, 절차법은 특별한 법영역으로 보아야 한다"는 견해도 있다. 곽윤직, 민법총칙, 박영사, 2002, 2쪽.

Ⅱ 구별의 필요성

종래에 공법과 사법의 구별은 서구 근대법에 있어서 국가와 사회의 구별이라는 이원적 사고의 표현이라는 면을 갖고 있었다.[11] 특히 실체법상 공법과 사법의 구별은 구체적 법률관계에 적용할 법규나 법원칙을 결정하기 위하여 여전히 필요한 구분이라고 할 수 있다.[12] 즉, 사법에서는 사적자치의 원칙에 따라 개인이 자유로이 법률관계를 형성할 수 있는 것이 넓은 범위에서 인정되므로 바로 이 점에서 공법과 다르다고 할 수 있다.[13] 또한 절차법상으로도 공법과 사법의 구별은 분쟁해결을 위한 쟁송수단의 선택과 결정을 위해서도 필요하다.[14]

특히 어떤 법률관계가 공법관계인가 아니면 사법관계인가를 구분하는 것은 사법재판소와 행정재판소의 이원적 제도二元的 制度를 취하고 있는 프랑스 또는 특별재판소로서 행정재판소를 두고 있는 독일 등에 있어서는 결정적인 의미를 가진다.[15] 왜냐하면 당해 법률관계의 법적 성격에

11. 그러나 오늘날에는 국가와 사회의 구별이라는 이원적 사고를 지양하게 되면서 공법과 사법의 구별도 점차 그 제도적 기초를 상실하고 있다는 견해도 있다. 김철용, 행정법 I, 박영사, 2008, 15쪽. 한편 헌법재판소도 "공법과 사법의 구분이 항상 명확한 것은 아니므로, 국가채권의 발생 원인이 사법적인 소송 과정에서 생긴 것이라 해도 그 원인이 순수하게 사법적인 것인지 혹은 공법적인 것인지 의문인 경우가 있다"고 하였다. 헌재 2004.3.25. 선고 2003헌바22, 판례집 제16권 1집, 417쪽.
12. 김남진/김연태, 행정법 I, 법문사, 2009, 74쪽.
13. 곽윤직, 앞의 책, 5쪽.
14. 김남진/김연태, 앞의 책, 74쪽.
15. 보통법계인 미국과 영국에서는 공법이 대륙법계인 유럽보다 훨씬 덜 발달하였다. 그러나 많은 공법이론들이 미국의 행정법 체계에 도입되었다고 한다. Paul R. Verkuil, Public Law Limitations on Privatization of Government Functions, 84 N.C. L. Rev. 397, 403 n. 18 (2006). 즉, "영국에서는 법의 공법화의 진행과 더불어, 행정사건의 분쟁해결에 있어서는 비용과 시간이 드는 사법법원(common-law court) 이외에 행정법원(administrative Tribunals)이 설치되어 행정적 절차(administrative process)에 의한 해결의 방식이 발달하였다. 미국에서는 동일한 사정 아래 전문적 · 기술적인 행정을 수행하고 행정분쟁의 처리를 담당하기 위하여 많은 행정위원회(administrative commission or board)가 설치되었다. 이들 위원회는 때로는 독립규제위원회(Independent Regulatory Commission)로도 불리어 입법적 · 사법적 · 행정적 권한이 모두 부여되기도 하였다. 미국 행정법은 이들 행정위원회의 조직 · 권한 및 분쟁해결절차 등에 관한 법을 중심으로 생성하였고, 일반적인 행

따라 그 관할재판소가 달라지기 때문이다.[16] 우리나라에서는 특별재판소로서의 행정재판소의 설치가 허용되지 않고 행정사건도 사법재판소의 관할로 되어 있으나, 소송절차에 있어서는 행정사건의 특수성을 감안하여 「행정소송법」이 제정되어 있고, 이 법은 민사소송과는 다른 절차를 규정하고 있다.[17] 예컨대, 「행정소송법」은 행정소송 중 "취소소송의 제1심 관할법원은 피고의 소재지를 관할하는 행정법원으로 한다"[18]고 규정하고 있다. 따라서 법률상의 쟁송에 관하여 행정사건과 민사사건의 구별의 표준을 세우기 위하여서도 공법과 사법의 구별을 부정할 수는 없다고 할 것이다.[19]

Ⅲ 구별의 기준

공법과 사법의 구별을 긍정하는 경우에도 그 기준에 관하여는 많은 견해가 제시되어 왔으며, 대표적인 것으로는 이익설, 주체설, 성질설종속설 등이 있다.

1. 이익설

로마의 경우에는 유스티니아누스 황제 때부터 '공법public law'과 '사법private law'이 개인의 국가에 대한 관계를 기준으로 정의되었다.[20] 유스티니아누스법전Justinian's Digests은 "법학legal study의 두 가지 분야, 즉 공법과 사법이 있다. 공법은 로마제국의 기관establishment과 관계된 법이고, 사법은 개

정절차법(Federal Administrative Procedure Act, 1946)의 제정을 통하여 확립되었다." 김철용, 앞의 책, 21쪽.

16. 김동희, 행정법 I, 박영사, 2008, 71쪽.
17. 김동희, 위의 책, 71쪽.
18. 「행정소송법」 제9조 제1항.
19. 곽윤직, 앞의 책, 5쪽.
20. Verkuil, 앞의 논문, 403쪽.

인의 이익 즉, 공공의 이익이 되는 일부의 사안들과 사익이 되는 그 밖의 사안들과 관련된 법이다"라고 규정하고 있었다.[21] 이에 의하면 원칙적으로 개인의 이익이 관련되면 사법이고, 국가의 규율과 관련되면 공법이라는 것이 된다.

이에 대해 국내의 학자들은 "공익의 보호를 목적으로 하는 법이 공법이고, 사익개인의 이익을 보호하는 법이 사법"이라고 하거나,"[22] "공익의 실현에 봉사하는 법이 공법이고, 사익의 실현에 봉사하는 법이 사법"이라고 설명하고 있다.[23] 그런데 이 설을 취하게 되면 무엇이 공익이고 무엇이 사익인지의 구별이 전제 되어야 한다는 순환논법에 빠지게 된다. 실제에 있어서 법의 목적을 공익과 사익으로 구별한다는 것은 쉬운 일이 아니다.[24] 또한 같은 법이 공익과 사익의 두 가지 모두에 관한 것이라고 생각되는 경우에는 구별이 곤란하게 된다는 문제점이 있으며, "예컨대 타인의 재산을 훔치는 자를 처벌하는 것은 사회의 질서유지라는 공익을 보호하는 것이며, 따라서 이러한 범죄와 처벌에 관하여 정하는 형법은 공법이라고 하지만, 그것은 동시에 사인의 재산사익의 보호도 목적으로 한다"고 비판받고 있다.[25]

그러나 절도죄를 처벌하는 이유는 일차적으로 개인의 재산을 보호하기 위함이라고 할 것이다. 형법학자들도 절도죄의 보호법익은 소유권이라고 한다.[26] 우리 형법각칙의 체계상으로도 절도죄는 개인적 법익을

21. Dig. 1.1.1.2(Ulpian, Institutes 1)(1 The Digest of Justinian §1(Theodor Mommsen et al. eds., University of Pennsylvania Press 1985))(Verkuil, 앞의 논문, 403쪽, 각주 16에서 재인용); Hans W. Baade, The Operation of Foreign Public Law, 30 Tex. Int'l L. J. 429, 432 (1995).
22. 곽윤직, 앞의 책, 2쪽.
23. 홍정선, 행정법원론(상), 박영사, 2008, 30쪽. 실제로 "프랑스에서는 공익실현작용을 내용으로 하는 공역무관념이 행정상 법률관계에서의 공법관계 · 사법관계의 구별에 있어 가장 유력한 기준"이 되고 있다고 한다. 김동희, 앞의 책, 73쪽.
24. 손주찬, 신법학통론, 박영사, 2005, 46쪽; 김동희, 위의 책, 73쪽.
25. 곽윤직, 앞의 책, 2쪽.
26. 이재상, 형법각론, 박영사, 2007, 243쪽.

보호하는 범죄 중의 하나로 규정되어 있다. 다만 무엇이 공익인지 또는 사익인지의 구별이 어려운 것일 뿐만 아니라, 개별법규의 보호법익을 어디까지로 볼 것인가에 따라 결론이 달라진다고 할 것이다.

한편 대법원은 철도국장이 자신이 관리하는 건물을 임대하는 행위는 행정소송의 대상이 되지 못한다고 하면서, "공권력의 주체로서 국민에 대한 관계에 있어서는 대등한 사사로운 국민상호간의 경제적 이해를 조정함을 목적으로 하는 사법이 전면적으로 그대로 적용될 수는 없고 국가공익의 실현을 우선적으로 하는 특수성을 고려하여 특수한 법규나 법 원칙이 인정되어야 할 것"이라고 함으로써 국가'공익'을 한 가지 기준으로 제시한 바 있다.[27]

2. 종속설

종속설[28]은 공법이 본질적으로 "개인을 공공의 이익public interests에 복종시켰다는 점"에서 종속적이고 규제적인 법이라고 한다.[29] 다시 말해서 공법의 주된 관심은 공익에 있으며, 공법이 공공의 위해public harm를 방지하는 것을 목적으로 하기 때문에 종속적이라고 한다.[30] 이에 대해 사법은 강제적이지 않은 법으로서 사인들 간에 자율적으로 분쟁을 해결하지 못하는 경우에 분쟁의 해결방법을 제공하기 위해 존재한다.[31] 다시 말해서, 사법은 거래 당사자가 계약을 통해 다른 준거법applicable law을 지정하지 않은 경우에만 적용된다.[32] 그런데 모든 공법은 강제적이고, 모든 사

---

27. 대법원 1961.10.5. 선고 4292행상6.
28. 이 설은 성질설(곽윤직, 앞의 책, 3쪽), 복종설(김철용, 앞의 책, 16쪽), 권력설, 법률관계설(손주찬, 앞의 책, 46쪽; 한양대법학연구소편, 법학일반론, 한양대학교 출판부, 2003, 24쪽) 등으로도 불린다.
29. Roscoe Pound, Public Law and Private Law, 24 Cornell L. Q. 469, 471-472 (1939).
30. Philip J. McConnaughay, Reviving The "Public Law Taboo" in International Conflict of Laws, 35 Stan. J. Int'l L. 255, 303 (1999).
31. McConnaughay, 위의 논문, 304쪽.
32. McConnaughay, 위의 논문, 304쪽.

법은 비강제적이라는 주장은 공법이 사익을 규정하거나 사법이 공익을 규정하는 경우도 있으며, 또한 사법도 강제적이라는 점에서 비판을 받고 있다.[33]

한편 종속설은 법이 규율하는 법률관계가 평등관계이냐 아니냐를 표준으로 하여, 불평등관계 즉 권력·복종의 관계수직관계를 규율하는 법을 공법이라 하고, 평등·대등의 관계수평관계를 규율하는 법이 사법이라고 설명하기도 한다.[34] 그러나 이 설명에 의하면, 국제법은 공법에 속한다는 것이 전통적인 견해인데 국가는 서로 평등한 까닭에 사법에 속한다고 하여야 하는 결과가 되고, 「민법」상 부모와 자녀의 관계는 불평등하므로 이를 규율하는 법은 공법이라고 해야 하는 부당한 결과가 된다고 한다.[35]

대법원은 재정법을 위반하여 발행한 약속어음의 효력과 「국가배상법」상 국가의 배상책임이 문제된 사안에서 "국가배상법 제2조의 규정은 공무원이 국가 통치권에 기인한 우월적인 의사발동으로서의 적용 또는 기타 공권력의 행사에 있어 고의 또는 과실로 법령에 위반하여 다른 사람에게 손해를 끼치었을 때 국가 또는 공공단체에게 손해배상의 책임을 지우는 규정"[36]이라고 함으로써, 법률관계가 상하관계 내지 불평등관계인가의 여부를 기준으로 판단하였던 것으로 보인다.

3. 주체설

1) 구주체설

사법은 일반적으로 사인 간 또는 사적 단체 간의 분쟁에 적용되는 반면에 공법은 사인 또는 단체와 정부 간의 관계를 규율한다고 한다.[37]

---

33. McConnaughay, 위의 논문, 304쪽.
34. 곽윤직, 앞의 책, 3쪽.
35. 곽윤직, 위의 책, 3쪽.
36. 대법원 1962.2.28. 선고 4294민상898.

다시 말해서 "국가 기타의 공공단체 상호 간의 관계 또는 이들과 개인과의 관계를 규율하는 법이 공법이고, 개인 상호 간의 관계를 규율하는 법은 사법"이라는 것이다.[38] 그러나 국가가 공권력의 주체로서가 아니라, 국고의 주체사법상 재산권의 주체로서 국민을 대하는 경우에는 사법이 적용되고, 당해 관계는 사법관계로 된다.[39] 대법원도 "국가 또는 행정권의 주체가 사인과 대등한 지위에서 하는 행위 예컨대 국유재산의 불하, 정부수요품의 매입, 공사청부계약 등은 재정법 또는 국유재산법에 그에 대한 여러 가지 제한규정은 있을지라도 그 본질은 사법상의 법률행위이고 행정행위의 관념에 속하지 않는 것"이라고 하였다.[40]

반면에 사인도 공권을 행사하는 경우가 있다. 예컨대 항공기 기장이 「항공보안법」에 따라 "항공기의 보안을 해치는 행위", "인명이나 재산에 위해를 주는 행위" 또는 "항공기 내의 질서를 어지럽히거나 규율을 위반하는 행위"를 "하려는 사람에 대하여 그 행위를 저지하기 위한 필요한 조치를 할 수"[41] 있도록 하는 경우에는 공법의 적용을 받는다는 점

---

37. Edgar Bodenheimer et al., An Introduction to the Anglo-American Legal System 11 (West, 2004).
38. 곽윤직, 앞의 책, 3쪽.
39. 김동희, 앞의 책, 76쪽. 대법원은 "국유재산법상 일반재산에 해당하는 … 준보전국유림에 관한 대부계약은 국가가 사경제 주체로서 대부를 받는 자와 대등한 위치에서 체결한 사법상 계약이므로 그에 관한 권리관계를 특별히 규제하는 법령이 없는 이상 민법상 임대차에 관한 사법상 규정이 적용될 수 있다"고 하였다. 대법원 2022.10.14. 선고 2020다289163 판결.
40. 대법원 1960.1.27. 선고 4290행상139.
41. 「항공보안법」 제22조(기장 등의 권한) ① 기장이나 기장으로부터 권한을 위임받은 승무원(이하 "기장등"이라 한다) 또는 승객의 항공기 탑승 관련 업무를 지원하는 항공운송사업자 소속 직원 중 기장의 지원요청을 받은 사람은 다음 각 호의 어느 하나에 해당하는 행위를 하려는 사람에 대하여 그 행위를 저지하기 위한 필요한 조치를 할 수 있다. 1. 항공기의 보안을 해치는 행위 2. 인명이나 재산에 위해를 주는 행위 3. 항공기 내의 질서를 어지럽히거나 규율을 위반하는 행위 ② 항공기 내에 있는 사람은 제1항에 따른 조치에 관하여 기장등의 요청이 있으면 협조하여야 한다. ③ 기장등은 제1항 각 호의 행위를 한 사람을 체포한 경우에 항공기가 착륙하였을 때에는 체포된 사람이 그 상태로 계속 탑승하는 것에 동의하거나 체포된 사람을 항공기에서 내리게 할 수 없는 사유가 있는 경우를 제외하고는 체포한 상태로 이륙하여서는 아니 된다. ④ 기장으로부터 권한을 위임받은 승무원 또는 승객의 항공기 탑승 관련 업무를 지원하는 항공운송사업자 소속 직원 중 기장의 지

에서 구주체설은 비판을 받고 있다.[42]

2) 신주체설

신주체설은 공권력의 담당자인 국가 등의 행정주체에 대해서만 권리·권한을 부여하거나 의무를 부과하는 법은 공법이고, 모든 권리주체에 권리를 부여하고 의무를 부과하는 법은 사법이라고 한다.[43] 이 설은 행정주체가 사인과 같은 지위에서 행하는 국고행위를 공법관계에서 배제하는 반면에, 공법상 계약도 공권력 주체인 행정주체의 활동이라는 점에서 공법관계에 포함시키며 공권력이 부여된 사인의 행위도 공법관계로 파악할 수 있다는 장점이 있다.[44] 그러나 이 설은 공권력 주체로서의 행정주체를 전제로 하여 그에 관한 법을 공법으로 보고 있으나, 구체적 법률관계에서 국가 등의 행정주체가 공권력 주체로서의 지위를 가지는 것인지의 여부는 관계법규가 공법인지 여부에 의하여 비로소 결정된다고 보아야 한다는 비판이 있다.[45]

4. 생활관계설

인간의 생활관계에 있어서 정치적 생활관계를 규율하는 법을 공법이라고 하고, 민사적 생활관계를 규율하는 법을 사법이라고 하는 설이다.[46] 이 설에 따르면 정치적 권력의 당사자로서의 입장에 있는 모든 국가 또는 공법인 상호간 및 그들과 사인간을 규율하는 법은 공법이 되고, 정치적 권력의 담당자로서의 지위를 떠난 국가 또는 공법인 상호간 및 그들과 사인과의 관계, 그리고 사인 상호간의 관계를 규율하는 법은 사

원요청을 받은 사람이 제1항에 따른 조치를 할 때에는 기장의 지휘를 받아야 한다.
42. 김철용, 앞의 책, 16쪽.
43. 독일의 통설이라고 한다. 김동희, 앞의 책, 72쪽; 홍정선, 앞의 책, 30−31쪽.
44. 김동희, 위의 책, 72쪽.
45. 김동희, 위의 책, 73쪽.
46. 손주찬, 앞의 책, 47쪽.

법이라고 한다.[47] 그러나 이 설 역시 무엇이 정치적 생활관계이고 민사적 생활관계인지가 명확하지 않다는 비판이 있다.

Ⅳ 사회법의 문제

종래에는 공법과 사법의 어느 한 분류에 속한다고 단정하기 어려운 중간적 법영역에 속하는 이른바 사회법을 제3의 법역으로 설명하는 것이 일반적이었다. 이러한 견해에 의하면 "근대국가에 있어서의 자본주의 경제의 발전은, 한편으로는 경제적 약자와 강자의 대립 또는 노사勞使 사이의 대립을 초래하였고, 다른 한편으로는 자본주의 경제의 여러 폐단을 가져왔다. 여기서 경제적 약자를 보호하고 강자를 제한하며, 노사 사이의 대립을 완화하기 위하여, 또는 자본주의 경제의 폐단을 바로잡기 위하여, 사권 특히 소유권과 계약의 자유에 새로운 공법적 제한을 더하는 국가의 사회정책·노동정책 및 경제정책적 입법이 점점 많아지고, 이들이 쌓여서 공법·사법의 어느 것에도 속하지 않는 독자의 법영역을 이루게 되었다. 노동법·경제법·사회보장법 등이 그것이며, 이들은 독자의 사회적인 법질서, 즉 사회법을 형성하고 있다"고 한다.[48]

한편 이윤추구를 목표로 하는 사업자들은 경쟁을 통해 발전을 추구하기도 하지만 일반적으로는 경쟁을 회피하려고 한다. 이를 위해 사업자들이 가격을 고정하기도 하고, 시장을 분할하기도 하며 출고를 조절하는 등 다양한 형태의 공동행위를 통해 경쟁을 회피하고, 이를 통해 독점기업이 취득하는 것과 같은 이득을 취하려고 한다. 여기서 공동행위란 사업자가 다른 사업자와 공동으로 상품 또는 용역의 가격, 거래조건, 거래량 또는 거래지역 등을 제한하는 행위를 말하며, 통상 카르텔 또는

47. 손주찬, 위의 책, 47쪽.
48. 곽윤직, 앞의 책, 4쪽.

담합이라고 한다.[49] 따라서 국가는 이러한 공동행위가 부당한 경우에는 규제를 하게 된다. 예컨대, 정유사들의 LPG공급가격 담합이 「독점규제 및 공정거래에 관한 법률」 제42조의 부당한 공동행위의 금지에 해당하는 경우에는 공정거래위원회가 "그 사업자에게 해당 행위의 중지, 시정명령을 받은 사실의 공표 또는 그 밖에 필요한 시정조치"를 명하거나[50] 과징금을 부과할 수 있다.[51]

우리 헌법의 경제질서는 자유시장경제를 기본으로 하되 사회정의의 실현과 국민경제의 발전을 위하여 필요한 범위 안에서 국가적 규제와 조정이 가능한 사회적 시장경제질서 내지 혼합경제질서를 기본으로 하고 있다.[52] 따라서 그러한 공정거래위원회의 규제는 "국가는 균형있는 국민경제의 성장 및 안정과 적정한 소득의 분배를 유지하고, 시장의 지배와 경제력의 남용을 방지하며, 경제주체간의 조화를 통한 경제의 민주화를 위하여 경제에 관한 규제와 조정을 할 수 있다"고 규정한 헌법 제119조 제2항에서 그 정당성을 찾을 수 있다.

이처럼 근대 시민법의 기본원리인 계약자유의 원칙에 국가가 일정한 제한을 가하는 법은 공법이나 사법이 아닌 제3의 법역에 속한다는 것이다. 이에 대해 자본주의사회가 발전해 감에 따라 국가와 시민사회의 이원성은 상실되고 공법과 사법을 엄격히 구별하는 태도도 비판을 받게 되었으므로, 이러한 관점에서 보면 경제법이 제3의 법역에 속한다는 종래의 학설은 더 이상 유지될 수 없으며 오히려 공법의 자기확장인

49. 권오승, 경제법, 법문사, 2009, 249쪽.
50. 「독점규제 및 공정거래에 관한 법률」 제42조(시정조치) ① 공정거래위원회는 부당한 공동행위가 있을 때에는 그 사업자에게 해당 행위의 중지, 시정명령을 받은 사실의 공표 또는 그 밖에 필요한 시정조치를 명할 수 있다.
51. 「독점규제 및 공정거래에 관한 법률」 제43조(과징금) 공정거래위원회는 부당한 공동행위가 있을 때에는 그 사업자에게 대통령령으로 정하는 매출액에 100분의 20을 곱한 금액을 초과하지 아니하는 범위에서 과징금을 부과할 수 있다. 다만, 매출액이 없는 경우 등에는 40억원을 초과하지 아니하는 범위에서 과징금을 부과할 수 있다.
52. 권영성, 헌법학원론, 법문사, 2009, 549쪽.

동시에 사법의 자기발전이라고 하는 것이 타당하다는 주장이 제기되고 있다.[53]

제4절 | 일반법과 특별법

법의 적용을 받는 사람, 장소, 대상 등에 특별한 제한이 없이 일반적으로 적용되는 법을 일반법이라고 한다. 반면에 특별법은 한정된 사람, 장소 또는 대상만을 규율한다. 예를 들어, 1995년 12월 21일에 제정된 「5 · 18 민주화 운동 등에 관한 특별법」은 제1조 목적에서 "이 법은 1979년 12월 12일과 1980년 5월 18일을 전후하여 발생한 헌정질서파괴범죄행위에 대한 공소시효정지등에 관한 사항 등을 규정"한다고 함으로써 그 대상을 한정하고 있는 특별법이다. 이 법률은 또한 "이른바 12 · 12 사건과 5 · 18 사건에만 적용됨을 명백히 밝히고 있으므로 다른 유사한 상황의 불특정 다수의 사건에 적용될 가능성을 배제하고 오로지 위 두 사건에 관련된 헌정질서파괴범만을 그 대상으로 하고 있어 특별법 제정당시 이미 적용의 인적범위가 확정되거나 확정될 수 있는 내용"[54]의 개별사건법률이다.

이처럼 일반법과 특별법을 구분하는 이유는 "특별법이 일반법에 우선한다"는 특별법 우선의 원칙때문이다. 다시 말해서 어떤 사항에 관하여 특별법이 있는 경우에는 특별법이 우선 적용되고, 특별법이 없는 경우에는 일반법이 적용된다. 예를 들어, 「민법」은 개인 또는 단체의 사법적 생활관계를 규율하는 일반법이며, 「상법」은 기업의 생활관계에 관한 법이므로 「민법」에 대하여 특별법의 지위에 있다. 따라서 상사매매에

53. 권오승, 앞의 책, 16쪽.
54. 헌재 1996.02.16. 선고 96헌가2, 판례집 제8권 1집, 68-69쪽.

관한 「상법」 제67조부터 제71조의 규정은 「민법」상 매매에 관한 「민법」 제563조부터 제595조의 규정에 우선하여 적용된다.

한편 법률의 일부 조항들 간에도 일반법과 특별법의 관계가 생길 수 있다. 헌법재판소는 '대통령의 선거중립의무 준수요청 등 조치 취소'사건에서 선거에서의 중립을 규정하고 있는 이 사건 법률조항 즉, 「공직선거법」 제9조 제1항의 "행위주체에 대통령이 포함된다고 볼 때, 대통령의 정치활동을 허용하고 있는 국가공무원법 조항국가공무원법 제3조 제3항, 제65조, '국가공무원법 제3조 제3항의 공무원범위에 관한 규정' 제2조과 상호 저촉되는 듯한 문제가 발생한다. 그러나 국가공무원법은 공무원의 인사행정에 관한 근본기준을 설정한 법으로서제1조 원칙적으로 공무원의 정치활동을 금지하되제65조, 다만 대통령 등 정무직 공무원의 특성을 고려하여 예외적으로 정치활동을 허용하고 있는데 반하여, 공직선거법은 선거의 공정을 위하여 제정된 법으로서 이 사건 법률조항에서 '정치적 중립을 지켜야 하는 공무원'들로 하여금 '선거에 대한 부당한 영향력의 행사 기타 선거결과에 영향을 미치는 행위'를 금지하는 이외에도 정무직 공무원의 선거와 관련된 정치활동을 상당 부분 제한하고 있다공직선거법 제137조 내지 제145조. 결국 위 국가공무원법 조항은 정무직 공무원들의 일반적 정치활동을 허용하는데 반하여, 이 사건 법률조항은 그들로 하여금 정치활동 중 '선거에 영향을 미치는 행위'만을 금지하고 있으므로, 위 법률조항은 선거영역에서의 특별법으로서 일반법인 국가공무원법 조항에 우선하여 적용된다고 할 것"이라고 하였다.[55] 다시 말해서, 선거영역에 있어서는 「국가공무원법」이 일반법이고 「공직선거법」이 특별법이므로, 특별법인 「공직선거법」상 선거에서의 중립의무가 우선한다는 것이다.

55. 헌재 2008.1.17 선고 2007헌마700, 판례집 제20권 1집 (상), 163쪽.

제5절 | 실체법과 절차법

법률관계 즉, 권리와 의무의 주체, 종류, 내용, 효력 등을 규정한 법이 실체법substantive law이다. 반면에 절차법adjective law, procedural law은 실체법상 권리와 의무를 사인이나 국가 등이 구체적으로 실현하기 위한 절차를 규율한 법이다. 예를 들어, 자동차 사고로 손해를 입은 사람은 「민법」 제750조 이하의 규정에 따라 가해자에게 손해배상을 청구할 수 있는 권리를 가지게 된다. 다시 말해서 「민법」이라는 실체법에 의하여 권리를 부여받는 것이다. 이 경우 가해자인 불법행위자가 피해자의 손해를 배상하지 않는다면 피해자는 소송을 통하여 손해배상청구권이라는 권리를 실현하게 된다. 이때 그러한 권리실현의 절차를 규정한 것이 바로 절차법이며, 「민사소송법」이 여기에 해당한다. 또한 범죄인에 대한 국가의 형벌권 실행의 절차를 규정한 「형사소송법」 역시 절차법에 속한다.

이러한 절차법은 도덕과 같은 가치판단과 관련된 요소가 적고 대부분 기술적인 내용으로 되어 있다는 점에서 실체법과 구별된다고 할 수 있다. 그러나 이러한 구별은 절대적인 것은 아니어서 예컨대, 실체법으로 분류되는 「민법」의 규정 중에는 실종선고를 규정한 제27조[56]와 실종선고의 취소를 규정한 제29조[57]와 같이 예외적으로 절차에 관한 사항이

56. 第27조(실종의 선고) ① 부재자의 생사가 5년간 분명하지 아니한 때에는 법원은 이해관계인이나 검사의 청구에 의하여 실종선고를 하여야 한다. ② 전지에 임한 자, 침몰한 선박 중에 있던 자, 추락한 항공기 중에 있던 자 기타 사망의 원인이 될 위난을 당한 자의 생사가 전쟁종지후 또는 선박의 침몰, 항공기의 추락 기타 위난이 종료한 후 1년간 분명하지 아니한 때에도 제1항과 같다.

57. 第29조(실종선고의 취소) ① 실종자의 생존한 사실 또는 전조의 규정과 상이한 때에 사망한 사실의 증명이 있으면 법원은 본인, 이해관계인 또는 검사의 청구에 의하여 실종선고를 취소하여야 한다. 그러나 실종선고후 그 취소전에 선의로 한 행위의 효력에 영향을 미치지 아니한다. ② 실종선고의 취소가 있을 때에 실종의 선고를 직접원인으로 하여 재산을 취득한 자가 선의인 경우에는 그 받은 이익이 현존하는 한도에서 반환할 의무가 있고 악의인 경우에는 그 받은 이익에 이자를 붙여서 반환하고 손해가 있으면 이를 배상하여야 한다.

들어 있다.

제6절 | 강행법과 임의법

우리는 누구나 법의 지배를 받으며 살아간다. 그런데 법에는 당사자의 의사로 그 적용을 배제할 수 있는 법이 있는 반면에 그럴 수 없는 법도 있다. 당사자가 법의 적용을 배제할 수 있는 법을 '임의법任意法'이라고 하고, 그러지 못하는 법을 '강행법强行法'이라고 한다. 우리 「민법」은 사적 자치를 인정하고 있으므로, 원칙적으로 당사자가 법률행위의 상대방, 내용, 효력 등을 정할 수 있다. 그러나 이러한 사적 자치는 무한한 것이 아니며, 「민법」은 "선량善良한 풍속風俗 기타 사회질서에 위반한 사항을 내용으로 하는 법률행위는 무효無效로 한다제103조"고 함으로써 일정한 제한을 가하고 있다.

예를 들어 '첩계약妾契約'과 같이 당사자 사이에서는 그러한 계약을 유효한 것으로 하려는 의사를 가지고 있음에도 불구하고 「민법」 제103조에 의하여 그 효력이 부인되는 경우와 같이 당사자의 의사와는 관계없이 언제나 적용되는 규정이 강행법 내지 강행법규이다. 다시 말해서 당사자가 어떤 법규정의 적용을 배제할 수 있으려면 그 규정이 "법령法令 중의 선량善良한 풍속風俗 기타 사회질서에 관계없는 규정제105조"이어야 한다. 이처럼 법령 중의 선량한 풍속 기타 사회질서에 관계가 없어서 당사자가 이를 배제할 수 있는 규정이 바로 임의법 내지 임의법규이다.

「형법」은 당연히 강행법이다. 이에 대해 「민법」의 규정 중에는 강행법도 있고 임의법도 있다. 강행법인지 임의법인지를 판단하는 것은 중요하다. 일반적으로는 경험이 없거나 사회적으로 약자인 당사자를 보호하기 위한 경우, 혼인이나 가족관계의 기본질서를 유지하기 위한 경우,

거래의 안전을 위한 경우 등은 강행법인 경우가 많다. 예를 들어, 사회적 약자인 임차인을 보호하기 위하여 제정된 「주택임대차보호법」은 강행법이며, 이 법 제10조강행규정도 "이 법에 위반된 약정約定으로서 임차인에게 불리한 것은 그 효력이 없다"고 규정하고 있다.

한편 강행법규에는 '효력규정效力規定'과 '단속규정團束規定이 있다고 보는 것이 일반적이다.[58] 효력규정의 경우에는 위반된 행위의 법적 효과도 부인된다. 예를 들어, 마약을 매매한 경우에 있어서 당사자는 「마약류관리에 관한 법률」에 따라 형사처벌 되는 것은 물론이고 당사자 사이의 마약의 매매계약도 무효가 된다. 따라서 마약 판매 대금을 받지 못한 당사자가 상대방에게 매매대금의 지급을 요구할 수 없다. 반면에 단속규정은 국가가 그러한 행위를 단속할 목적으로 금지하거나 제한하는 것이므로 위반행위에 대한 벌칙의 적용이 있을 뿐 그 행위의 법적 효력에는 영향이 없다. 예를 들어, 무허가음식점의 음식물 판매 행위는 원칙적으로 무효로 되지 아니하며, 「식품위생법」상 처벌의 대상이 될 뿐이다같은 법 제37조, 제94조 등.

제7절 | 자연법과 실정법

인류에게 있어서 자연법natural law의 역사는 절대불변의 정의justice를 찾아내려는 노력의 역사이자 실패의 역사였다고 할 수 있다.[59] 그런데 자연법학파로 분류될 수 있는 이론들은 상당히 가지각색이어서 그 어떤

---

58. 양자의 관계에 대해서 다수설은 강행법규에 효력규정과 단속규정이 포함된다고 보는 반면에, 소수설은 강행법규와 단속법규를 구별하고 단속법규를 다시 이에 위반하는 법률행위를 무효로 하는 효력규정과 법률행위를 무효로 하지 아니하고 단지 이에 위반하는 행위에 대하여 처벌 등 불이익을 가하는 단순한 단속규정으로 나눈다. 자세한 것은 이영준, 민법총칙, 박영사, 1997, 198쪽 이하 참조.
59. W. Friedmann, Legal Theory 95 (Columbia University Press, 1967).

이론도 자연법이란 이름에 맞지 않는다는 비판까지 받고 있다.[60] 그럼에도 불구하고 자연법 이론의 공통점은 실정법보다 높은 차원의 이상으로서의 법을 추구한다는데 있다.[61] 다시 말해서 자연법론자들은 법률가들이 어떠한 법적 명제가 옳은가를 판단함에 있어서 전적으로 사실적인 factual 기준 만을 따르는 것이 아니고 어느 정도는 도덕적인 기준을 따른다고 주장하는 공통점을 가지고 있다.[62] 아무튼 자연법은 일반적으로 국가가 만든 법이 아니라 오히려 국가의 법이 준수하여야 할 규범으로 이해되며, 오늘날에도 일반적으로 자연법이라고 하면 인간의 본성과 사물의 본성에 근거하여 시대와 민족, 국가와 사회를 초월하여 보편타당하게 적용되는 객관적 질서라고 의식되고 있다.[63]

한편 실정법positive law은 특정한 시대나 사회에서 효력을 가지고 있는 법을 말한다. 실정법에는 헌법, 법률, 명령 등과 같은 성문법과 관습법, 판례법 등과 같은 불문법이 있다. 여기서 '실정의positive'란 인간의 권위에 의해 부과된imposed by human authority이라는 의미를 가지고 있다고 한다.[64] 따라서 실정법은 인간이 만든 법을 말하는 반면에 자연법은 인간이 만든 법이 아니라는 점에서 양자는 구별된다고 할 것이다. 다시 말해서 자연법론은 실정법을 초월한 보편타당한 법이 존재한다고 보는 반면에, 법실증주의는 실정법을 주된 관심의 대상으로 한다.

원래 근대의 실증주의는 프랑스의 수학자이자 철학자였던 콩트Auguste Comte, 1798-1857에 의해 철학적 기초가 세워졌다.[65] 19세기 중반에 이르러 형이상학적 사고에 대한 강력한 반대운동이 일어났는데, 이것이

---

60. Ronald Dworkin, Law's Empire 35 (Harvard University Press, 1986).
61. Friedmann, 앞의 책, 95쪽.
62. Dworkin, 앞의 책, 35쪽.
63. 최종고, 법학통론, 박영사, 2008, 79쪽.
64. Austin, Lectures on Jurisprudence 89 (Bristol: Thoemmes, 1996)(최봉철, 현대법철학, 법문사, 2007, 39쪽에서 재인용).
65. Edgar Bodenheimer, Jurisprudence: The Philosophy and Method of the Law 92 (2nd. ed. Harvard University Press, 1974).

바로 실증주의이다. 실증주의란 선험적 사고priori speculations를 거부하고 경험적 자료만을 추구하는 태도를 말한다.[66] 이러한 실증주의적 태도는 19세기 전반의 자연과학 분야의 성과로부터 영향을 받은 것으로서 자연과학적 방법을 사회과학의 분야에 적용하고자 하였다.[67] 그런데 19세기 후반에 이르러 이러한 실증주의적 영향이 법학에 영향을 미쳐 법실증주의가 성립되었으며, 실정 법체계의 실증적 현실을 초월하는 법의 관념을 찾아내려는 시도를 배격하였다.[68] 따라서 법실증주의자들은 오로지 실정법만이 법이며, 국가의 권위에 의해 형성되어온 재판규범은 실정법을 의미한다고 주장하였다.[69]

20세기에 이르러 슈탐러Rudolf Stammler, 1856-1938를 선두로 하여 자연법의 부활을 주장하는 노력들이 나타나기 시작하였다. 특히 라드부르흐는 신칸트철학neo-Kantian에서 출발하여, 존재is와 당위ought를 엄격하게 구별하고 무엇이 옳은가에 관한 판단이 현실의 고찰과 판단으로부터 얻어질 수 있다는 점을 부인했다.[70] 라드부르흐는 제2차 세계대전 이전에는 본질적으로 법과 정의를 상대적인 것으로 보는 입장을 취하여, 만약 정의와 법적 확실성legal certainty이 충돌하는 경우에는 실정법이 우선한다는 견해를 갖고 있었다. 그러나 나치와 제2차 세계대전을 경험한 이후에는 입장을 바꿔서 법이 달성해야 하는 절대적인 공리postulate가 있으며, 법은 개인의 자유를 인정해야 하고 국가에 의해 개인의 자유가 철저히 부정되는 것은 절대적으로 악법이라고 선언하였다.[71] 따라서 그는 나치정권의 만행을 방어하지 못하고 법실증주의는 독일을 떠났으며, 전적으로 부정한 법unjst law은 정의에 양보해야 하는 상황이 있음을 인정할 필요가

66. Bodenheimer, 위의 책, 92쪽.
67. Bodenheimer, 위의 책, 92쪽.
68. Bodenheimer, 위의 책, 94쪽.
69. Bodenheimer, 위의 책, 94쪽.
70. Bodenheimer, 위의 책, 139-140쪽.
71. Bodenheimer, 위의 책, 141쪽.

있다고 주장하였다.[72]

이처럼 서구에서는 법을 이해하는데 있어서 자연법과 법실증주의라는 상이한 법철학적 사조가 있다. 다만, 현대 영어권 법철학계에서는 자연법론자보다 법실증주의자가 압도적으로 많으며, 법실증주의도 하트의 분류에 의하면 강성 실증주의와 연성 실증주의 내지 배제적 법실증주의와 포용적 법실증주의로 세분화될 수 있다고 한다.[73]

이러한 자연법론과 법실증주의의 이론적 대립은 우리 헌법에 있어서도 나타난다. 즉, 기본권을 자연권으로 볼 것인지 아니면 실정권으로 볼 것인지의 이론적 대립이 그것이다. 기본권을 자연권으로 보는 입장은 기본권이 헌법에 의하여 창설된 권리가 아니라 인간의 생래적 권리를 의미하므로 헌법이 이를 규정하고 있는 경우에도 그것은 인간이 인간으로서 당연히 가지는 권리를 확인한 것에 불과하다고 본다. 반면에 실정권으로 보는 입장은 기본권도 헌법에 규정되어야만 비로소 권리로서 보장된다고 본다.[74]

그런데 우리 헌법은 제10조 제2문에서 "국가는 개인이 가지는 불가침不可侵의 기본적 인권을 확인하고 이를 보장할 의무를 진다"고 규정하고 있다. 또한 헌법 제37조 제1항은 "국민의 자유와 권리는 헌법에 열거되지 아니한 이유로 경시輕視되지 아니 한다"고 하고 있다. 따라서 우리 헌법은 자연권을 확인하고 이를 보장할 의무를 국가에게 부여하고 있다고 보아야 할 뿐만 아니라 실정헌법이 규정하지 아니한 자유와 권리도 예상하고 있으므로 기본권의 자연권성을 확인한 것이라고 할 것이다.[75] 헌법재판소도 자연법을 언급한 경우가 있는데, "교통사고로 사람을 사상한 후 법 소정의 필요한 구호조치와 신고를 하지 아니한 때 운전면허

72. Bodenheimer, 위의 책, 141-142쪽.
73. 최봉철, 앞의 책 71-72쪽.
74. 그러한 이론적 대립에 관해서는 권영성, 앞의 책, 300쪽 참조.
75. 권영성, 위의 책, 301쪽.

를 필요적으로 취소하도록 규정하고 있는"「도로교통법」 규정의 위헌 여부가 문제된 사건에서, "이 사건의 경우는 교통사고를 야기하고 사람의 생명, 신체에 대한 위해를 발생시킨 자에 대하여 당연히 요구되는 자연법상의 의무인 구호조치의무를 법규로 확인한 그 법적의무를 위반한 자에 대한 행정적 제재라는 관점도 고려의 대상이 된다고 할 것"이라고 하였다.[76]

76. 헌재 2002.4.25. 선고 2001헌가19, 판례집 제14권 1집, 247쪽.

제 5 장

법은 어떻게 만들어지고 실현되는가

제5장

법은 어떻게 만들어지고 실현되는가

제1절 | 법의 형성

법학은 법의 해석을 주된 관심의 대상으로 한다. 다시 말해서 법이 어떠해야 하는가에 대해서는 상대적으로 관심을 기울이지 않았던 것이 사실이다. 따라서 사법과정 중심의 법학교육과 이와 밀접하게 연계되어 있는 입법학연구 및 훈련과정의 부재, 입법전문가는 물론 법조훈련을 받은 법률가의 입법과정에 있어서의 참여 부재 및 이와 밀접하게 연계되어 있는 비법률전문가에 의한 입법, 이로 인하여 생성된 부적절하게 만들어진 입법의 양산 및 이와 공존할 수밖에 없는 법률분쟁의 양산 등이 지적되어 왔다.[1]

특히 입법은 정치의 문제로 생각하는 경향이 있다. 다시 말해서, 법을 만드는 것은 국회의원과 같은 정치인의 몫이고 법률가는 만들어진 법을 해석하여 적용하는 것이 주된 임무라고 생각하는 것이다. 그러나 법의 내용을 아는 것 못지않게 법이 어떻게 만들어지는가의 문제도 중요한 문제의 하나이다. 물론 여기서 말하는 법은 제정법을 의미한다. 자연법은 학자마다 설명은 다르지만 자연에 의해 만들어진 보편타당한 질서로서의 법을 말하므로 입법에 포함되지 아니한다. 따라서 법의 형성

1. 최대권, 입법학 연구-입법안 작성을 중심으로, 법학 제35권 3·4호, 서울대학교 법학연구소, 1994, 48쪽.

에 있어서 논의의 대상은 실정법이며 그 중에서도 국회에서 제정하는 법률이 중심이 된다.

I 헌 법

'헌법憲法'이란 영어와 불어의 'constitution'과 독어의 'Verfassung'을 우리말로 번역하여 붙여진 이름이다. 원래 'constitution'이란 단어는 로마황제가 공포한 법을 지칭하는 라틴어의 'constitutiones principis'에서 유래한 것으로서, '조직하다' 내지는 '구성하다'의 의미를 가진다. 따라서 헌법이란 한 국가의 통치기구국가기관를 조직하고 구성하는 최고의 규범이라는 의미를 가지고 있다. 그런데 프랑스 혁명이후의 근대 입헌주의 헌법은 헌법전憲法典에 권리장전, 즉 기본권 조항을 포함하지 아니한 헌법은 헌법이 아니라고 봄에 따라서 오늘날의 세계 각국의 거의 모든 헌법들은 기본권 조항을 가지게 되었다.

한편 헌법은 누가 만드는가, 어떻게 만드는가, 무엇을 그 내용으로 하는가, 어떠한 구속과 제한을 받는가, 그것이 정당한가와 같은 문제들이 제기된다.[2] 이 중에서 헌법은 누가 만드는가의 문제, 즉 헌법제정의 주체는 시대에 따라 다르다. 중세에는 신神이었고, 절대왕정시기에는 군주였으나 오늘날에는 국민이다. 그런데 이러한 헌법제정의 주체인 국민이 헌법을 시원적始原的으로 창조하는 힘, 즉 헌법제정권력의 행사방법을 구속하는 절차는 존재하지 아니하며 그 행사방법을 미리 규정할 수도 없다. 헌법제정권력의 주체가 그때그때 적절하다고 판단되는 방법으로 그 정치적 공동체의 형태와 기본적 가치질서에 관한 국민적 합의를 규범체계화하면 그만인 것이다.[3]

2. 권영성, 헌법학원론, 법문사, 2009, 43쪽.
3. 권영성, 위의 책, 46쪽.

다만 민주국가에서는 헌법제정권력이 행사되는 유형으로 첫째, 국민이 국민투표 등으로 직접 이를 행사하는 방법 둘째, 국민에 의하여 선출된 대표자들로 하여금 헌법제정국민의회를 구성하고, 이 제헌의회로 하여금 국민적 합의를 법규범화 하게 하는 방법 셋째, 두 방법을 혼용하여 국민투표와 대의기관을 통하여 행사하는 방법 넷째, 연방국가의 경우 연방을 구성하는 지분국의회支分國(州)議會의 의결을 거치도록 하는 방법이 있다.[4] 우리 헌법은 이 중에서 두 번째 방법을 통해 만들어졌다.

한편 헌법을 개정하는 절차는 각국의 헌법에 따라 다르다. 우리 헌법은 헌법개정절차에 관하여 제128조 내지 제130조에서 규정하고 있다. 즉, 헌법개정은 국회재적의원 과반수 또는 대통령의 발의로 제안되고제128조 제1항, 제안된 개정안은 대통령이 20일 이상의 기간 이를 공고하여야 한다제129조. 국회는 헌법개정안이 공고된 날로부터 60일 이내에 의결하여야 하며, 국회의결은 재적의원 3분의 2이상의 찬성을 얻어야 한다제130조 제1항. 또한 헌법개정안은 국회가 의결한 후 30일 이내에 국민투표에 붙여 국회의원선거권자 과반수의 투표와 투표자 과반수의 찬성을 얻어야 한다제130조 제2항.

Ⅱ 법 률

1. 서 설

국민주권주의가 확립된 오늘날에 있어서는 주권자인 국민이 스스로 법률을 만드는 것이 가장 이상적이라고 할 것이다. 그러나 주권자인 모든 국민이 직접 입법을 할 수는 없기 때문에 대표자를 뽑아서 이들로 하여금 대신 입법을 하도록 할 수 밖에 없다. 이러한 대의제도代議制度는 역사적으로 국가의 운영이 국민의 대표기관인 의회를 중심으로 이루어

4. 권영성, 위의 책, 46쪽.

지는 이른바 의회주의parliamentarism로 나타났다. 이런 의회주의의 이념은 민주주의와 결합하여 의회민주주의로 나아가면서 국가는 민주적 정당성을 가진 합의체 국민대표기관인 의회를 중심으로 운영되어야 한다는 내용을 가지게 되었다.[5]

우리 헌법은 제40조에서 "입법권은 국회에 속한다"고 함으로써 의회입법중심주의를 선언하고 있다. 이는 입법에 관한 권한은 헌법에 특별한 규정이 없는 한 원칙적으로 국회의 권한에 속한다는 것을 의미하고, '형식적 의미의 법률'은 국회가 단독으로 의결한다는 국회의 '법률단독의결의 원칙'을 규정한 것이다.[6]

2. 법률 제정절차

1) 법률안의 제안

법률안의 제안권을 누가 갖는가의 문제는 정부형태에 따라 다르다. 우리나라는 기본적으로는 대통령제를 취하면서도 의원내각제적 요소를 가미하여 법률안제출권을 국회의원과 정부에게 부여하고 있다헌법 제52조. 국회의원이 법률안을 제출하기 위해서는 국회의원 10명 이상의 찬성이 있어야 한다「국회법」 제79조 제1항. 국회의원이 "법률안을 발의할 때에는 발의의원과 찬성의원을 구분하되, 법률안 제명의 부제副題로 발의의원의 성명을 기재한다. 다만, 발의의원이 2명 이상인 경우에는 대표발의의원 1명을 명시明示하여야 한다"같은 법 제79조 제3항.

한편 정부가 법률안을 제출하기 위해서는 국무회의의 심의를 거쳐야 하며헌법 제89조 제3호, 국무총리와 관계국무위원이 부서副署하여헌법 제82조 대통령의 명의로 제출한다.

5. 정종섭, 헌법학원론, 박영사, 2009, 987쪽.
6. 권영성, 앞의 책, 790-791쪽.

[「통신비밀보호법」 일부개정법률안]

통신비밀보호법 일부개정법률안
(윤상현의원 대표발의)

의 안 번 호	17633

발의연월일 : 2022. 9. 29.
발 의 자 : 윤상현 · 김학용 · 지성호
이종성 · 박정하 · 노용호
장동혁 · 이헌승 · 윤두현
구자근 · 전주혜 · 이양수
김성원 · 강민국 의원
(14인)

제안이유 및 주요내용

현행법은 공개되지 아니한 타인간의 대화를 녹음 또는 청취할 수 없도록 규정하고 있음.

그런데 대화에 참여한 당사자가 녹음하는 경우에는 현행법에서 처벌하고 있지 않아, 대화 당사자가 상대방의 동의 없이 대화를 녹음하는 행위가 일방의 사생활의 자유를 침해할 수 있다는 지적이 있음.

이에 대화자의 일방이 상대방의 동의 없이 대화를 녹음하지 못하도록 하고 이를 위반한 경우 처벌하되, 상대방과의 대화를 동의 없이 녹음한 행위가 공공의 이익에 관한 때에는 처벌하지 않음으로써, 개인의 기본권 및 공익을 충실히 보호하려는 것임(안 제3조제1항 및 안 제17조의2 신설).

- 1 -

법률 제 호

통신비밀보호법 일부개정법률안

통신비밀보호법 일부를 다음과 같이 개정한다.

제3조제1항 각 호 외의 부분 본문 중 "聽取하지"를 "聽取하거나 대화자의 일방이 상대방의 동의 없이 대화를 녹음하지"로 한다.

제17조의2를 다음과 같이 신설한다.

제17조의2(동의 없는 녹음 금지) ① 제3조제1항의 규정에 위반하여 상대방과의 대화를 동의 없이 녹음한 대화자는 1년 이하의 징역 또는 300만원 이하의 벌금에 처한다.

② 제1항의 행위가 공공의 이익에 관한 때에는 처벌하지 아니한다.

부 칙

이 법은 공포 후 6개월이 경과한 날부터 시행한다.

신·구조문대비표

현 행	개 정 안
第3條(通信 및 對話秘密의 보호) ① 누구든지 이 法과 刑事訴訟法 또는 軍事法院法의 規定에 의하지 아니하고는 우편물의 검열·전기통신의 감청 또는 통신사실확인자료의 제공을 하거나 公開되지 아니한 他人간의 對話를 녹음 또는 聽取하지 못한다. 다만, 다음 各號의 경우에는 당해 法律이 정하는 바에 의한다. 1. ~ 5. (생 략) ② · ③ (생 략) <신 설>	第3條(通信 및 對話秘密의 보호) ① --聽取하거나 대화자의 일방이 상대방의 동의 없이 대화를 녹음하지-------. ----------. 1. ~ 5. (현행과 같음) ② · ③ (현행과 같음) 제17조의2(동의 없는 녹음 금지) ① 제3조제1항의 규정에 위반하여 상대방과의 대화를 동의 없이 녹음한 대화자는 1년 이하의 징역 또는 300만원 이하의 벌금에 처한다. ② 제1항의 행위가 공공의 이익에 관한 때에는 처벌하지 아니한다.

2) 법률안의 심의와 의결

국회의장은 "의안이 발의되거나 제출되었을 때에는 이를 인쇄하거나 전산망에 입력하는 방법으로 의원에게 배부하고 본회의에 보고하며, 소관 상임위원회에 회부하여 그 심사가 끝난 후 본회의에 부의한다. 다만, 폐회 또는 휴회 등으로 본회의에 보고할 수 없을 때에는 보고를 생략하고 회부할 수 있다"「국회법」 제81조 제1항. 그런데 "위원회에서 본회의에 부의할 필요가 없다고 결정된 의안은 본회의에 부의하지 아니"하며「국회법」 제87조 제1항 본문, 이를 보류함保留函, pigeonhole이라고 한다. 그러나 "위원회의 결정이 본회의에 보고된 날부터 폐회 또는 휴회 중의 기간을 제외한 7일 이내에 의원 30명 이상의 요구가 있을 때에는 그 의안을 본회의에 부의하여야" 하는데「국회법」 제87조 제1항 단서, 이를 위원회의 해임discharge of committee이라고 한다.

법률안이 본회의에 상정되면 법률안을 심사한 "위원장의 심사보고를 듣고 질의·토론을 거쳐 표결"한다「국회법」 제93조 본문. 이 경우 본회의에 상정된 법률안은 재적의원 과반수의 출석과 출석의원 과반수의 찬성으로 의결한다헌법 제49조. 따라서 이러한 정족수에 미달하면 법률안은 부결되어 폐기된다.[7]

3) 법률안의 정부에의 이송

국회에서 의결된 법률안은 정부에 이송된다헌법 제53조 제1항. 정부로 이송된 법률안에 대하여 이의가 없는 경우에는 국무회의의 심의를 거쳐 대통령이 이에 서명하고 국무총리와 관계국무위원이 부서한다헌법 제89조 제3호.

4) 법률의 확정

정부로 이송된 법률안에 대하여 대통령이 15일 이내에 공포하지도

---

7. 헌법재판소는 소위 '미디어법'이라 불리는 법안들에 대한 심의와 의결에 있어서 국회의원의 심의·의결권 침해 및 일사부재의에 위반된 것인지의 여부에 관하여 판단한 바 있다. 헌재 2009.10.29. 선고 2009헌라8·9·10(병합).

않고 국회에 재의를 요구하지도 않으면 그 법률안은 법률로서 확정된다 헌법 제53조 제5항. 만약 법률안에 이의가 있을 때에는 대통령은 15일 이내에 이의서를 붙여 국회로 환부하고, 그 재의를 요구할 수 있는데 이를 환부거부還付拒否라고 한다헌법 제53조 제2항. 국회의 폐회 중에도 환부거부를 할 수 있다헌법 제53조 제2항 후문. 대통령이 재의를 요구하는 경우에는 법률안의 일부에 대하여 또는 법률안을 수정하여 재의를 요구할 수 없다헌법 제53조 제3항. 대통령이 법률안의 재의를 요구한 경우에 국회國會는 이를 재의再議에 붙이고, 재적의원 과반수의 출석과 출석의원 3분의 2 이상의 찬성으로써 재의결을 하면 그 법률안은 법률로서 확정된다헌법 제53조 제4항.

5) 법률의 공포

정부로 이송된 법률안은 대통령이 15日 이내에 공포한다헌법 제53조 제1항. 다만, 국회의 재의결에 의하여 확정된 법률이나 기간의 경과에 의하여 확정된 법률은 대통령이 지체없이 공포하여야 한다헌법 제53조 제6항 전문. 그런데 기간의 경과로 인하여 법률이 확정된 후 또는 국회의 재의결에 의한 확정법률이 정부에 이송된 후 5일 이내에 대통령이 공포하지 아니할 때에는 국회의장이 이를 공포한다헌법 제53조 제6항 후문. 대통령이 법률을 공포하는 방법은 관보에 게재함으로써 한다「법령 등 공포에 관한 법률」 제11조 제1항. 반면에 "「국회법」 제98조 제3항 전단에 따라 하는 국회의장의 법률 공포는 서울특별시에서 발행되는 둘 이상의 일간신문에 게재함으로써 한다「법령 등 공포에 관한 법률」 제11조 제2항."

[대한민국 전자관보]

대한민국정부

관 보

http://gwanbo.go.kr

제20409호 2023-01-02

[부 령]

[훈 령]

[고 시]

발행 **행정안전부**
문의 ☎ [044]205-1492, 205-1493
[30116] 세종특별자치시 한누리대로 411

6) 법률의 효력발생

법률은 부칙에 정한 시행일에 효력을 발생하는 것이 원칙이다. 그런데 부칙에 시행일에 관한 규정이 없는 경우에 법률은 특별한 규정이 없는 한 공포한 날로부터 20일을 경과함으로써 효력을 발생한다헌법 제53조 제7항. 그러나 국민의 권리제한 또는 의무부과와 직접 관련되는 법률은 긴급히 시행하여야 할 특별한 사유가 있는 경우를 제외하고는 공포일로부터 적어도 30일이 경과한 날로부터 시행되도록 하여야 한다「법령 등 공포에 관한 법률」 제13조의2. 법률의 공포일은 그 법률을 게재한 관보 또는 신문이 발행된 날로 한다같은 법 제12조.

제2절 I 법의 해석과 적용

I 법해석의 필요성

법관은 구체적인 사건에 법을 적용한다. 예를 들어, A가 B를 살해했다고 가정해 보자. 판사는 검사의 공소를 통해 A가 B를 살해했다는 사실에 확신을 갖게 되면 「형법」 제250조 제1항, 즉 "사람을 살해한 자는 사형, 무기 또는 5년 이상의 징역에 처한다"를 대전제로 하고, A가 B를 살해했다는 사실을 소전제로 하여, 예컨대 A에게 징역 10년형을 선고하게 되는데 이것이 바로 법의 적용이다. 따라서 법을 적용하기 위해서는 먼저 구체적인 사실관계를 확정하고, 그 사실관계에 적용할 법을 찾는 이른바 '법의 발견'이 필요하다. 그런데 적용할 법을 발견하기 위해서는 그 법의 의미와 내용을 밝히는 것이 선행되어야 한다. 특히 성문법은 문자로 되어 있어서 그 의미가 명확하지 아니한 경우가 있기 때문이다. 그러나 인간의 언어는 본래 불명료한 것일 뿐만 아니라 해석하는 사람의 주관에 따라 좌우될 가능성도 있는 것이므로 종종 연역적 추론deductive reasoning[8]을 통해 실정법을 구체적인 사건에 적용하는 것이 어려운 경우도 있다. 이 책의 앞 부분에서 '법학은 정말 재미없는 학문인가'라는 제목 아래에 살펴본 바와 같이, 감창소리를 몰래 녹음한 것이 「통신비밀보호법」상 "공개되지 아니한 타인간의 대화를 녹음"한 경우에 해당되는지의 여부도 어려운 법해석의 문제라고 할 수 있다.

헌법재판소는 '법률의 해석'과 관련하여 제주특별자치도통합영향평가위원회 재해분과심의위원으로 위촉되어 골프장 등의 재해영향평가심의를 하는 과정에서 금품을 수수한 국립대 교수가 「형법」상 수뢰죄[9]의 주체인 '공무원'에 포함된다고 해석 · 적용하는 것이 위헌인지 여부가 문제된 사건에서, "규범으로서의 법률은 그 적용영역에 속하는 무수한 사례를 포괄적으로 규율해야 하기 때문에 일반적 · 추상적으로 규정될 수밖에 없으므로 개별적 · 구체적인 법적 분쟁에 법률을 적용하는 경우에는 당해 사건에 적용할 가장 적합한 규범을 찾아내고 그 규범의 의미와 내용을 확정하는 사유과정인 법률해석의 과정을 거칠 수밖에 없게 되는 것이다. 따라서 법률조항은 그 자체의 법문이 아무리 간단명료하다고 하더라도 이를 개별적 · 구체적 사건에 적용함에 있어서는관념상으로라도 법률조항에 대한 해석이 불가결하게 선행될 수밖에 없"다고 하였다.[10]

이 사건에서 헌법재판소는 "우리 형법이 뇌물죄의 주체가 될 수 있는 '공무원'의 의미에 관하여 외국의 입법례처럼 특별한 개념규정을 두고 있지 않은 이상, 위 '공무원'의 범위는 국가공무원법이나 지방공무원법에 따른 공무원과 나아가 관련 법률에 벌칙적용 등에 있어서 공무원의제규정이 있는 경우에 한하여 이 사건 법률조항의 '공무원'으로 엄격

8. 이미 증명된 명제를 대전제로 하여 새로운 명제를 도출해내는 것을 연역(演繹, deduction)이라고 하며, 이러한 연역적 추리의 방법을 연역법이라고 한다.
9. 「형법」 제129조(수뢰, 사전수뢰) ① 공무원 또는 중재인이 그 직무에 관하여 뇌물을 수수, 요구 또는 약속한 때에는 5년 이하의 징역 또는 10년 이하의 자격정지에 처한다.
10. 헌재 2012.12.27. 선고 2011헌바117, 판례집 제24권 2집 (하), 395쪽.

하게 제한 해석 · 적용되어야 할 것"이라고 하면서, "제주자치도 위촉위원은 그 자체 국가공무원법이나 지방공무원법상의 공무원이 아닐 뿐만 아니라 이 사건 특별법상 벌칙적용에 있어서 공무원으로 의제되고 있지 아니함에도 청구인을 이 사건 법률조항의 '공무원'에 포함되는 것으로 해석 · 적용한 것은 헌법상의 죄형법정주의에 위반된다고 아니할 수 없는 것"이라고 하였다.[11]

Ⅱ 법의 해석방법

법을 해석하는 방법은 해석하는 주체에 따라 유권해석과 학리해석으로 나누어 볼 수 있다. 유권해석은 국가나 지방자치단체 등 법을 해석하고 적용할 권한을 가진 기관에 의한 해석을 말한다. 반면에 학리해석은 학설이나 학리에 의한 해석을 말한다. 또한 법은 해석하는 방법에 따라 다음과 같이 나누어 볼 수 있다.

1. 반대해석

법조문의 내용과 논리적으로 반대인 경우를 이끌어 내는 해석방법을 반대해석反對解釋이라고 한다. 예를 들어, A와 B가 통모하여 거짓으로 A 소유의 부동산을 B에게 양도한 경우에 선의善意의 제3자인 C가 B로부터 그 부동산의 소유권을 적법하게 이전받았다면 C는 유효하게 부동산의 소유권을 취득한 것이 되고 따라서 A는 C에게 A와 B사이의 부동산 양도가 허위표시로서 무효라고 대항할 수 없다. 즉, 「민법」 제108조 제1항은 "상대방相對方과 통정通情한 허위虛僞의 의사표시意思表示는 무효無效로 한다"고 규정하고, 동조 제2항은 "전항前項의 의사표시意思表示의 무효는 선의의 제삼자第三者에게 대항하지 못한다"고 하고 있다. 그런데 동조 제

11. 헌재 2012.12.27. 선고 2011헌바117, 판례집 제24권 2집 (하), 405쪽.

2항을 반대해석하면 "전항前項의 의사표시의 무효는 악의惡意의 제삼자에게 대항할 수 있다"가 된다. 따라서 만약 위의 사례에서 C가 A와 B사이의 가장행위를 알았다면 A는 C에게 대항할 수 있게 된다. 결국 A는 A와 B사이의 부동산 양도행위가 허위표시로서 무효이므로 C의 부동산 소유권 취득도 무효임을 주장할 수 있게 된다.

한 가지 예를 더 들어 보기로 한다. 우리 헌법은 "혼인과 가족생활은 개인의 존엄과 양성兩性의 평등을 기초로 성립되고 유지되어야 하며, 국가는 이를 보장한다"고 규정하고 있다. 그런데 이 조항을 반대해석하면 "헌법 제36조는 「혼인은 … 양성의 …을 기초로 성립하고 유지되어야 하며 …」라고 정하고 있으므로 동성혼인同性婚姻 same-sex marriage을 인정하지 않는 것은 헌법에 위반되지 않는다"[12] 내지 "우리나라의 경우 – 헌법개정을 별론으로 한다면 – 혼인은 한 남성과 한 여성으로 이루어지는 것이므로 … 동성커플은 헌법상 혼인 개념에 포함될 수 없다"는 것이 된다.[13] 다시 말하자면 헌법 규정에 따라 "혼인이 '양성의 평등을 기초로 성립'되므로, 이를 논리적으로 반대해석하면 혼인은 '양성이 아니면 성립될 수 없다' 내지는 '동성 사이에는 성립될 수 없다'는 결론이 도출"된다는 것이다.[14] 그러나 이러한 해석에 대해서는 "우리 헌법이 비록 혼인은 '양성의 평등을 기초로 성립'된다고 규정하고는 있지만, 동성 사이의 혼인에 대해서는 언급하고 있지 아니하므로 동성혼인 역시 헌법상 금지되는 것은 아니라는" 반론이 있다.[15]

2. 축소해석

법조문이 가지는 본래의 의미보다 축소하여 해석하는 것을 축소해

12. 정종섭, 헌법학원론, 박영사, 2016, 250쪽.
13. 조홍석, 새로운 형태의 가족: 헌법적 가능성과 한계, 공법학연구 제8권 제4호, 2007, 231쪽.
14. 허순철, "혼인의 자유와 동성혼인"(배대화 외 공저, 교양인의 독서카페, 경남대학교출판부, 2017), 132-133쪽.
15. 자세한 것은 허순철, 위의 책, 133쪽 이하 참조.

석縮小解釋이라고 한다. 예를 들어, 재물죄를 규정하고 있는 「형법」 제329조는 "타인他人의 재물財物을 절취竊取한 자는 6년 이하의 징역 또는 1천만 원 이하의 벌금罰金에 처한다"고 규정하고 있다. 여기서 절도죄의 객체는 타인의 '재물財物'이므로, 문리해석文理解釋에 의하면 부동산도 '재물'에 포함되는 것으로 해석된다. 독일의 경우에는 형법 제242조가 절도죄의 객체를 동산이라고 규정하고 있다.[16] 그러나 명문의 규정이 없는 우리나라의 경우에는 부동산이 절도죄의 객체에 포함되는지의 여부에 관해 학설의 대립이 있다.[17] 따라서 '부동산'은 절도죄의 객체에 해당하지 않는다고 보는 견해는 「형법」 제329조의 '재물'의 의미를 본래의 의미보다 축소하여 해석하는 것이 된다.

3. 유추해석

유추해석이란 매우 유사한 A와 A′라는 두 개의 사례에 있어서 A를 규율하는 규정은 있으나 A′를 규율하는 규정이 없는 경우에, 두 사례가 유사하므로 A를 규율하는 규정을 A′ 사례에 유추하여by analogy 적용하는 것을 말한다. 예를 들어, A가 B딸와 같이 외국여행을 위해 탑승한 비행기가 추락하여 탑승객이 모두 사망한 경우에는 상속문제가 제기된다. 상속인으로서 CA의 부(父)와 DA의 처(妻)가 있는 경우에 만약 A가 B보다 먼저 사망한 경우라면 D가 단독 상속인이 되고, 반면에 B가 A보다 먼저 사망했다면 C와 D가 1 : 1.5의 비율로 공동상속하게 된다.[18] 이에 「민법」은 제30조에서 "2인 이상이 동일한 위난危難으로 사망死亡한 경우에는 동시에 사망한 것으로 추정推定한다"는 동시사망의 추정규정을 두었다. 이 규정은 '간주...로 본다'가 아니라 추정규정이므로 반증으로써 추정을 번복할 수 있다. 그러나 A와 B 중에서 누가 먼저 사망하였는지를 입증할 수

---

16. 이재상, 형법각론, 박영사, 2007, 250쪽.
17. 학설의 대립에 관하여 자세한 것은 이재상, 위의 책, 250-251쪽 참조.
18. 「민법」 제1000조, 제1003조 및 제1009조 참조.

없는 경우에는 이 규정에 의하여 A와 B는 동시에 사망한 것으로 추정된다. 결국 A가 사망한 시점에 B도 사망한 것으로 추정되므로 B는 A의 상속인이 아니고, 따라서 직계존속인 C와 배우자 D가 A를 공동상속하게 된다.

그런데 만약 A와 B가 동일한 위난이 아닌 상이相異한 위난으로 사망하였으나 사망시기의 선후先後를 알 수 없는 경우에는 어떠한지 문제될 수 있다. 「민법」은 '동일同一한 위난'이라고 규정하고 있으므로 이 규정을 엄격하게 문리해석하면 상이한 위난의 경우에는 적용될 수 없게 된다. 반면에 이 경우에도 「민법」 제30조를 적용하는 것이 유추해석類推解釋이다. 이러한 유추해석의 인정여부에 대하여는 견해의 대립이 있다. 찬성하는 입장은 상이한 위난의 경우에는 동시사망 추정규정이 없는 경우와 같은 결과를 인정하게 되어 부당하다고 주장한다.[19] 반면에 유추해석의 한계를 넘는 것이라는 이유로 이를 반대하는 입장도 있다.[20]

다만 유의할 것은 「민법」이나 「상법」과 같은 경우에는 유추해석이 허용되는 경우가 많지만 「형법」의 경우에는 엄격하게 금지되는 것이 원칙이라는 점이다. 즉, 죄형법정주의의 파생원칙의 하나인 명확성의 원칙은 법률해석의 측면에서 유추해석의 금지를 요구한다.[21] 예를 들어, 「형법」은 "의사, 한의사, 조산사, 약제사 또는 약종상이 부녀의 촉탁 또는 승낙을 받어 낙태하게 한 때에는 2년 이하의 징역에 처한다"고 규정하고 있는데,[22] '치과의사' 또는 '수의사'가 부녀의 촉탁 또는 승낙을 받아 낙태하게 한 경우도 이 규정에 해당된다고 보는 것이 유추해석이다. 그러나 유추해석의 금지는 피고인에게 불이익한 유추해석을 금지하는 것이며, 피고인에게 유리한 유추해석까지 금지하는 것은 아니다.[23]

---

19. 곽윤직, 민법총칙, 박영사, 2002, 82쪽.
20. 이영준, 민법총칙, 박영사, 1995, 791쪽.
21. 이재상, 형법총론, 박영사, 2008, 25쪽.
22. 「형법」 제270조 제1항 참조.
23. 이재상, 앞의 책, 26쪽.

이러한 유추해석 금지의 원칙과 관련하여, 대법원은 "형법 제170조 제2항에서 말하는 '자기의 소유에 속하는 제166조 또는 제167조에 기재한 물건'이라 함은 '자기의 소유에 속하는 제166조에 기재한 물건 또는 자기의 소유에 속하든, 타인의 소유에 속하든 불문하고 제167조에 기재한 물건'을 의미하는 것이라고 해석하여야 하며, 제170조 제1항과 제2항의 관계로 보아서도 제166조에 기재한 물건일반건조물 등 중 타인의 소유에 속하는 것에 관하여는 제1항에서 규정하고 있기 때문에 제2항에서는 그 중 자기의 소유에 속하는 것에 관하여 규정하고, 제167조에 기재한 물건에 관하여는 소유의 귀속을 불문하고 그 대상으로 삼아 규정하고 있는 것이라고 봄이 관련조문을 전체적, 종합적으로 해석하는 방법일 것이고, 이렇게 해석한다고 하더라도 그것이 법규정의 가능한 의미를 벗어나 법형성이나 법창조행위에 이른 것이라고는 할 수 없어 죄형법정주의의 원칙상 금지되는 유추해석이나 확장해석에 해당한다고 볼 수는 없을 것"이라고 하였다.[24] 그러나 이 사건의 반대의견은 "형법 제170조 제2항은 명백히 '자기의 소유에 속하는 제166조 또는 제167조에 기재한 물건'이라고 되어 있을 뿐 '자기의 소유에 속하는 제166조에 기재한 물건 또는 제167조에 기재한 물건'이라고는 되어 있지 아니하므로, 우리말의 보통의 표현방법으로는 '자기의 소유에 속하는'이라는 말은 '제166조 또는 제167조에 기재한 물건'을 한꺼번에 수식하는 것으로 볼 수밖에 없고, 같은 규정이 '자기의 소유에 속하는 제166조에 기재한 물건 또는, 아무런 제한이 따르지 않는 단순한, 제167조에 기재한 물건'을 뜻하는 것으로 볼 수는 없다"고 하였다.[25]

4. 확장해석

확장해석이란 조문의 의미 내용을 본래의 문리적 의미보다 확장하

---

24. 대법원 1994.12.20. 선고 94모32 전원합의체 결정.
25. 대법원 1994.12.20. 선고 94모32 전원합의체 결정.

여 해석하는 것을 말한다. 확장해석은 제한해석에 반대되는 개념이다. 형법학자들은 확장해석은 허용되나 유추해석은 금지된다고 한다.[26] 반면에 판례는 형벌법규의 해석은 엄격하여야 하고 명문규정의 의미를 피고인에게 불리한 방향으로 지나치게 확장해석하는 것은 죄형법정주의의 원칙에 어긋나는 것으로서 허용되지 않는다고 한다.[27] 그러나 확장해석의 개념이 반드시 명확한 것은 아니다.[28] 한편 확장해석은 동일한 사안에 관하여 그 해석의 범위를 넓히는 반면에 유추는 유사하지만 별개의 사건이 문제된다는 점에서 구별된다.

확장해석과 관련하여, 대법원은 "구 의료법2000. 1. 12. 법률 제6157호로 개정되기 전의 것 제21조 제1항은 '의료인은 각각 진료기록부 · 조산기록부 또는 간호기록부를 비치하여 그 의료행위에 관한 사항과 소견을 상세히 기록하고 서명하여야 한다'라고 규정하고 있고, 구 의료법 제69조는 제21조 제1항의 규정에 위반한 자는 300만 원 이하의 벌금형에 처하도록 규정하고 있는바, 문언상 '상세히 기록하여야 한다'라고만 규정하고 있을 뿐 '허위로 작성하여서는 아니 된다'라거나 '허위 사항을 기재하여서는 아니 된다'라고 규정하고 있지 않은 점 … 등을 고려해 볼 때, 의료인이 진료기록부를 허위로 작성한 경우에는 … 형사처벌 규정인 제69조 소정의 제21조 제1항의 규정에 위반한 경우에 해당한다고 해석할 수는 없다"고 하였다.[29] 이 경우에 '상세히 기록하여야 한다'는 문언의 의미를 확장하여 '허위 사항을 기재'한 경우도 포함하는 경우가 바로 확장해석이라고 할 것이다. 그런데 대법원은 그러한 확장해석은 허용되지 아니한다는 것이다.

한편 「형법」 제138조법정 또는 국회회의장모욕는 "법원의 재판 또는 국회의

26. 이재상, 앞의 책, 27쪽.
27. 대법원 1992.10.13. 선고 92도1428 전원합의체 판결.
28. 이재상, 앞의 책, 27쪽.
29. 대법원 2005.11.24 선고 2002도4758 판결.

심의를 방해 또는 위협할 목적으로 법정이나 국회회의장 또는 그 부근에서 모욕 또는 소동한 자는 3년 이하의 징역 또는 700만원 이하의 벌금에 처한다"고 규정하고 있다. 대법원은 피고인이 "2014.12.19. 10:00경 헌법재판소 대심판정에서 진행된 2013헌다1 구 통합진보당 정당해산심판 사건에서 재판을 방해할 목적으로 헌법재판소장이 심판선고를 최종적으로 마치기 이전에 심판정 전체에 들릴 정도의 고성으로, '오늘로써 헌법이 정치 자유와 민주주의를 파괴하였습니다. 민주주의를 살해한 날입니다. 역사적 심판을 받을 것입니다. 역사적 심판을 면치 못할 것입니다'라고 소리쳐 법정에서 소동"하여 법정소동죄로 기소된 사안에서, "법원의 재판 또는 국회의 심의를 방해 또는 위협할 목적으로 법정이나 국회회의장 또는 그 부근에서 모욕 또는 소동한 자를 처벌하는 본조의 규정은, 법원 혹은 국회라는 국가기관을 보호하기 위한 것이 아니라 법원의 재판기능 및 국회의 심의기능을 보호하기 위하여 마련된 것으로, 제정 당시 그 입법경위를 살펴보면 행정기관의 일상적인 행정업무와 차별화되는 위 각 기능의 중요성 및 신성성에도 불구하고 경찰력 등 자체적 권력집행수단을 갖추지 못한 국가기관의 한계에서 생길 수 있는 재판 및 입법기능에 대한 보호의 흠결을 보완하기 위한 것임을 알 수 있다. 이와 같은 본조의 보호법익 및 입법 취지에 비추어 볼 때 헌법재판소의 헌법재판기능을 본조의 적용대상에서 제외하는 해석이 입법의 의도라고는 보기 어렵다. 본조 제정 당시 헌법재판소가 설치되어 있지 않았고 오히려 당시 헌법재판의 핵심적 부분인 위헌법률심사 기능을 맡은 헌법위원회가 헌법상 법원의 장에 함께 규정되어 있었으며 탄핵심판 기능을 맡은 탄핵재판소 역시 본조의 적용대상인 국회의 장에 함께 규정되어 있었고, 더 나아가 1962년 제3공화국 헌법에서는 위헌법률심사와 정당해산심판 기능이 대법원 관장사항으로 규정되기까지 한 사정도 이를 뒷받침한다. 이는 본조의 적용대상으로 규정한 법원의 '재판기능'에 '헌법재판기능'이 포함된다고 보는 것이 입법 취지나 문언의 통상적인 의미에 보다 충실한 해석임을 나타낸다"고 판시하였다.[30] 이 판결에서 대법원은 "법 해석의 목표는 어디까지나 법적 안정성을 저해하지 않는 범위 내에서 구체적 타당성을 찾는 데에 두어야 한다. 그리고 그 과정에서 가능한 한 법률에 사용된 문언의 통상적인 의미에 충실하게 해석하는 것을 원칙으로 하고, 나아가 법률의 입법 취지와 목적, 제·개정 연혁, 법질서 전체와의 조화, 다른 법령과의 관계 등을 고려하는 체계적·논리적 해석방법을 추가적으로 동원함으로써, 법 해석의 요청에 부응하는 타당한 해석이 되도록 하여야 할 것이다. 형벌법규는 문언에 따라 엄격하게 해석·적용하여야 하고 피고인에게 불리하게 확장해석하거나 유추해석을 하여서는 안 되는 것이지만, 문언이 가지는 가능한 의미의 범위 안에서 규정의 입법 취지와 목적 등을 고려하여 문언의 논리적 의미를 분명히 밝히는 체계적 해석을 하는 것은 죄형법정주의의 원칙에 어긋나지 않는다대법원 2020.8.27. 선고 2019도11294 전원합의체 판결 등 참조"고 하면서, "본조의 '법정'의 개념도 재판의 필요에 따라 법원 외의 장소에서 이루어지는 재판의 공간이 이에 해당하는 것과 같이법원조직법 제56조 제2항 법원의 사법권 행사에 해당하는 재판작용이 이루어지는 상대적, 기능적 공간 개념을 의미하는 것으로 이해할 수 있으므로, 헌법재판소의 헌법재판이 법정이 아닌 심판정에서 이루어진다는 이유만으로 이에 해당하지 않는다고 볼 수 없다. 오히려 헌법재판소법에서 심판정을 '법정'이라고 부르기도 하고, 다른 절차에 대해서는 자체적으로 규정하고 있으면서도 심판정에서의 심판 및 질서유지에 관해서는 법원조직법의 규정을 준용하는 것은헌법재판소법 제35조 법원의 법정에서의 재판작용 수행과 헌법재판소의 심판정에서의 헌법재판작용 수행 사이에는 본질적인 차이가 없음을 나타내는 것으로 볼 수 있다. … 결국, 본조에서의 법원의 재판에 헌법재판소의 심판이 포함된다고 보는 해석론은 문언이 가지는 가능한 의

30. 대법원 2021.8.26. 선고 2020도12017 판결.

미의 범위 안에서 그 입법 취지와 목적 등을 고려하여 문언의 논리적 의미를 분명히 밝히는 체계적 해석에 해당할 뿐, 피고인에게 불리한 확장해석이나 유추해석이 아니라고 볼 수 있다"고 판시하였다.[31]

5. 물론해석

어떤 법 규정이 직접 명시하고 있지 않은 사항에 대해서도 그 규정이 당연히 적용되는 것으로 해석하는 것을 물론해석勿論解釋이라고 한다. 「민법」 제396조는 "채무불이행債務不履行에 관하여 채권자에게 과실過失이 있는 때에는 법원은 손해배상의 책임 및 그 금액金額을 정함에 이를 참작參酌하여야 한다"고 규정하고 있는데, 여기서 말하는 채권자의 과실에 당연히 그 보다 위법한 고의가 포함되는 것으로 해석하는 것이 물론해석이다. 그러나 대법원은 "피해자의 부주의를 이용하여 고의로 불법행위를 저지른 자가 바로 그 피해자의 부주의를 이유로 자신의 책임을 감하여 달라고 주장하는 것은 허용될 수 없다"고 하고 있다.[32]

6. 보정해석

법조문의 문구가 잘못된 경우에 이를 바로잡아 다른 의미로 해석하는 것을 보정해석補正解釋 내지는 변경해석變更解釋이라고 한다. 예를 들어, 「민법」 제7조는 "법정대리인法定代理人은 미성년자未成年者가 아직 법률행위를 하기 전에는 전2조前2條의 동의와 허락許諾을 취소取消할 수 있다"고 규정하고 있는데, 여기서 전2조의 '동의'와 '허락'이란 미성년자가 법률행위를 하는데 준 동의같은 법 제5조와 일정범위의 재산처분에 대한 허락같은 법 제6조을 말한다. 그런데 같은 법 제7조는 '취소'할 수 있다고 규정하고 있지만 이는 미성년자가 법률행위를 하기 전에 그 법률행위를 하지 못하

31. 대법원 2021.8.26. 선고 2020도12017 판결.
32. 대법원 1995.11.14. 선고 95다30352 판결.

게 하는데 그치고, 처음부터 그러한 동의나 허락이 없었던 것으로 하려는 것이 아니어서 소급효가 없으므로, '취소'가 아니라 '철회撤回'라고 보는 것이 적절하다고 한다.[33] 그러나 이러한 보정해석은 법조문의 문리해석의 범위를 벗어난 해석이므로 신중하여야 하고, 명백히 조문의 표현이 잘못된 경우에 한하여 이를 인정해야 할 것이다.

Ⅲ 법 해석 · 적용의 주체

법을 해석하고 적용하는 주체는 해석에 따라 다르다고 할 것이다. 유권해석의 경우에는 법을 해석하고 적용할 권한을 가진 관청이 법해석의 주체가 될 것이다. 이에 대해 학리해석의 경우에는 학자를 비롯한 사인私人이 해석의 주체가 될 것이다. 그러나 대륙법계 국가에서는 학자의 해석 내지 학설學說은 법원이 이를 받아들여 구체적 사건에 적용하지 않는 한 직접 구체적 분쟁해결에 적용되지는 아니한다. 반면에 영미법계 국가 특히 미국에서는 권위 있는 학자의 주석서treatises나 논문 등은 판결문에 논거로서 직접 원용되는 2차적 권위secondary authorities로서 중요한 역할을 하고 있다.[34]

33. 곽윤직, 앞의 책, 91쪽.
34. Willam Burnham, Introduction to the Law and Legal System of the United States 75 (West, 2002).

제 6 장

세계 각국의 법에는 어떠한 것들이 있는가

제6장

세계 각국의 법에는 어떠한 것들이 있는가

제1절 | 서 설

지구상의 모든 국가들은 나름의 특유한 법제도와 법전통을 가지고 있다. 반면에 이들 나라에는 공통된 법문화와 법전통이 있기도 하다. 이처럼 각국의 법질서에 존재하는 공통적인 요소들을 중심으로 세계 여러 나라를 몇 가지 법계法系로 나누어 보는 것이 가능하다. 법계는 오늘날 비교법학comparative law의 주요 관심분야로서 분류기준에 따라 세계 각국의 법적 전통을 5대법계 또는 6대법계 등으로 나누기도 한다. 최근에는 쯔바이게르트Zweigert와 쾨츠H. Kötz가 법의 역사적 발전, 특수한 법학적 사고, 특징적인 법적 제도, 법원의 종류와 해석방법, 이데올로기적 요인 등을 종합하여 라틴법권, 독일법권, 북구법권, 영미법권, 사회주의법권, 극동법권, 이슬람법권, 힌두법권의 여덟 가지 법권으로 나누는 것이 많이 인용되고 있다고 한다.[1] 이하에서는 영미법권 즉, 영국과 미국의 보통법의 특징을 중심으로 대륙법계에 속하는 우리나라의 법과는 어떤 차이점이 있는지를 살펴본다.

1. 최종고, 법학통론, 박영사, 2008, 130쪽.

제2절 | 대륙법

지구상에 존재하는 법체계는 크게 대륙법civil law과 보통법common law으로 나누어 볼 수 있다. 먼저 대륙법은 고대 로마법에 연원을 두고 있는 법계로서 기원후 2세기 동안 로마제국에서 최고의 번성기를 맞이하였다. 오늘날의 대륙법은 로마법이 현대에 맞게 변형된 것으로 볼 수 있지만 오랜 시간을 거치면서 현재의 대륙법의 대부분은 고대의 로마법과는 실질적인 내용에 있어서 차이를 가지게 되었다. 대륙법계 국가에 속하는 국가로는 독일, 프랑스 등을 비롯한 유럽대륙의 국가들과 일본과 한국 등을 들 수 있다. 러시아는 유럽의 대륙법 체계에 기반을 둔 사법제도를 가지고 있으며, 최근에는 사법제도 개혁을 통해 배심제도와 사법부를 다른 국가기관의 간섭에서 독립시키려는 노력을 통해 개혁을 시도하고 있다.[2]

제3절 | 보통법

I 보통법의 성립 및 발전

1066년 노르만Norman의 영국 침공이후에, 법률지식을 가진 왕의 자문관들로 구성된 '국왕자문위원회King's Council'에 의해 초기의 왕실법원들이 생겨났다. 당시에 왕실판사들royal judges은 지역 행정을 점검하기 위하여 전역을 돌아다닌 왕의 측근들이었으며, 이들의 임무 중 하나는 그 지역의 분쟁을 해결하는 것이었다. 이후 이들의 주된 임무는 재판을 통한 분

---

2. Edgar Bodenheimer et al., An Introduction to the Anglo-American Legal System 9 (West, 2004).

쟁해결이 되었으며, '국왕자문위원회'로부터 독립된 왕실법원으로서 점차 독자적인 관할권을 획득하게 되었다. 그런데 헨리 2세의 통치 전까지는 지역의 관습법이 지배하고 있었으며 재판은 지방 또는 지역의 재판소나 중세의 영주가 재판하는 사적인 영주재판소manorial court가 담당하였다. 따라서 왕실법원은 이들이 담당하지 아니하는 중요한 사건들만을 관장하였다.

이후 왕실판사들은 영국 전역을 여행하면서 그 지역의 관습법customary law에 관하여 해박한 지식을 가지게 되었다. 그런데 왕실판사들은 국가적 이해가 걸린 문제는 그 지역의 관습법이 아닌 전국적으로 통일된 단일한 국법체계에 따라 판결되어야 한다고 생각하고 있었다. 이에 이들은 자신들이 습득한 지역의 관습법들을 선별하고 이를 수정하여 하나의 법체계를 만들어 냈는데, 바로 이것이 '보통법common law'이다. 보통법[3]이란 이름이 붙여진 것은 지역마다 상이한 관습법에 반대된다는 의미에서, 전국적으로 보편타당한common 법이었기 때문이었다.[4]

이후 보통법은 왕실법원의 관할을 확대하는데 성공한 헨리 2세의 재위기간 동안 국법의 체계를 갖추기 시작하였으며,[5] 세 개의 왕실법원이 설치되게 되었다. 이 중 하나가 '재무법원Court of Exchequer'으로서 왕의 재산이나 수입과 관련한 문제에 대해 관할권을 가졌던 초기의 왕실법원의 관할권을 이어받았다.[6] 나머지 2개의 법원은 지역법원 또는 영주재판소의 권한을 놓고 경합하였는데, 그 중 하나인 '왕좌법원Court of King's Bench'은 질서 위반breach of the peach을 포함한 민·형사사건에 대한 관할권을 주장한 반면에, '민사법원Court of Common Pleas'은 모든 민사분쟁에 관한

---

3. 'common law'를 보통법이라고 번역하는 경우가 일반적이지만, '일반법'이라고 하는 경우도 있다. 장영진·하혜경, 미국법강의, 세창출판사, 2008, 76쪽 이하. 반면에 '코몬 로'라고 하는 경우도 있다. 최종고, 앞의 책, 132쪽.
4. William Burnham, Introduction to the Law and Legal System of the United States 41 (West, 2002)
5. Bodenheimer et al., 앞의 책, 26쪽.
6. Bodenheimer et al., 위의 책, 26쪽.

심리를 담당하였다.[7]

초기의 보통법 판사들은 자신들의 판결이 가능한 한 일관되게 유지될 수 있도록 해야 한다고 생각했다. 이로 인해 '선례구속의 원칙stare decisis'이라고 불리는 원칙이 확립되게 되었다. 이 원칙의 기원은 1170년대까지 거슬러 올라갈 수 있는데, 피츠니겔Richard Fitz-Nigel은 "사건의 전개와 판결이유가 모호한 사건들이 있으며, 그러한 사건에서는 선례들을 인용하는 것으로 충분하다"고 하였다.[8] 이러한 선례구속의 원칙은 신뢰할 수 있는 판례집들이 간행됨에 따라 보다 정밀하게 발전되었다.

이후 영국의 보통법은 북아메리카의 식민지 국가들에 계수되었으며, 미국이 독립선언Declaration of Independence을 하던 시기에 새로 독립한 주들에 의해 영국으로부터 공식적으로 계수되었다. 이후 200여 년 동안 독자적인 체계를 이룬 미국의 보통법은 비록 영국의 보통법과 방법상으로는 대체적으로 유사하지만 실체적인 보통법 원칙에 있어서는 상당한 차이를 보이고 있다.

Ⅱ 보통법의 특질

보통법 판례 및 보통법 원칙은 선례precedent에 근거한다. 그러나 모든 판례들은 어느 정도는 이전의 판례와 구별되며, 판사는 이전의 판례에서 확립된 것 그 이상의 원리와 원칙들을 고려하게 된다. 더구나 선례가 없는 최초의 사건을 다루는 경우에는 참고할 만한 판례가 없게 된다. 따라서 과연 보통법 원칙의 궁극적인 법원source은 무엇인가가 논의되어 왔으며, 이에 대한 해답은 시대에 따라 달랐다.[9] 다만 오늘날에는 판사가

7. Bodenheimer et al., 위의 책, 26쪽.
8. Richard Fitz-Nigel, Dialogus De Scaccario(written 1177-1179)(Henry J. Abraham, The Judicial Process 9 (1993)에서 재인용).
9. Burnham, 앞의 책, 43쪽.

자신들이 생각하기에 적절하다고 생각되는 관념conception을 적용함으로써 보통법을 '만드는make' 것으로 이해되고 있다. 판사가 이전의 판례법을 적용하든지 아니면 전혀 새로운 법원리를 만들어 내든지 간에, 공공의 질서public policy라는 관념을 고려하지 않을 수는 없는 것이므로, 오늘날에는 판사가 보통법을 '창조하는creating' 것으로 설명하거나 보통법을 발전시킬 때 '입법law making' 활동에 관여하는 것으로 보는 것이 일반적이다.[10]

Ⅲ 보통법 판례

보통법 국가에서의 판사의 역할에 대한 이해를 돕기 위해 Kelly v. Gwinnell 판결을 예로 들어 살펴보자.

1. Kelly v. Gwinnell[11]

1) 윌렌츠Wilentz 대법원장의 다수의견

이 사건은 자신의 집에 초대된 성인인 손님을 술에 취하도록 만든 주인이 그 손님의 음주운전으로 인한 교통사고의 피해자에게 책임이 있는가에 관한 문제를 제기하고 있다. 그 집주인은 그 손님에게 외관상 술에 취할 정도로 술을 제공했다. 우리는 이 사건의 정황상 그 집주인에게 책임이 있다고 판결한다.

피고defendant 그윈넬Donald Gwinnell은 피고 잭Joseph zak을 집으로 태워다 준 후에 자기 집으로 돌아가기 전까지 한 두 시간 동안 잭의 집에 있었다.

---

10. Burnham, 위의 책, 43쪽. 오늘날과는 달리 18세기와 19세기에는 보통법이 인간의 행위와는 무관하게 존재하는 것으로 생각했다. 블랙스톤(William Blackstone)에 따르면 판사는 단지 법의 신탁을 전하는 사제(oracle of the law)일 뿐이었다. 이처럼 판사는 법을 만드는 것이 아니었으며, 법은 이미 저 밖에 존재하는 것이었다. 따라서 판사는 법을 발견하고 선언하는 것이었으며, 이전의 판례는 법이 아니라 단지 현재 존재하는 적용이 가능한 원칙의 증거일 뿐이었다. Burnham, 위의 책, 44쪽.

11. 476 A.2d 1219 (N.J. 1984).

그 시간동안 그윈넬은 얼음을 넣은 위스키 두 세잔을 마셨다. 잭은 그윈넬과 그의 차가 있는 데까지 같이 가서 수다를 떨고 그윈넬이 차를 몰고 집으로 가는 것을 지켜봤다. 약 25분 뒤에 잭은 그윈넬이 집에 안전하게 도착했는지 확인하기 위해 그윈넬의 집에 전화를 걸었다. 전화를 받은 그윈넬의 부인은 잭에게 그윈넬이 정면충돌사고를 냈다고 알려줬다. 이 사건의 원고인 켈리Marie Kelly가 운전하고 있던 차와 충돌하는 사고가 발생하였고, 그 결과 원고켈리는 심각한 부상을 입었다. 사고 후 그윈넬은 혈액측정을 통해 혈중알코올농도가 0.286이었던 것으로 밝혀졌다. 켈리는 그윈넬과 그의 회사 사장을 상대로 소송을 제기하였고, 그윈넬과 사장은 제3자 소송을 통해 잭을 상대로 소송을 제기하였다. 이에 원고는 소장을 변경하여 잭 부부를 이 사건의 공동피고로 포함시켰다. 잭 부부는 법적으로 집주인은 자신의 집에 있는 동안 손님이 술에 취한 경우에 있어서 손님의 과실에 대해 책임이 없다고 주장하면서 약식재판을 청구하였다. 이에 1심법원은 청구를 인용하였다. 다만, 이 판결은 중간판결로서 켈리가 그윈넬과 사장을 상대로 제기한 청구는 아직 계류 중이었다. 1심법원은 뉴저지New Jersey 주에는 술을 제공한 사람에게 책임을 부과하는 '주류 제공자 책임법Dram Shop Act'이 없을 뿐만 아니라, 뉴저지주 법원의 판례가 주류판매업자에게 책임을 부과한 사례는 있지만 보통법상 책임은 손님이 미성년자인 경우에만 적용된다고 하였다. 따라서 동법원은 이 사건과 같이 손님이 성년인 경우에 그러한 책임을 인정할 수는 없다고 하였다.

그러나 이 사건에서 잭은 손님이 집에 돌아갈 때 운전을 할 것이라는 점을 알면서 술을 제공하였다. 따라서 잭 부부는 자신들이 제공한 술이 그윈넬을 취하게 만들 것이라는 점을 알았다고 결론내리는 것이 합리적이다. 그러므로 이 상황에서 남은 유일한 문제는 음주운전의 위험을 예방할 의무가 있는지 혹은 보다 현실적으로 본 법원이 그러한 의무를 부과해야 하는 것인지의 문제만이 남아 있다.

어떤 의무가 있음을 인정하고 책임을 확대하기로 결정할 때, 법원은 공정성과 정책을 기반으로 사법적 한계를 분명히 한다. 술집주인licensee에게 책임을 부과하는 원칙은 그들이 술을 팔아 이익을 취한다는데 있다는 주장이 제기되었다. 우리는 그러한 주장을 배척하며, 술을 제공하는데 따른 주의의무로부터 책임이 발생한다는 점을 강조한다. 음주운전을 하게 된 사람에게 술을 제공한 동기가 무엇이든 간에, 술을 제공한 자는 그 행위로 인하여 예견할 수 있는 불합리한 위험을 만들지 말아야 할 책임이 있다. 따라서 우리는 손님이 술에 취했고, 나중에 자동차를 운전할 것이라는 점을 알면서 성인인 손님에게 술을 제공한 주인은 그 손님이 음주로 인하여 과실로 자동차를 운전한 결과 제3자에게 야기한 손해에 대해 책임이 있다고 판결한다. 우리는 이 판결의 원칙이 음주운전에 대한 억제 효과뿐만 아니라 음주운전의 피해자에게 정당한 보상을 해줄 것으로 믿는다. 이 사건에서 우리가 인정한 법적 책임은 술에 취할 것을 알면서 타인에게 자신의 자동차를 빌려준 자동차 소유자에게 부과되는 책임과 유사하다.[12] 술에 취한 사람에게 차를 빌려주는 경우 차의 소유주가 제3자에 대해 책임을 진다면 마찬가지의 책임이 차를 몰고 집으로 갈 것을 알면서도 술을 제공한 주인에게도 인정되어야 한다.

그런데 미국 내의 어느 곳에서도 판례가 없었기 때문에, 이러한 법적 책임을 소급해서 적용하는 것은 부당하다고 믿는다. 따라서 우리는 이 사건에서 주인에게 인정된 법적 책임은 이 판결의 선고일 이후에 발생하는 사건에만 적용되는 장래효만 가지는 것으로 결정한다. 본 법원은 집에서든 아니면 술집에서든 음주에 관한 사회적 태도와 관습에 실질적인 변화가 있을 것으로 생각한다.

---

12. Knight v. Gosselin, 124 Cal.App. 290, 12 P.2d 454 (Dist.Ct.App.1932); Harris v. Smith, 119 Ga.App. 306, 167 S.E.2d 198 (Ct.App.1969); Pennington v. Davis-Child Motor Co., 143 Kan. 753, 57 P.2d 428 (1936); Deck v. Sherlock, 162 Neb. 86, 75 N.W.2d 99 (1956); Mitchell v. Churches, 119 Wash. 547, 206 P. 6 (1922).

2) 가리발디Garibaldi 대법관의 반대의견

본인도 음주운전자로 인해 피해를 입은 사람에 대한 구제에 찬성한다. 그러나 주의회가 보통의 뉴저지 주민들에게 상당한 부담을 주지 않으면서 음주운전으로 인한 피해를 줄이고 피해를 입은 당사자의 이익을 보호하는 목적을 달성하는데 보다 적합하다고 생각한다.

2. 판례의 평가

이 판례를 보면 보통법계 국가인 미국에서는 '주류 제공자 책임법Dram Shop Act'이라는 성문법이 없음에도 불구하고, 법원이 판례를 통해 새로운 법원리를 만들어 내고 있다는 사실을 알 수 있다. 이는 판사에 의한 법발견 내지 법창조에 해당하는 것으로서 법원이 입법작용까지 하고 있다고 볼 수 있다. 이에 대해 우리나라와 같은 대륙법계 국가의 판사가 위의 사안을 심리한다면 어떻게 될까? 「민법」 제750조 이하의 불법행위 조항들의 해석을 통해 사안을 해결하게 될 것이다.

Ⅳ 오늘날의 보통법

보통법은 오늘날 법체계에 있어서 최하위의 법원法源이다. 물론 역사적으로 보면 보통법이 제정법에 우월하다고 보는 때도 있었다. 그러나 의회의 입법권이 확립된 이후에는 제정법이 보통법에 우선한다는 관념이 생겨났다. 따라서 의회는 법률을 제정함으로써 보통법을 폐지하거나 변경할 수도 있다. 또한 보통법은 헌법조항이나 행정위원회administrative agency의 규칙에 의해 개폐될 수도 있다.[13]

그런데 오늘날 보통법이 가장 일반적인 법원法源을 이룬다는 의미에서 미국을 보통법 국가로 분류하는 것은 현실에 맞지 않다고 한다.[14] 미

13. Burnham, 앞의 책, 39쪽.

국이 한 때 보통법 국가였던 것은 사실이나 오늘날에는 그렇지 않기 때문이다. 20세기에 들어서서, 특히 1930년대에 '제정법의 시대Age of Statutes'라고 불리는 입법의 홍수가 있었으며, 이후 미국법의 중심이 보통법에서 제정법으로 이동했다. 사실 미국에서 가장 보편적인 주州는 유럽의 가장 평균적인 대륙법계 국가만큼이나 많은 성문법을 가지고 있다고 할 수 있다.[15] 그러나 보통법은 여전히 존재하며, 주의 사법분야, 특히 계약, 불법행위 및 재산법 분야는 제정법에 의해 일부 수정되기는 했어도 여전히 보통법이 일차적인 법원이다.

미국에서 제정법이 우월적인 지위를 차지한다고 해서 그것이 대륙법의 제정법과 같은 방식으로 적용된다는 의미는 아니다. 대륙법계 국가에서 제정법은 프랑스 혁명 이후 입법부의 절대적 우위로 인하여 입법만이 정당한 법원으로 인정되었으며, 사법부에 의한 입법은 부인되었다. 따라서 제정법의 입법적 불비가 발견되면 판사들은 제정법의 해석을 통해 문제를 해결할 수밖에 없었으며, 제정법을 융통성 있게 해석하게 되었다. 이는 제정법이 일반적인 용어로 되어있기 때문이기도 했다. 이에 대해 보통법계 국가의 판사들은 제정법이 문언의 의미에 의해서만 적용될 뿐이며, 그 의미 이상으로 확대해석 되어서는 아니 되는 특정한 법원칙을 포함하고 있는 것으로 보았다. 따라서 제정법의 문언 밖의 사항에 대해서는 여전히 보통법이 적용되는 것으로 본다.[16]

한편 대륙법계 국가의 판사들은 법전에서 특정한 법원칙이 만들어질 수 있는 것으로 본다. 반면에 미국의 판사들은 광범위한 법원칙은 제정법이 아닌 보통법에서 도출되는 것이라고 본다. 또한 대륙법계 국가의 판사들은 유추해석reason by analogy을 통해 제정법에 규정되지 아니한 상황에도 제정법을 적용한다. 이에 대해 보통법 국가의 판사들은 '특정한

14. Burnham, 위의 책, 49쪽.
15. Burnham, 위의 책, 49쪽.
16. Burnham, 위의 책, 50쪽.

사항을 규정한 것은 다른 사항을 배제하는 것이다expressio unius est exclusio alterius'라는 법언에 따라 유추해석을 부인한다. 왜냐하면 보통법 법원의 판사들이 만약 실정법의 문언의 의미를 넘는 해석을 하게 된다면 이는 입법부의 영역을 침해하는 것이라고 보기 때문이다. 또한 이들은 제정법은 보통법에 의해 해결될 필요가 없는 것으로 생각되는 특정한 문제를 해결하기 위하여 일시적인 필요에 따라 제정된 것이라고 생각하므로 제정법에서 어떤 원칙을 도출해 내지는 않으며, 의회 역시 제정법에 그러한 원칙을 담을 필요는 없다고 생각한다. 이처럼 제정법의 유추해석을 부인하는 미국의 판사들의 태도는 판례를 유추해석하여 법원칙을 도출하는 것과는 모순되는 것처럼 보이지만 어떤 논리적인 이유가 있는 것은 아니라고 한다.[17]

보통법 국가에 있어서 제정법과 보통법의 관계는 보통법이 먼저 발달하고 제정법은 상대적으로 좁은 분야만을 규율하는 것으로 되어 있다. 그러므로 미국에서는 보통법이 규율하는 광범위한 영역과는 다르게 규율할 필요가 있는 경우에 제정법이 만들어지는 것으로 이해한다. 따라서 이들은 제정법의 영역을 확대하여 입법적 불비를 해결할 필요가 없으며, 그러한 불비는 보통법이 이미 해결했다고 보는 것이다. 결국 판사들은 조문의 의미를 유연하게 해석할 필요가 없어지며, 실정법에서 법원리를 도출하거나 유추해석을 할 필요가 없는 것이다. 다만, 미국의 경우에 있어서 이러한 경향은 다소 완화되고 있다고 한다.[18]

17. Burnham, 위의 책, 50쪽.
18. Burnham, 위의 책, 53쪽.

제 7 장

법 전반에 공통된 중요한 법 개념에는 어떤 것들이 있는가

제7장

법 전반에 공통된 중요한 법 개념에는 어떤 것들이 있는가

제1절 | 법률관계

인간은 혼자 살 수 없는 존재이며 사회생활을 할 수 밖에 없다. 그런데 사회생활은 인간이 필연적으로 다른 사람과 일정한 관계를 맺도록 만든다. 인간이 사회생활을 통해 맺게 되는 관계에는 예컨대 친구간의 우정과 같이 원칙적으로 법의 규율 밖에 있는 경우도 있으며, 그러한 관계는 도덕, 관습, 종교 등과 같은 다른 사회규범의 규제를 받는다. 그런데 비록 친구 사이일지라도 예컨대, 이 중 한 사람이 상대방 친구에게 돈을 빌리게 되면 이들의 관계는 법의 규율을 받는 관계 즉, 법률관계가 된다. 다시 말해서 우리의 사회관계 중에서 법의 규율을 받는 관계가 법률관계이다.

이러한 법률관계는 법에 의한 규율을 받는다는 점에서, 즉 그러한 관계가 법의 규율을 받게 되고 필요한 경우에는 국가의 강제력에 의해 법률효과가 실현된다는 점에서 다른 관계와는 구별된다. 그런데 인간의 생활관계가 점점 복잡·다변화 되고, 사회가 발전함에 따라 법의 규율을 받는 생활관계는 점점 늘어나고 있다. 이는 인간의 행위를 규율하는 법률의 숫자가 갈수록 많아지고 있는 것만 보아도 쉽게 알 수 있다. 따라서 오늘날에 있어서 법의 규율을 받지 않는 인간의 행위란 거의 없다고 하여도 과언이 아닌 시대가 되었다.

제2절 I 권리와 의무

I 권 리

1. 권리의 개념

1) 권리의 개념에 관한 학설

(1) 의사설

사비니와 빈트샤이트Bernhard Windscheid, 1817-1892가 주장한 학설로서, 권리란 '의사의 힘' 또는 '의사의 지배로서 권리자가 자유롭게 자기의 의사를 전개할 수 있도록 보호하는 것'이라고 한다. 그런데 의사설에 대해서는 의사능력이 없는 자, 예를 들어 유아幼兒나 정신병자精神病者도 권리를 가지는 이유를 설명하는데 난점이 있다는 비판이 있다.

(2) 이익설

이익설은 예링이 주장한 학설로서 권리는 특정한 이익의 향유로서 법률상 보호되는 이익을 의미한다고 한다. 이 설에 대해서는 친권親權과 같이 권리자에게는 직접적인 이익이 없는 권리도 있다는 점을 설명하지 못한다는 비판이 있다. 다시 말해서 권리의 주체가 항상 이익의 주체와 일치하는 것은 아니라는 것이다.

(3) 권리법력설

레겔스베르거Ferdinand Regelsberger, 1851-1911에 의해 주창되고, 에넥케루스Ludwig Enneccerus, 1843-1928에 의해 구체화 된 학설로서, 권리란 "일정한 이익을 누릴 수 있게 하기 위하여 법이 인정하는 힘"이라고 한다.[1] 의사설과 이익설을 결합한 학설로서 다수설이라고 한다.

(4) 소 결

권리를 이해하기 위하여 일조日照를 예로 들어 살펴보자. 일반적으로 '일조'란 햇볕을 쬔다는 의미로서 인간은 누구나 햇볕을 쬠으로써 건강한 생활을 할 수 있게 된다. 즉, 일조는 인간이 누리는 이익이므로 일조이익日照利益이라고 할 수 있다. 그런데 만약 어떤 사람이 그러한 이익을 누릴 수 있도록 법이 이를 인정하고 보호한다면 일조이익은 곧 일조권日照權이라고 할 수 있다. 반면에 법이 이를 인정하지 아니한다면 그러한 이익은 일조권이라고 할 수는 없을 것이며, 단지 일조이익에 불과한 것이라고 할 수 있다. 그런 의미에서 권리란 "일정한 이익을 누릴 수 있도록 법이 인정하는 힘"이라고 보는 권리법력설의 설명을 이해할 수 있다. 판례가 "토지의 소유자 등이 종전부터 향유하던 일조이익日照利益이 객관적인 생활이익으로서 가치가 있다고 인정되면 법적인 보호의 대상이 될 수 있다"고 하는 것은 그런 의미에서 이해될 수 있다.[2]

2) 권리와 구별되는 개념들

(1) 권 한

자기가 아닌 다른 사람을 위하여 일정한 법률효과를 발생시킬 수 있도록 법이 인정하는 자격資格 내지 능력能力이 권한權限이다. 예를 들어 대리인代理人은 '대리권代理權'을 가지며 본인을 위하여 의사표시를 하거나 의사표시를 받음으로써 본인에게 일정한 법률효과를 발생시킬 수 있는 법률상의 자격을 가지고 있다「민법」 제114조. 따라서 대리권은 권리가 아니고 권한이므로 대리권한이라고 부르는 것이 보다 정확한 표현이다. 「민법」 제25조는 "법원이 선임選任한 재산관리인財産管理人이 제118조에 규정한 권

---

1. 김현철, 권리에 관한 의사설과 이익설, 강원법학 제16권, 2003, 407쪽 각주 3).
2. 대법원 2008.4.17. 선고 2006다35865 전원합의체 판결.

한權限을 넘는 행위를 함에는 법원의 허가를 얻어야 한다. 부재자不在者의 생사生死가 분명하지 아니한 경우에 부재자가 정한 재산관리인이 권한을 넘는 행위를 할 때에도 같다"고 함으로써 '권한'이라는 표현을 사용하고 있다.

(2) 권 능

권리의 내용을 이루는 개개의 법률상의 힘을 권능權能이라고 한다. 예를 들어, 소유권은 '사용권'·'수익권受益權'·'처분권處分權'이라는 권능들로 이루어져 있다.

(3) 권 력

권력權力은 일정한 개인 또는 집단이 다른 개인 또는 집단을 강제 또는 지배하는 공익의 달성을 목적으로 한 법률상의 힘이다.[3]

(4) 권 원

권원權原이란 어떤 법률행위 또는 사실행위를 정당화하는 법률상의 원인을 말한다. 「민법」 제256조는 "부동산의 소유자는 그 부동산에 부합附合한 물건의 소유권을 취득한다. 그러나 타인의 권원權原에 의하여 부속된 것은 그러하지 아니하다"고 규정하고 있다. 여기서 부합이란 각각 소유자를 달리하는 여러 개의 물건이 결합하여 하나의 물건으로 되는 것을 말한다. 따라서 동조에서 말하는 권원이란 지상권地上權·전세권傳貰權·임차권賃借權 등과 같이 다른 사람의 부동산에 자기의 동산을 부속시켜서 그 부동산을 이용할 수 있는 권리를 말한다.

한편 「민사집행법」에서는 '집행권원執行權原'이라는 말도 쓰인다. 이전에는 채무명의債務名義라고 하였던 것을 요즘에는 집행권원이라고 바꿔 쓰고 있다. 집행권원이란 "실체법상의 청구권의 존재와 범위를 표시하고 법률상 집행력을 인정한 공문서"를 말한다.[4]

---

3. 홍천용 외, 시민생활과 법, 박영사, 2004, 54쪽.
4. 이시윤, 신민사집행법, 박영사, 2007, 97쪽.

(5) 반사권反射權 내지 반사적 이익

법이 특정인에게 어떠한 행위를 요구하는 경우에 다른 사람이 어떤 이익을 누리게 되는 경우가 있다. 이때 다른 사람이 이익을 누리게 되는 지위를 '반사권反射權' 내지 '반사적反射的 이익利益'이라고 한다. 예를 들어 「도로교통법」에 의하여 운전자와 보행자에게 교통법규를 준수할 의무가 부과됨으로써 사회 일반인들은 안전하게 도로를 왕래할 수 있게 된다. 이 때 일반인들이 누리는 이익은 「도로교통법」에 의한 반사적 이익에 불과하며, 소송을 통해 법적 보호를 요구할 수는 없다. 그런 의미에서 반사권 보다는 반사적 이익이라는 표현이 적합하다.

2. 권리의 분류

권리는 여러 가지 기준에 의하여 나누어 볼 수 있다. 법을 공법과 사법으로 나누는 것에 대하여 권리도 공권公權과 사권私權으로 나누어 설명하는 것이 일반적이다.

1) 공 권

일반적으로 공권이란 공법상의 권리를 말한다. 공법이 국제법과 국내법으로 나뉘므로 공권 역시 국내법상의 공권과 국제법상의 공권으로 나누어 볼 수 있다.

(1) 국내법상 공권

국내법상의 공권은 다시 국가나 공공단체가 개인에 대하여 가지는 국가적 공권國家的 公權과 개인이 국가에 대하여 가지는 개인적 공권個人的 公權으로 나뉜다.

먼저 국가적 공권은 국가나 공공단체가 스스로의 존립을 위하여 가지는 권리와 국민에 대하여 가지는 권리가 있다. 권력분립이 확립된 근대 입헌국가는 국가권력을 스스로 입법권立法權 · 집행권執行權 및 사법권司法權의 셋으로 나누어 각각의 기관에 권한을 부여하고 있다. 또한 국가적 공권은 작용면에서 조직권組織權, 군정권軍政權, 경찰권警察權, 재정권財政權, 형벌권刑罰權 등으로 구별된다. 한편 국가나 공공단체가 국민에 대하여 직접 가지는 권리로는 징세권徵稅權, 징병권徵兵權, 형벌권 등이 있다.

이에 대해 개인적 공권 내지 국민적 공권이란 국민이 국가나 공공단체에 대해 가지는 권리를 말한다. 기본권은 특히 국민이 국가에 대해 가지는 권리로서 개인적 공권 내지는 '주관적 공권'이다.[5] 기본권은 다시 '인간의 존엄과 가치 및 행복추구권', '평등권', '자유권적 기본권', '청구권적 기본권', '참정권적 기본권', '생존권적 기본권' 등으로 분류된다.

(2) 국제법상의 공권

국가는 국제법상 주권을 가진 독립된 법주체로서 국제법상 권리와 의무의 직접적 귀속주체이다. 따라서 국제법상 국제법 주체에게 인정되는 권리가 국제법상의 공권이다. 다만 국제법 주체에는 국가 이외의 실체, 예컨대 혁명단체革命團體나 민족해방단체民族解放團體, 정부간 국제조직 및 각자의 국경을 넘어서 국제적 교류를 행하는 사인의 조직 등도 있다.[6] 아무튼 국가가 본원적本源的 국제법 주체임에는 틀림이 없다. 국제법상 국가의 기본권의 구체적 내용으로는 주권, 독립권, 평등권, 자위권自衛權, 국내관할권국내문제 불간섭의 의무, 명예권, 교통권 등이 있다.[7]

2) 사 권

사권私權이란 사법상 인정되는 권리이다. 사권은 내용을 기준으로 인격권, 재산권, 가족권, 사원권 등으로 나눌 수 있으며, 효력을 기준으로 지배권, 청구권, 형성권, 항변권 등으로도 나눌 수 있다. 또한 성질을 기준으로 절대권과 상대권으로 나눈다.

---

5. 허영, 한국헌법론, 박영사, 2009, 247쪽. 그런데 기본권이 개인의 주관적 공권인 동시에 사인(私人)에게도 효력을 미치는 이른 바 '객관적 가치질서(客觀的 價値秩序)'로서의 성질도 동시에 가지는 것인지는 헌법학에서 논의되고 있다.
6. 이한기, 국제법강의, 박영사, 1997, 157쪽.
7. 이한기, 위의 책, 251쪽.

(1) 내용을 기준으로 한 분류

가. 인격권

인격권이란 인격적 이익을 내용으로 하는 권리를 말한다. 우리 헌법은 "모든 국민國民은 인간으로서의 존엄尊嚴과 가치價値"를 가진다고 선언하고 있다제10조. 헌법재판소는 '인간으로서의 존엄과 가치'를 '인격권'이라고 하고 있다.[8] 이러한 인격권에는 생명권, 자기결정권, 명예권, 초상권, 성명권 등이 포함된다.

나. 재산권

경제적 이익을 목적으로 하는 권리가 재산권이다. 이에 대해서는 일반적으로 재산권으로 분류되는 채권의 경우에 금전으로 가격을 산정할 수 없는 것이 있는 반면에 비재산권으로 분류되는 친족 사이의 부양청구권과 같이 가족권에도 경제적 가치를 가지는 것이 있으므로, 권리자의 인격이나 가족관계를 떠나서 존재할 수 있는 권리는 모두 재산권이라고 보는 견해도 있다.[9] 아무튼 재산권 중에서 주요한 것은 물권物權, 채권債權 및 지식재산권知識財産權을 들 수 있다.

먼저 물권이란 특정한 물건을 지배하여 이익을 얻는 권리를 말한다. 「민법」이 인정하는 물권에는 소유권, 점유권占有權, 지상권地上權, 지역권地役權, 전세권傳貰權, 유치권留置權, 질권質權 및 저당권抵當權의 여덟 가지가 있다. 한편 채권債權이란 특정인特定人이 다른 특정인에 대하여 일정한 행위를 요구할 수 있는 권리를 말한다. 또한 지식재산권이란 저작著作, 발명發明 등의 정신적 창조물을 독점적으로 이용하는 것을 내용으로 하는 권리를 말한다. 여기에는 저작권著作權, 특허권特許權, 상표권商標權, 의장권意匠權 등이 속한다.

8. 헌재 1990.9.10. 선고 89헌마82, 판례집 제2권, 310쪽.
9. 곽윤직, 민법총칙, 박영사, 2002, 50쪽.

다. 가족권

예전에는 가족법이라는 말 대신에 신분법身分法이라는 말이 쓰였다. 그런데 이 말은 일본의 학자가 만들어낸 것이라고 하며, "신분이라는 말이 봉건사회의 사회적 지위를 의미하는 것으로 쓰이기 때문에 그 자체에 지배복종의 원리가 내포되어 있는 것으로 보여" 적절하지 않다고 한다.[10] 따라서 오늘날에는 가족법과 가족권이라는 말이 쓰인다. 가족권은 가족관계 내지 친족관계에 있어서의 일정한 지위에 따르는 이익을 내용으로 하는 권리를 말한다. 가족권에는 친족권親族權과 상속권相續權이 있다. 친족권은 일정한 친족상의 신분으로부터 발생하는 권리를 말하며, 친권親權이 여기에 속한다. 반면에 상속권은 상속인의 지위에서 발생하는 권리를 말한다.

라. 사원권

단체의 구성원이 단체에 대하여 가지는 권리를 사원권社員權이라고 한다. 이러한 사원권은 인격권, 재산권, 가족권의 어디에도 속하지 않는 특수한 권리로 인정되고 있다. 이러한 사원권에는 크게 공익권共益權과 자익권自益權이 있다. 공익권은 사단의 관리·운영에 참가하는 것을 내용으로 하는 권리를 말하며, 결의권決議權, 「민법」 제73조, 소수사원권少數社員權, 같은 법 제70조 제2항 등이 이에 속한다. 반면에 자익권은 사원이 자신의 이익으로서 누리는 권리를 말하며, 이익배당청구권利益配當請求權, 잔여재산분배청구권殘餘財産分配請求權 등이 있다.

(2) 효력을 기준으로 한 분류

가. 지배권

권리자가 권리의 객체를 직접 지배할 수 있는 권리가 지배권支配權이다. 앞서 살펴본 물권이 가장 대표적인 지배권이다. 따라서 물권인 소유권을 가지고 있는 자는 객체인 물건을 직접 지배하여 배타적 이익을 얻

10. 김주수/김상용, 친족·상속법, 법문사, 2008, 14쪽.

을 수 있다. 그 밖에 지식재산권, 인격권도 지배권이며, 친권과 후견권도 사람을 대상으로 하지만 상대방의 의사를 누르고 권리의 내용을 실현하는 점에서 지배권이라고 한다.[11]

나. 청구권

청구권은 다른 사람에 대하여 일정한 작위作爲나 부작위不作爲를 요구할 수 있는 권리이다. 청구권의 전형적인 것이 바로 채권債權이다. 그러나 청구권은 채권의 내용 또는 효력으로서 채권에 포함되어 있거나 채권으로부터 발생한다는 점에서 채권과 다르다. 다시 말해서 청구권은 모두 어떤 권리를 기초로 발생한다. 채권과 청구권을 동일한 것으로 보는 견해도 있으나, 채권은 급부를 수령하여 이를 보유할 수 있는 효력도 있으므로 청구권과 동일한 것은 아니다. 또한 아직 이행기가 도래到來하지 아니한 채권의 경우에는 채권은 존재하여도 채무의 이행을 요구할 수 있는 청구권은 아직 발생하지 않고 있는 것이다. 이처럼 채권이 곧 청구권은 아니지만 청구권은 채권의 본질적 요소를 이룬다.[12]

다. 형성권

당사자의 일방적인 의사표시에 의하여 법률관계의 발생·변경·소멸이 일어나게 하는 권리를 형성권形成權이라고 한다. 권리자가 일방적으로 법률관계를 변동시킬 가능성을 가진다는 의미에서 '가능권可能權'이라고 하기도 한다. 이러한 형성권에는 권리자의 의사표시만으로 법률관계의 변동이 발생하는 것이 있으며, 취소권「민법」 제140조 이하, 동의권같은 법 제5조 및 제10조, 추인권같은 법 제143조 등이 있다. 또한 형성권에는 법원의 판결에 의하여야만 하는 경우가 있는데, 채권자취소권같은 법 제406조, 친생부인권같은 법 제846조 등이 여기에 해당한다.

---

11. 곽윤직, 민법총칙, 박영사, 2002, 52쪽.
12. 곽윤직, 위의 책, 52쪽.

라. 항변권

청구권의 행사를 저지할 수 있는 권리를 항변권抗辯權이라고 한다. 청구권의 행사를 방어할 수 있다는 의미에서 '반대권反對權'이라고도 한다. 청구권의 행사를 일시적으로 저지할 수 있는 연기적 항변권延期的 抗辯權에는 동시이행의 항변권「민법」 제536조, 보증인의 최고 및 검색의 항변권같은 법 제437조이 있고, 영구적으로 저지할 수 있는 영구적 항변권永久的 抗辯權에는 상속인의 한정승인限定承認의 항변권같은 법 제1028조이 있다.

(3) 의무자의 범위를 기준으로 한 분류

권리는 어떠한 권리에 대한 의무자를 기준으로 절대권絶對權과 상대권相對權으로 나뉘기도 한다. 절대권은 이 세상의 누구에게나 주장할 수 있는 반면에 상대권은 어느 특정한 상대방에게만 주장할 수 있다는 점에서 구분된다. 물권은 절대권 내지 '대세권對世權'으로서 그 침해에 대하여 권리가 있음을 누구에게나 주장할 수 있다. 반면에 채권은 특정한 상대방, 즉 채무자에게만 주장할 수 있다는 점에서 상대권 내지 '대인권對人權'이다. 그런데 이러한 분류에 대해서는 제3자가 채권을 침해하는 경우에 그 제3자를 상대로 불법행위에 기한 손해배상을 청구할 수 있으므로, 절대권과 상대권의 구별이 무의미하다는 견해도 있다. 이 견해는 채권은 특정인에 대한 권리이지만, 제3자가 침해하는 경우에도 '권리'이기 때문에 법률에 의한 보호를 받으며, 역시 '대세적對世的 불가침성'이 있다는 것이다. 이에 대해서는 "채권은 단순히 권리이기 때문에 침해될 수 있다는 것은 아니며, 어디까지나 '채권의 성질상' 예외적으로 침해될 수 있다는 것을 의미할 뿐"이라는 반론이 있다.[13]

(4) 권리의 이전 가능성을 기준으로 한 분류

권리의 성질상 양도나 상속 등을 통해 타인에게 귀속할 수 없는 권리를 일신전속권一身專屬權이라고 한다. 반면에 비전속권非專屬權은 양도나

13. 곽윤직, 채권총론, 박영사, 2002, 70쪽.

상속이 가능한 권리를 말한다. 대부분의 가족권, 인격권 등은 일신전속권인 반면에 채권이나 물권 등 재산권은 비전속권이다.

(5) 권리의 독립성을 기준으로 한 분류

어떤 권리가 다른 권리에 대해 종속적인 입장에 있는 경우를 '종從된 권리'라고 한다. 예를 들어, 금 1천만원을 빌려주고 매달 이자로 5만원씩을 받기로 한 경우에 있어서, 이자 5만원을 받을 권리는 종된 권리이고, 원금 1천만원을 받을 권리는 '주主'된 권리이다. 이처럼 종된 권리는 주된 권리를 전제로 한다.

Ⅱ 의 무

1. 의무의 의의

의무義務는 권리에 대응하는 상대적 개념이므로 권리를 어떻게 이해하는가에 따라 그 의미도 달라진다. 다만, 오늘날에는 권리법력설에 대응하여 의무를 자기의 의사와는 관계없이 반드시 따라야 하는 것으로 법에 의해 강제되는 것이라고 본다. 반드시 따라야 하는 것이 작위作爲의 의무이고, 해서는 아니 되는 의무가 부작위不作爲의무이다. 여기서 '부작위omission'란 무위無爲를 말하는 것이 아니고, 법이 요구하는 특정한 행위를 하지 아니하는 것을 말한다. 이러한 의무는 권리에 대응하여 나타나는 것이 일반적이다. 타인에게 돈을 빌려주는 경우에 빌려주는 사람은 채권이라는 권리를 가지게 되고, 빌린 사람은 돈을 갚아야 하는 의무, 즉 채무를 부담하게 되는 것이다. 그런데 의무가 권리와 반드시 대응하는 것은 아니다. 다시 말해서, 권리만 있거나 의무만 있는 경우도 있다. 예를 들어, 미성년자가 법률행위를 함에 있어서는 법정대리인의 동의를 얻어야 한다「민법」 제5조 제1항. 만약 법정대리인의 동의를 얻지 않고 미성년자가 법률행위를 한 경우에는 법정대리인은 미성년자의 법률행위를 취소할 수 있다같은 법 제5조 제2항. 그런데 법정대리인이 가지는 취소권은 권리일 뿐 의무는 아니다. 추인권追認權이나 해제권解除權 역시 권리만 있고 그에 상응하는 의무는 없다.

반면에 의무만 있고 권리가 없는 경우도 있다. 예를 들어, 청산인清算人은 취임就任한 날로부터 2월내에 3회 이상의 공고公告로 채권자에 대하여 일정한 기간 내에 그 채권을 신고할 것을 최고催告하여야 한다「민법」 제88조 제1항. 이 경우 청산인은 공고할 의무만 있을 뿐 그에 상응하는 권리가 있는 것은 아니다. 또한 책임무능력자의 감독자가 무능력자를 감독할 의무 역시 의무만 있고 권리가 없는 경우이다같은 법 제755조.

2. 의무의 분류

의무의 발생근거를 기준으로 공의무公義務와 사의무私義務로 나누어 볼 수 있다. 또한 내용을 근거로 작위의무와 부작위의무로도 나뉜다.

1) 공의무와 사의무

공의무公義務란 공권에 대응하는 의무로서 공법상의 의무를 말한다. 이러한 공의무는 다시 국내법상의 공의무과 국제법상의 공의무로 나누어 볼 수 있다. 국내법상의 공의무로는 국민이 국가나 공공단체에 대해서 부담하는 의무로서, 주요한 것들로는 헌법상 국방의 의무제39조, 납세의 의무제38조, 교육의 의무제31조, 근로의 의무제32조 등이 있다.

한편 국제법상의 공의무로는 국가가 국제법의 주체로서 조약상의 의무를 부담하는 경우와 국제법상의 의무를 부담하는 경우를 들 수 있다. 조약상의 의무는 조약에 규정된 내용에 따라 정해진다. 반면 국제법상 의무는 국가가 국가인 이상 당연히 가지는 기본적인 의무로서 다른 나라의 '국내문제에 간섭干涉하지 아니할 의무'를 들 수 있다.

반면에 사의무私義務란 사권에 대응하는 의무로서의 사법상의 의무를 말한다. 「민법」상 채무를 비롯한 재산법상의 의무와 가족법상 부부 사이의 동거·협조·부양의무제826조 등이 이에 속한다.

2) 작위의무와 부작위의무

작위의무는 적극적으로 어떤 행위를 하여야 할 의무를 말한다. 채무자가 채무를 이행하는 행위 즉, 변제辨濟를 하여야할 의무를 부담하는 경우가 이에 해당한다「민법」 제460조 이하. 반면에 부작위의무는 어떤 특정한 행위를 하지 아니하여야 할 의무를 말한다. 예를 들어, 「민법」 제291조가 규정하고 있는 지역권地役權의 경우 승역지承役地의 이용자는 지역권자의 행위를 허용하고, 일정한 이용을 하지 아니할 부작위의무를 부담한다. 따라서 승역지의 일정한 이용, 즉 높은 건물을 건축하지 아니하는 것과 같은 의무가 있다. 이처럼 특정한 행위를 하지 아니하여야 할 의무가 부작위의무이다.

이러한 소극적 의무인 부작위의무에는 단순한 부작위의무와 인용의무가 있다. 「민법」 제217조 제1항은 "토지소유자는 매연煤煙, 열기체熱氣體, 액체液體, 음향音響, 진동振動 기타 이에 유사한 것으로 이웃토지의 사용을 방해하거나 이웃거주자의 생활에 고통苦痛을 주지 아니하도록 적당한 조처措處를 할 의무가 있다"고 하고 있다. 여기서 이웃토지의 사용을 방해하거나 또는 이웃거주자의 생활에 고통을 주는 것인지의 여부는 그 토지의 객관적인 상태와 사회 평균인을 기준으로 해서 구체적으로 판단하여야 한다. 그런데 그러한 방해나 고통은 사회통념상 허용되지 않는 경우를 말한다. 따라서 이웃거주자는 그러한 방해나 고통이 "이웃 토지의 통상通常의 용도에 적당한 것인 때에는 이를 인용忍容할 의무가 있다동조 제2항." 예를 들어, 이웃집에서 세탁기를 돌리는 소리나 진공청소기를 사용하는데 발생하는 소음 등은 사회통념상 허용되는 것인 한 인용, 즉 참고서 항의하지 아니하여야 할 의무가 있다. 여기서 인용할 의무를 다른 말로 '수인의무受忍義務'라고도 한다. 그런데 어떤 행위가 그러한 수인한도를 넘게 되면 위법한 행위가 될 수 있다.[14]

Ⅲ 권리와 의무의 주체 및 객체

1. 권리와 의무의 주체

권리와 의무의 주체란 권리를 보유하고 의무를 이행할 수 있는 주체, 즉 권리와 의무의 귀속주체를 말한다. 이에 대해 권리와 의무의 주체가 될 수 있는 지위나 자격을 '권리능력權利能力' 내지 '법인격法人格'이라고 한다. 역사적으로 보면 고대의 노예와 같이 의무만 있고 권리를 가질 수 없는 사람도 있었으나, 오늘날에는 법인격 평등의 원칙에 따라 권리를 가질 수 있는 자는 당연히 의무도 부담할 수 있다. 다시 말해서 오늘날에는 권리를 가질 수 있는 능력은 곧 의무를 부담할 수 있는 능력과 일치한다.

우리법상 권리능력이 인정된 자, 즉 권리능력자에는 자연인自然人과 법인法人이 있다. 먼저 자연인에 관하여 우리 「민법」 제3조는 "사람은 생존生存한 동안 권리와 의무의 주체가 된다"고 하고 있다. 이처럼 생존하고 있는 사람을 '자연인'이라고 한다. 따라서 출생전의 태아胎兒나 죽은 사람은 자연인이 아니며, 원칙적으로 권리와 의무의 주체가 될 수 없다.

문제는 언제 사람이 태어나고 사망한 것으로 볼 것인가이다. 이처럼 사람의 시기始期와 관련하여서는 진통설陣痛說, 일부노출설一部露出說, 전부노출설全部露出說, 독립호흡설獨立呼吸說 등의 대립이 있으며, 「민법」에서는 전부노출설이 다수설인 반면에 「형법」에서는 진통설이 다수설이다. 이에 대해 사람이 언제 사망한 것인가의 문제 즉, 종기終期에 관하여는 호흡종

---

14. 대법원은 일조이익의 방해와 관련하여 "그 인근에서 건물이나 구조물 등이 신축됨으로 인하여 햇빛이 차단되어 생기는 그늘, 즉 일영(日影)이 증가함으로써 해당 토지에서 종래 향유하던 일조량이 감소하는 일조방해가 발생한 경우, 그 일조방해의 정도, 피해이익의 법적 성질, 가해 건물의 용도, 지역성, 토지이용의 선후관계, 가해 방지 및 피해 회피의 가능성, 공법적 규제의 위반 여부, 교섭 경과 등 모든 사정을 종합적으로 고려하여 사회통념상 일반적으로 해당 토지 소유자의 수인한도를 넘게 되면 그 건축행위는 정당한 권리행사의 범위를 벗어나 사법상(私法上) 위법한 가해행위로 평가된다"고 하고 있다. 대법원 2008.4.17. 선고 2006다35865 전원합의체 판결.

지설呼吸終止說, 맥박종지설脈搏終止說, 뇌사설腦死說 등의 대립이 있다.

한편 법인이란 자연인 이외에 권리능력이 인정된 것을 말한다. 여기에는 일정한 사람의 단체에 대해 법인격이 인정된 사단법인社團法人과 일정한 목적을 위해 출연된 재산에 대해 법인격이 인정된 재단법인財團法人이 있다. 사단법인을 인정하는 이유는 법인을 구성하는 개인과는 무관하게 독립된 실체로서의 단체를 인정할 필요가 있기 때문이며, 재단법인을 인정하는 것은 일정한 목적을 위해 출연된 재산이 그 목적을 위해 독립하여 존재를 계속하도록 해야 하기 때문이다.

이러한 법인은 법률의 규정에 좇아 정관定款으로 정한 목적의 범위 내에서 권리와 의무의 주체가 된다「민법」 제34조. 법인은 주主된 사무소의 소재지에서 설립등기設立登記를 하여야 하며, 이 설립등기를 함으로써 법인은 성립한다같은 법 제33조. 한편 법인이 소멸하기 위해서는 일정한 단계를 거치는데, 먼저 해산解散을 하고, 이어서 청산淸算을 하게 된다. 해산은 법인이 적극적 활동을 중지하고 청산절차에 들어가는 것을 말하고, 청산은 해산한 법인의 재산관계를 정리하는 절차를 말한다. 청산이 종결된 때에 법인은 소멸한다.

2. 권리와 의무의 객체

권리의 객체란 권리의 대상을 말한다. 권리란 일정한 이익을 누릴 수 있게 하기 위하여 법이 인정하는 힘을 말하므로, 이 힘의 대상이 권리의 객체인 것이다. 예를 들어, 물권이라는 권리는 물건物件을 직접 지배하여 이익을 얻을 수 있는 배타적 권리이므로 물건이 권리의 객체이다. 반면에 채권이란 특정인이 다른 특정인에 대하여 일정한 행위 즉, 급부給付를 요구할 수 있는 권리이므로 채권의 목적은 급부가 된다. 이처럼 권리의 객체는 권리에 따라 다양하다. 「민법」은 이 중에서 '물건'에 관하여만 규정을 두고 있다.

[법인등기부 등본]

등기사항전부증명서(현재사항)[제출용]

등기번호	000009
등록번호	190131-0000020

명 칭	學校法人 汗馬學園	. . 변경 . . 등기
주사무소	마산시 월영동 449	. . 변경 . . 등기

목 적

대한민국의 교육이념에 입각하여 고등교육을 실시함을 목적으로 한다.
<1991.12.30 변경 1992.08.18 등기>

위의 목적을 달성하기 위하여 다음 각 호의 학교를 설치. 경영한다.
1) 경남대학교 <2007.08.16 변경 2008.01.14 등기>

임원에 관한 사항

이사 440306-1******
1998 년 04 월 24 일 중임 1998 년 04 월 24 일 등기
2002 년 04 월 24 일 중임 2002 년 04 월 24 일 등기
2006 년 04 월 24 일 중임 2006 년 04 월 24 일 등기

~~이사장 300509-1****** 서울 중구 평창동 414-3~~
1999 년 12 월 02 일 중임 1999 년 12 월 02 일 등기
~~이사장 300509-1****** 서울 중구 평창동 444-8~~
2001 년 04 월 11 일 주소변경 2003 년 12 월 02 일 등기
2003 년 12 월 02 일 중임 2003 년 12 월 02 일 등기
이사장 300509-1****** 서울 종로구 평창동 444-8
2007 년 12 월 02 일 중임 2007 년 12 월 14 일 등기

이사 390420-1******
2000 년 10 월 25 일 중임 2000 년 10 월 25 일 등기
2004 년 10 월 25 일 중임 2004 년 10 월 25 일 등기
2008 년 10 월 25 일 중임 2008 년 10 월 27 일 등기

이사 340530-1******
2001 년 09 월 04 일 중임 2001 년 09 월 05 일 등기
2005 년 09 월 04 일 중임 2005 년 09 월 05 일 등기
2009 년 09 월 04 일 중임 2009 년 09 월 08 일 등기

이사 361129-1******
2000 년 04 월 07 일 취임 2000 년 04 월 07 일 등기
2004 년 04 월 07 일 중임 2004 년 04 월 07 일 등기
2008 년 04 월 07 일 중임 2008 년 04 월 08 일 등기

이사 440811-1******
2003 년 03 월 19 일 취임 2003 년 04 월 03 일 등기
2006 년 04 월 04 일 중임 2006 년 04 월 05 일 등기

이사 420821-1******
2007 년 10 월 24 일 취임 2007 년 11 월 14 일 등기
2008 년 04 월 07 일 중임 2008 년 04 월 08 일 등기

이사 390304-1******
2007 년 10 월 24 일 취임 2007 년 11 월 14 일 등기

[인터넷 발급] 문서 하단의 바코드를 스캐너로 확인하거나, **인터넷등기소(http://www.iros.go.kr)의 발급확인 메뉴**에서 **발급확인번호**를 입력하여 **위·변조 여부를 확인할 수 있습니다.** **발급확인번호**를 통한 확인은 발행일부터 3개월까지 5회에 한하여 가능합니다.

00000150491060102000011301202901B9DABFEBC1F819670917 1 발행일:2010/02/16

발급확인번호 0090-AAKO-PRYQ

- 1/2 -

등기번호	000009

기 타 사 항

1. 설립허가년월일
   1968년01월23일
1. 출자의방법
   양수
1. 합병
   마산시 산호동 5-2 학교법인 무학학원과 흡수합병

법인성립 연월일	1970 년 03 월 04 일

등기기록의 개설 사유 및 연월일

민법법인 및 특수법인등기 처리규칙 부칙 제2조 1항의 규정에 의하여 구등기로부터 이기

2001 년 12 월 07 일 등기

수수료 800원 영수함 --- 이 하 여 백 ---

관할등기소 : 창원지방법원 마산등기소 / 발행등기소 : 법원행정처 등기정보중앙관리소

이 증명서는 등기기록의 내용과 틀림없음을 증명합니다. [다만, 신청이 없는 지점(분사무소)·지배인(대리인)에 관한 사항과 현재 효력이 없는 등기사항의 기재를 생략하였습니다]

서기 2010년 02월 16일

법원행정처 등기정보중앙관리소 전산운영책임관

* 실선으로 그어진 부분은 말소(변경,경정)된 등기사항입니다. * 등기사항증명서는 컬러로 출력 가능함.

[인터넷 발급] 문서 하단의 바코드를 스캐너로 확인하거나, **인터넷등기소(http://www.iros.go.kr)의 발급확인 메뉴**에서 **발급확인번호**를 입력하여 **위·변조 여부를 확인할 수 있습니다.** **발급확인번호**를 통한 확인은 발행일부터 3개월까지 5회에 한하여 가능합니다.

발급확인번호 0090-AAKO-PRYQ

000001504910601020000113012029O1B9DABFEBC1F819670917 1 발행일:2010/02/16

- 2/2 -

「민법」 제98조는 “본법本法에서 물건이라 함은 유체물有體物 및 전기電氣 기타 관리管理할 수 있는 자연력自然力을 말한다”고 규정하고 있다. 여기서 유체물이란 공간의 일부를 차지하고 사람의 오감五感에 의하여 인식할 수 있는 물질, 즉 고체, 액체 및 기체를 말한다. 유체물 이외의 것이 무체물이며, 전기, 열, 빛, 음향 등이 이에 속한다. 이러한 무체물 중에서 ‘관리할 수 있는 자연력’만이 법률상의 물건에 포함된다.

한편 「형법」에서 말하는 재물財物이란 일반적으로 「민법」상 물건과 같은 의미로 이해되고 있다. 「형법」은 제346조에서 “본장本章의 죄에 있어서 관리할 수 있는 동력動力은 재물로 간주看做한다”고 하고 있다. 그런데 물건은 여러 가지 기준에 따라 분류될 수 있다. 그 중 가장 중요한 것은 동산動産과 부동산不動産의 구별이다. 「민법」 제99조 제1항은 “토지土地 및 그 정착물定着物은 부동산”이라고 하고, 동조 제2항은 “부동산 이외의 물건은 동산이다”라고 규정하고 있다.

Ⅳ 권리의 행사와 의무의 이행

권리의 행사란 권리의 내용인 법이 보호하는 이익을 구체적으로 향유 내지 실현하는 것을 말한다. 예를 들어, 자전거를 소유한 자가 그 자전거를 타고 다니는 것과 같이 소유권자가 목적물인 자전거를 직접 지배하여 타고다님으로써 그로부터 이익을 얻는 것이 바로 권리의 행사이다. 누군가가 권리를 가지고 있다는 것은 그러한 권리를 행사할 잠재적인 가능성을 가지고 있다는 것을 의미하는 것이며, 그 권리에 의해 보호되는 이익을 누리기 위해서는 그러한 가능성을 현실화 하는 과정이 필요한데 그것이 바로 권리의 행사이다. 그런데 이러한 권리의 행사는 권리의 주장主張과는 다르다. 권리의 주장은 권리의 존재 여부에 관하여 다툼이 있거나 권리의 행사가 다른 사람에 의하여 방해되거나 방해될 염려가 있는 경우에 있어서 그 권리의 존재를 인식하게 하려는 행위이다.

한편 권리자가 권리를 행사함에는 어떠한 제한이 없는 것인지가 문제된다. 원래 권리라는 것은 권리자의 자유의사에 맡겨져 있으므로, 권리를 행사할 의무는 없는 것이다. 특히 개인주의를 골격으로 하는 근대의 사법私法은 "자기의 권리를 행사하는 자는 누구도 해치는 것이 아니다"라는 법언에 따라 권리의 행사는 비록 다른 사람에게 손해를 가하는 경우에도 정당한 것으로 인정되었다.

그런데 권리자가 권리를 행사하게 되면 그 사회에 영향을 미치게 되므로 권리행사는 사회의 이익과 조화를 이룰 것이 요구되며, 그 결과 개인의 권리행사는 무제한한 것일 수 없다. 우리 헌법이 "재산권의 행사는 공공복리에 적합하도록 하여야 한다제23조 제2항"고 규정하고 있는 것도 이 때문이다. 특히 독일 민법은 소위 '쉬카아네Schikane'의 금지규정을 두고 있어서, "권리 행사의 유일한 목적이 타인에게 손해를 야기하는데 있는 경우에는 그러한 권리의 행사는 허용되지 아니 한다"고 하고 있다제226조.

한편 우리 「민법」은 제2조 제1항에서 "권리의 행사와 의무의 이행은 신의信義에 좇아 성실誠實히 하여야 한다"는 신의성실信義誠實의 원칙을 규정하고 있다. 여기서 신의성실이란 상대방의 신뢰를 헛되이 하지 않도록 성의를 가지고 행동해야 한다는 것을 의미한다. 원래 이러한 신의성실의 원칙은 채무의 이행과 관련하여 확립된 원칙이었으나, 오늘날에는 「민법」 전체에 걸친 최고원리로서 이른바 '일반조항一般條項'이라고 할 수 있다. 예를 들어, 판례는 "원고가 이 사건 토지에 관하여 소외 회사로 하여금 이 사건 건물을 신축하는데 사용하도록 승낙하였고 소외 회사가 이에 따라 이 사건 건물을 신축하여 피고들에게 분양하였다면 원고는 이 사건 건물을 신축하게 한 원인을 제공하였다 할 것이므로 이를 신뢰하고 136세대에 이르는 규모로 견고하게 신축한 건물 중 각 판시부분을 분양받은 피고들에게 이 사건 토지에 대한 소외 회사와의 매매계약이 해제되었음을 이유로 하여 그 철거를 요구하는 것은 비록 그것이

이 사건 토지에 대한 소유권에 기한 것이라 하더라도 신의성실의 원칙에 비추어 용인될 수 없다"고 한 바 있다.[15]

또한 「민법」 제2조 제2항은 "권리는 남용濫用하지 못한다"고 하여 권리남용금지權利濫用禁止의 원칙을 선언하고 있다. 권리남용이란 외관상으로는 권리를 행사하는 것처럼 보이지만 실제는 권리를 보호하는 사회적 목적에 벗어난 것으로서 정당한 권리행사로 인정될 수 없는 것을 말한다. 대법원은 "원심은, 그가 인정한 사실관계에 터잡아 이 사건 토지상의 10층 아파트 건물 중 12.9m² 부분을 철거한다면 해당 10세대의 사용이 불가능하여짐은 물론 아파트 건물 전체의 안전에 중대한 위험이 될 수 있고, 분뇨탱크 관리실 출입통로 등은 이 사건 아파트의 필수적인 부대시설이고, 이를 철거한다 하더라도 대부분의 아파트 건물이 그대로 남아 있는 이상 원고가 이 부분 토지를 다른 용도에 사용하기는 어려워 이 부분 건물 등의 철거나 토지의 인도로 인하여 피고들이 받는 손실은 대단히 큰 반면에 원고가 얻은 이익은 비교할 수 없을 만큼 작다는 이유로, 원고의 이 사건 토지상의 아파트 건물부분 등의 철거와 그 대지의 인도청구는 권리남용에 해당되어 허용되지 아니한다고 판단하였는바, 기록에 비추어 보면 원심의 위와 같은 설시이유는 정당한 것으로 수긍할 수 있고, 거기에 권리남용에 관한 법리를 오해한 위법이 있다고 할 수 없다"고 한 바 있다.[16]

한편 의무의 이행은 의무자가 자신이 부담하는 의무의 내용에 따라 이를 실현하는 것을 말한다. 예를 들어, 다른 사람에게 돈을 빌린 사람이 정해진 날짜에 돈을 갚는 것이 바로 의무의 이행이다. 이러한 의무의 이행은 권리의 행사와 마찬가지로 신의에 좇아 성실히 하여야 한다「민법」 제2조 제1항.

---

15. 대법원 1993.7.27. 선고 93다20986,20993(병합) 판결.
16. 대법원 1993.5.11. 선고 93다3264 판결.

V 권리와 의무의 변동

사람은 사회에서 다른 사람과 끊임없이 새로운 관계를 맺으며 살아간다. 이처럼 인간이 다른 사람과 맺는 관계가 법의 규율을 받는 관계, 즉 법률관계일 경우에는 법률관계의 발생, 변경, 소멸이 있게 된다. 그런데 앞서 살펴본 것처럼 법률관계는 권리와 의무의 관계이므로, 결국 이는 권리와 의무가 발생, 변경, 소멸하는 것이 된다. 이것이 바로 권리와 의무의 변동 내지는 권리의 변동이다.

1. 권리의 발생

권리가 발생하는 것은 권리자가 권리를 취득하는 것을 말한다. 여기에는 원시취득原始取得과 승계취득承繼取得이 있다. 먼저 원시취득이란 예를 들어, 집을 신축하여 집에 대한 소유권이 생겨나는 경우와 같이 다른 사람의 권리와 무관하게 어떤 권리를 처음으로 취득하는 것이다. 반면에 승계취득이란 다른 사람의 권리를 전제로 하여 어떤 권리를 취득하는 것이다. 즉, 다른 사람이 가지고 있던 권리를 기초로 하여 그 권리를 이어 받는 것이 승계취득이다. 이러한 승계취득에는 다시 이전적移轉的 승계와 설정적設定的 승계, 특정승계特定承繼와 포괄승계包括承繼가 있다.

먼저 이전적 승계란 앞의 권리자가 가지고 있던 권리가 그 동일성을 유지하면서 새로운 권리자에게 이전하는 것을 말한다. 예를 들어, 매매에 의하여 A가 가지고 있던 토지의 소유권이 B에게로 이전하는 경우이다. 이에 대해 설정적 승계란 기존의 권리자는 권리를 그대로 보유하면서 새로운 권리자에게 그 권리의 대상은 동일하지만 내용에 있어서 제한된 새로운 권리를 발생하게 하고 새로운 권리자는 그러한 제한된 범위 내에서만 권리를 취득하는 경우를 말한다. 예를 들어, A가 B에게 자신이 소유한 토지에 지상권을 설정해 주는 경우가 이에 해당한다. 이 때 목적물인 동일한 토지에 대해 A는 소유권을 가지지만 B의 지상권에 의한 제한을 받게 된다.

한편 특정승계란 개별적 원인에 의하여 특정한 권리가 취득되는 경우를 말한다. A가 자신의 토지를 B에게 매매하는 경우와 같이 매매라는 개별적 원인에 의하여 소유권이라는 특정한 권리가 이전되는 경우이다. 이에 대해 포괄승계란 상속과 같이 피상속인의 사망이라는 하나의 원인에 의하여 다수의 권리가 한꺼번에 이전되는 경우를 말한다.

2. 권리의 변동

권리가 동일성同一性을 잃지 않으면서 권리의 주체, 내용, 작용에 변경이 생기는 것을 권리의 변동이라고 한다. 먼저 권리의 주체에 변동이 생기는 경우로는 권리가 다른 사람에게 이전 또는 승계되는 경우를 들 수 있다. 다음으로 권리의 내용에 변동이 생기는 경우는 양적量的 변경과 질적質的 변경으로 나누어 볼 수 있다. 먼저 양적 변경은 예를 들어 A 소유의 토지에 설정되어 있던 지상권이 소멸한 경우와 같이 권리에 양적인 변동이 있는 경우를 말한다. 이에 대해 질적 변경은 예컨대, 채무자가 채무를 이행하지 아니함으로써 채권이 손해배상청구권으로 변경하는 경우와 같이 권리가 질적으로 바뀌는 경우를 말한다.

한편 권리의 작용에 변경이 생기는 경우로는 저당권의 순위가 변경되는 경우를 들 수 있다. 예를 들어 하나의 부동산에 여러 개의 저당권이 있는 경우에 선순위先順位의 저당권이 변제辨濟 등의 원인으로 소멸하면 후순위後順位의 저당권의 순위가 올라가게 되는데 이것이 바로 권리의 작용에 변동이 생기는 경우이다.

3. 권리의 소멸

권리가 그 주체로부터 완전히 이탈하는 것이 권리의 소멸이다. 여기에는 다시 절대적 소멸과 상대적 소멸이 있다. 절대적 소멸 내지 객관적 소멸은 권리가 아예 없어지는 것이다. 예를 들어, 화재로 건물이 소실되어 건물에 대한 소유권이 없어지는 경우가 이에 해당한다. 반면에 상대적 소멸 내지 주관적 소멸은 A가 매매를 통해 자신이 소유하던 토지를 B에게 이전해 준 경우와 같이 객관적으로 권리는 존재하지만, A의 주관적인 입장에서 볼 땐 권리가 소멸되는 경우를 말한다.

제3절 | 행 위

I 서 설

모든 사람은 원칙적으로 자신이 원하는 대로 행동할 자유가 있다. 이는 헌법이 기본권으로 보장하고 있는 것인지의 여부와 관계없이 당연히 인정되는 것이다. 우리 헌법은 제10조 전문에서 "모든 국민은 인간으로서의 존엄尊嚴과 가치價値를 가지며, 행복幸福을 추구할 권리를 가진다"고 규정하고 있다. 헌법재판소는 "헌법 제10조 전문은 모든 국민은 인간으로서의 존엄과 가치를 지니며, 행복을 추구할 권리를 가진다고 규정하여 행복추구권을 보장하고 있고, 행복추구권은 그의 구체적인 표현으로서 일반적인 행동자유권과 개성의 자유로운 발현권을 포함한다. 일반적 행동자유권은 개인이 행위를 할 것인가의 여부에 대하여 자유롭게 결단하는 것을 전제로 하여 이성적이고 책임감 있는 사람이라면 자기에 관한 사항은 스스로 처리할 수 있을 것이라는 생각에서 인정되는 것이다. 일반적 행동자유권에는 적극적으로 자유롭게 행동을 하는 것은 물론 소극적으로 행동을 하지 않을 자유 즉, 부작위의 자유도 포함되며, 포괄적인 의미의 자유권으로서 일반조항적인 성격을 가진다. 즉 일반적 행동자유권은 모든 행위를 할 자유와 행위를 하지 않을 자유로 가치 있는 행동만 그 보호영역으로 하는 것은 아닌 것으로, 그 보호영역에는 개인의 생활방식과 취미에 관한 사항도 포함되며, 여기에는 위험한 스포츠를 즐길 권리와 같은 위험한 생활방식으로 살아갈 권리도 포함된다"고 하였다.[17]

아무튼 인간이 가지는 이러한 일반적 행동의 자유는 법적인 관점에서 보면 법률행위로 나타난다. 예를 들어, 스키를 타고자 하는 사람이 자신의 그러한 행동의 자유를 실현하기 위해서는 먼저 스키 장비와 스키장 이용권 등을 구매해야 할 것이다. 따라서 자신의 행동의 자유를 실현하기 위해서는 매매계약과 같은 법률관계를 형성하게 된다. 이처럼 행동의 자유가 실현되는데 가장 중요한 역할을 하는 법률관계를 형성할 자유를 '사적 자치私的 自治'라고 한다. 따라서 당사자는 국가나 다른 사람의 간섭 없이 자신의 판단에 따라 원하는 법률관계를 형성할 자유가 있다. 그런데 '사적 자치'는 주로 계약이라는 법률관계의 형태로 나타나기 때문에 이를 '계약의 자유'라고 하기도 한다.

헌법재판소는 "일반적 행동자유권에는 적극적으로 자유롭게 행동을 하는 것은 물론 소극적으로 행동을 하지 않을 자유 즉 부작위의 자유도 포함되는 것으로, 법률행위의 영역에 있어서는 계약을 체결할 것인가의 여부, 체결한다면 어떠한 내용의, 어떠한 상대방과의 관계에서, 어떠한 방식으로 계약을 체결하느냐 하는 것도 당사자 자신이 자기의사로 결정하는 자유뿐만 아니라 원치 않으면 계약을 체결하지 않을 자유 즉 원치 않는 계약의 체결은 법이나 국가에 의하여 강제받지 않을 자유인 이른바 계약자유의 원칙도, 여기의 일반적 행동자유권으로부터 파생되는 것이라 할 것이다"라고 하고 있다.[18]

이러한 사적 자치 내지 계약의 자유는 당사자의 자유로운 의사표시意思表示를 요소로 하는 법률행위가 있을 때에 실현된다. 다시 말해서 당사

17. 헌재 2003.10.30. 선고 2002헌마518, 판례집 제15권 2집 (하), 199-200쪽.
18. 헌재 1991.6.3 선고 89헌마204, 판례집 제3권, 276쪽.

자가 일정한 법률효과의 발생을 의욕하는 의사표시를 하고 법이 그 의사표시에 일정한 법률효과를 부여함으로써 사적 자치가 실현되는 것이다. 이러한 사적 자치의 원칙은 소유권 절대絶對의 원칙과 함께 근대 사법의 근간을 이루었다. 그러나 주지하듯이 자본주의의 발달은 빈부의 격차라는 심각한 사회문제를 야기하게 되었고 이로 인해 사적 자치의 원칙과 소유권 절대의 원칙은 제한을 받지 않을 수 없게 되었다. 이에 우리 헌법도 "대한민국의 경제질서는 개인과 기업의 경제상의 자유自由와 창의創意를 존중함을 기본"으로 하면서도제119조 제1항, "국가는 균형있는 국민경제의 성장 및 안정과 적정한 소득의 분배를 유지하고, 시장의 지배와 경제력의 남용濫用을 방지하며, 경제주체간의 조화調和를 통한 경제經濟의 민주화民主化를 위하여 경제經濟에 관한 규제規制와 조정調整을 할 수 있다"고 규정하고 있다동조 제2항.

Ⅱ 법률행위와 위법불법행위

1. 서 설

법은 인간의 행위를 규율하는 규범이다. 따라서 인간의 행위로 표출되지 않은 내심의 의사는 원칙적으로 법의 규율대상이 아니다. 한편 인간의 모든 행위가 법의 규율을 받는 것은 아니다. 법적으로 의미 있는 행위만이 법의 규율대상이다. 법의 규율을 받는 행위는 크게 적법한 행위와 위법한 행위로 나뉜다. 적법한 행위는 당사자의 행위가 법질서에 의해 지지되고 일정한 법적 효과를 부여받는 반면에 위법한 행위는 사회질서에 위반한 것으로서 일정한 제재가 따른다.

2. 법률행위

1) 법률행위와 의사표시

일반적으로 어떤 사람이 일정한 법적인 효과를 얻고자 하는 경우에는 자신의 그러한 의사를 외부에 표시하는 이른바 의사표시意思表示를 하게 되고, 법이 그 의사표시에 대해 당사자가 의욕한 대로의 일정한 효과를 부여하게 된다. 이처럼 법이 승인하는 적법한 행위로서 일정한 법률효과의 발생을 의욕하는 하나 또는 수개의 의사표시를 요소로 하는 행위를 '법률행위法律行爲'라고 한다. 따라서 법률행위라고 하기 위해서는 반드시 의사표시가 있어야 한다.

그러나 의사표시가 법률행위의 유일한 요소는 아니며 의사표시 이외에 일정한 법률사실을 필요로 하는 경우도 있다. 예를 들어, 동산의 소유권을 이전하기 위해서는 매매라고 하는 법률행위 이외에 물건의 인도引渡라는 법률사실이 필요하다. 그렇지만 법률행위라고 하기 위해서는 반드시 의사표시가 있어야 한다.

한편 법률행위는 당사자가 의욕한 대로의 법률효과가 발생한다는 점에서, 당사자가 의욕한 것과는 다른 법률효과가 발생하는 '법률적 행위' 내지는 '준법률행위準法律行爲'와는 구별된다. 예컨대 채권자가 채무자에게 채무의 이행履行을 청구하는 경우에 채무의 이행이라는 법률효과가 생기는 것이 아니라 '시효時效의 중단中斷'이라는 법률효과가 생기는 경우가 이에 해당한다.

2) 법률행위의 요건

법률행위가 당사자가 의욕한 대로의 법률효과를 발생하려면 여러 가지 요건을 갖추어야 한다. 그러한 요건은 크게 성립요건과 효력요건으로 나눌 수 있다.

(1) 성립요건

먼저 '성립요건'이란 법률행위라고 할 만한 형식적 요건이 갖추어져야 한다는 것으로서 이는 다시 일반적 성립요건과 특별성립요건으로 나누는 것이 보통이다. 일반적 성립요건이 충족되기 위해서는 첫째, 당사자가 있어야 하고 둘째, 목적目的이 있어야 하며 셋째, 의사표시意思表示가 있어야 한다. 이에 대해 특별성립요건은 구체적인 법률행위의 성립에 필요한 요건으로서 개별 법규정에 의하여 정해진다.

(2) 효력요건

'효력요건'이란 법률행위로서 성립요건을 갖춘 경우에 법적인 효력을 발생하기 위해 갖추어야 하는 요건을 말하며 여기에도 일반적 효력요건과 특별한 효력요건이 있다. 먼저 일반적 효력요건으로는 첫째, 당사자가 능력能力을 가지고 있을 것이 요구된다. 당사자가 의사능력이 없는 경우에는 무효가 되고, 미성년자와 같이 행위능력이 없는 경우에는 취소할 수 있는 행위가 되므로 효력요건을 갖추지 못한 것이 된다.

둘째, 법률행위의 목적이 확정確定할 수 있고, 실현 가능하며, 적법해야 한다. 법률행위의 목적은 확정되어 있거나 확정할 수 있어야 하는데, 불확정한 법률행위는 법률효과가 부여될 수 없기 때문이다. 따라서 불확정한 법률행위는 무효이다. 또한 법률행위는 실현이 가능해야 한다. 실현이 불가능하면 역시 법률효과의 부여가 불가능하기 때문이다. 실현 가능한 것인지의 여부는 사회통념에 따라 결정되는데 불가능에는 다시 '원시적原始的 불능不能'과 '후발적後發的 불능'이 있다. 원시적 불능은 법률행위 성립 당시에 이미 그 목적의 실현이 불가능한 경우로서, 매매의 목적물인 집이 화재로 전부 소실된 경우가 이에 해당한다. 이때에는 법률행위가 무효가 된다. 이에 대해 후발적 불능은 법률행위 성립 당시에는 가능하였으나 그 이행 전에 불가능하게 된 경우를 말한다. 예를 들어, 소牛의 매매를 위해 계약금을 주고 받았으나 인도를 하기 전에 소가 죽은 경우가 이에 해당한다. 이러한 후발적 불능의 경우에는 법률행위는 무효로 되지 아니하고 채무불이행債務不履行 또는 위험부담危險負擔의 문제가 된다. 아울러 법률행위는 적법해야 한다. 「민법」 제103조에 따라 "선량한 풍속 기타 사회질서에 위반한 사항을 내용으로 하는 법률행위는 무효"가 된다. 예를 들어, 마약을 거래하는 행위는 강행법규, 즉 선량한 풍속 기타 사회질서에 위반되는 것으로서 무효가 된다.

셋째, 의사표시에 있어서 의사意思와 표시表示는 일치하여야 하고, 의사표시가 표의자의 자유로운 의사에 의해 이루어져야 한다. 의사와 표시가 불일치하는 경우로는 '진의眞意아닌 의사표시', '통정通情한 허위虛僞의 의사표시' 및 '착오錯誤로 인한 의사표시'의 세 가지가 있다. 진의아닌 의사표시란 표시행위에 대한 진정한 의사가 없다는 것을 당사자가 스스로 알면서 하는 의사표시로서 '비진의표시非眞意表示'라고도 한다. 예를 들어, 실제로는 증여할 의사가 없으면서 상대방에게 자전거를 무상으로 증여하겠다고 하는 경우이다. 「민법」은 "의사표시는 표의자가 진의아님을 알고 한 것이라도 그 효력이 있다. 그러나 상대방이 표의자의 진의아님을 알았거나 이를 알 수 있었을 경우에는 무효로 한다"고 하고 있다제107조 제1항.

이에 대해 '통정한 허위의 의사표시'란 법률행위의 상대방과 공모하여 하는 진의아닌 거짓의 의사표시를 말한다. 예컨대, 채무자 A가 채권자의 강제집행을 피하기 위해 B와 공모하여 마치 A로부터 B에게로 매매를 원인으로 하여 A 소유의 부동산이 이전된 것처럼 등기명의를 옮기는 경우이다. 상대방과 통모通謀하였다는 의미에서 '통모허위표시' 내지는 간단히 '허위표시'라고 한다. 「민법」은 "상대방과 통정通情한 허위虛僞의 의사표시는 무효로 한다"고 하고 있다제108조 제1항.

한편 '착오로 인한 의사표시'에 있어서 '착오錯誤'란 당사자가 인식한 사실에 잘못이 있는 것을 말한다. 이러한 착오에 의한 의사표시는 크게 표시상表示上의 착오, 내용의 착오, 동기動機의 착오로 나뉜다. 표시상의 착오란 예를 들어, 100만원이라고 적을 것을 10만원이라고 적은 경우와 같이 표시행위에 착오가 있는 경우를 말한다. 내용의 착오는 표시행위가 가지는 법률행위의 의미를 잘못 이해한 경우이다. 호주의 화폐단위인 호주달러Australian dollar와 미국달러U.S. dollar가 같은 것으로 잘못 안 경우가 이에 해당한다. 이에 대해 동기의 착오는 법률행위를 하게 된 동기에 착오가 있는 경우이다. 모조품인 청자를 진품 고려청자로 알고 구매한 경우가 이에 해당한다. 이러한 착오로 인한 의사표시에 대해 「민법」은 "의사표시는 법률행위의 내용의 중요부분重要部分에 착오가 있는 때에는 취소取消할 수 있다. 그러나 그 착오가 표의자表意者의 중대重大한 과실로 인한 때에는 취소하지 못한다"고 하고 있다제109조 제1항.

마지막으로 의사표시는 표의자의 자유로운 의사에 의해 이루어져야 한다. 다시 말해서 의사표시에 하자瑕疵가 없어야 한다. 그러한 하자있는 의사표시에는 크게 '사기詐欺에 의한 의사표시'와 '강박强迫에 의한 의사표시'가 있다. 먼저 '사기에 의한 의사표시'에서 '사기'란 의사표시의 당사자가 타인의 기망행위欺罔行爲로 인해 착오에 빠져 의사표시를 한 것을 말한다. 예를 들어, 전화사기 내지 보이스 피싱voice phishing에 속아 타인의 계좌로 돈을 송금하는 경우가 이에 해당한다. 강박에 의한 의사표시는 다른 사람이 고의로 해악害惡을 주겠다고 당사자를 위협하여 당사자가 공포심 때문에 의사표시를 하게 된 경우를 말한다. 예컨대, 자녀를 죽이겠다는 협박 때문에 돈을 송금한 경우가 이에 해당한다. 「민법」은 상대방의 사기 또는 강박의 경우에 대해 "사기나 강박에 의한 의사표시는 취소"할 수 있는 것으로 하고제110조 제1항, 제3자의 사기나 강박의 경우에는 "상대방 있는 의사표시에 관하여 제삼자가 사기나 강박을 행한 경우에는 상대방이 그 사실을 알았거나 알 수 있었을 경우에 한하여 그 의사표시를 취소할 수 있다"고 하고 있다동조 제2항. 한편 사기나 강박에 대해 「형법」은 사기죄제347조, 협박죄제283조 및 공갈죄제350조 등으로 처벌하고 있다.

3) 법률행위의 종류

법률행위는 여러 가지 기준에 따라 다양하게 분류된다. 그러한 분류 중에서 가장 중요한 것은 의사표시에 따라 크게 단독행위單獨行爲, 계약契約 및 합동행위合同行爲로 나누는 것이다. 먼저, 단독행위란 한 개의 의사표시로 성립하는 법률행위로서 이는 다시 '상대방 있는 단독행위'와 '상대방 없는 단독행위'로 나뉜다. 상대방 있는 단독행위는 법률행위로서의 효력을 발생하기 위해서는 그 의사표시가 상대방에게 도달하여야 한다. 예를 들어, 동의同意나 취소取消의 의사표시는 당사자의 의사표시만으로 법률효과가 발생하지만 상대방에게 도달하여야 하는 것이다. 반면에 '상대방 없는 단독행위'는 의사표시의 상대방이 없는 단독행위로서, 당사자의 의사표시 하나만으로 바로 법률효과가 발생한다. 예를 들어, 차고 있던 손목시계의 소유권을 포기하는 의사표시로서 그 시계를 휴지통에 버리는 경우가 이에 해당한다.

이에 대해 계약은 둘 이상의 의사표시, 즉 당사자의 '청약請約'이라는 의사표시와 '승낙承諾'이라는 의사표시의 합치에 의하여 성립하는 법률행위를 말한다. 예를 들어, 손님이 신발가게 주인에게 진열대에 10만원이란 가격표가 붙어 있는 신발을 사겠다는 의사를 표시하고 그에 대해 주인이 신발을 판매하겠다는 의사를 표시하는 경우가 이에 해당한다. 법률관계는 주로 이러한 계약에 의해 이루어진다. 「민법」은 15가지 전형적인 계약의 유형들을 규정하고 있다제3편 제2장 참조.

마지막으로 합동행위는 두 개 이상의 의사표시의 합치로 성립한다는 점에서는 계약과 같으나 그 의사표시가 평행적이라는 점에서 계약과 구별된다. 계약은 청약과 승낙이라는 의사표시가 서로 대립적이지만 합동행위는 하나의 목적을 위해 협력한다는 점에서 다르다고 한다. 대표적인 합동행위로는 사단법인社團法人 설립행위設立行爲를 들 수 있다.

3. 위법불법행위

당사자의 행위가 법에 의해 부정적 판단을 받는 경우가 바로 위법행위 내지는 불법행위이다. 이러한 위법행위는 「형법」상으로는 범죄가 되며, 「민법」상으로는 채무불이행 또는 불법행위가 된다. 따라서 범죄에 대해서는 형벌이라는 제재가 부과되고, 채무불이행과 불법행위에 대해서는 손해배상이라는 제재가 부과된다. 그런데 형사상 불법행위와 민사상 불법행위는 구분되는 것이지만 반드시 별개로 발생하는 것은 아니다. 형사상 불법행위가 민사상 불법행위가 되는 경우도 있고, 반대로 민사상 불법행위가 형사상 불법행위가 되기도 한다. 일반적으로 형사상 불법행위에 대한 법적 책임을 형사책임이라고 하고, 민사상 불법행위에 대한 법적 책임을 민사책임이라고 한다.

그런데 형사책임은 원칙적으로 행위자에 대한 응보應報와 장래의 위험에 대한 예방을 근거로 행위자에게 책임을 묻는 것인 반면에, 민사책임은 피해자에게 생긴 손해의 전보를 목적으로 행위자에게 책임을 묻는다. 또한 형사책임은 행위자가 법적대적法敵對的 의사를 가지고 법질서를 위반했다는데 대한 비난이므로 고의故意를 처벌하는 것이 원칙이고 과실過失의 처벌은 예외에 속하는 반면에 민사책임은 피해자의 손해를 전보하는 것이 목적이므로 고의와 과실을 불문한다. 아울러 형사책임에 있어서는 행위자의 위험성危險性으로 인해 미수未遂도 처벌되지만 민사책임에 있어서는 손해가 발생하지 아니한 미수는 책임이 부과되지 않는다.

이러한 차이로 인해 동일한 행위의 민사책임과 형사책임이 달라지는 경우가 발생할 수 있다. 미국에서 논란이 된 심슨O·J Simpson사건이 대표적인 경우이다. 그런데 형사사건과 민사사건은 별개이므로 형사재판에서 유죄의 판결이 확정되었다고 해서 반드시 민사책임이 인정되는 것은 아니다. 그러나 일반적으로는 민사사건에서 유리한 지위를 선점하기 위하여 고소를 남발하는 경향이 문제되고 있다.

1) 형사상 제재

(1) 범죄와 형벌

어떤 사람의 행위가 「형법」상의 위법행위 즉, 범죄에 해당하는 경우에는 그에 상응한 형벌이 부과된다. 즉, 국가는 사회의 질서를 유지하기 위하여 범죄를 범한 자에 대하여 형벌을 부과함으로써 그 행위자에 의해 파괴된 질서를 회복하고자 한다. 다시 말해서, 어떤 사람이 「형법」에 규정된 요건으로서의 범죄를 범하면 국가가 그에 대한 법률효과로서의 형벌을 부과하는 것이다.

그런데 어떠한 행위가 범죄이고 그에 대해 어떤 법률효과가 부여되는가에 관하여는 「형법」이 규율하고 있다. 먼저 무엇이 범죄인가에 대하여는 형식적인 범죄 개념과 실질적인 범죄 개념이 있다. 형식적인 범죄 개념은 범죄가 구성요건에 해당하는 위법하고 책임이 있는 행위라고 한다. 이에 대해 실질적인 범죄 개념은 어떤 행위를 처벌할 수 있는가에 관한 문제로서 여러 가지 학설이 대립한다. 일반적으로는 범죄란 법이 보호하는 이익의 침해 또는 의무의 위반으로 보고 있다.[19]

형식적 범죄 개념에 따르면 범죄가 성립하기 위해선 먼저 그 사람의 행위가 「형법」의 각 조항이 정한 구성요건에 해당해야 한다. 이를 '구성요건해당성構成要件該當性'이라고 한다. 이는 범죄자의 구체적 범죄사실이 추상적 · 유형적으로 규정된 「형법」상 구성요건에 해당하는 것을 말한다. 이러한 구성요건해당성이 인정되면 다음으로 그 행위가 위법한지의 여부가 판단된다. 위법성違法性이란 구성요건에 해당하는 행위가 법률상 허용되지 아니하는 것을 말한다. 원칙적으로 구성요건에 해당하는 행위는 위법하지만, 예외적으로 '위법성조각사유違法性阻却事由'에 해당하는 경우에는 위법성이 조각阻却된다. 따라서 구성요건과 위법성조각사유는 원칙과 예외의 관계에 있으며, 구성요건에 해당하는 행위는 위법성조각사유

---

19. 이재상, 형법총론, 박영사, 2008, 68쪽 이하.

에 해당하지 않는 한 위법하다. 「형법」상 위법성이 조각되는 경우로는 정당방위正當防衛, 제21조, 긴급피난緊急避難, 제22조, 자구행위自救行爲, 제23조, 피해자의 승낙제24조 및 정당행위正當行爲, 제20조 등이 있다.

한편 범죄자의 행위가 위법성조각사유에 해당하지 않는 경우에는 책임이 있는 것인지 판단하게 된다. '책임責任'이란 그 행위를 한 자에 대한 비난가능성非難可能性을 의미한다. 따라서 「형법」상 14세가 되지 아니한 자, 즉 형사미성년자제9조 또는 심신상실자心神喪失者, 제10조 제1항의 행위이거나, 강요된 행위제12조는 책임이 없기 때문에 범죄가 성립하지 아니한다.

어떤 사람의 행위가 범죄에 해당하는 경우에 그에 대해 어떤 형벌이 부과될 것인가는 「형법」 각칙의 구성요건이 이를 정하고 있다. 예를 들어 「형법」 제250조 제1항은 "사람을 살해한 자는 사형, 무기 또는 5년 이상의 징역에 처한다"고 규정하고 있다.

(2) 형벌부과 절차

오늘날에는 국가만이 형벌을 부과할 수 있다. 「형법」은 형벌의 종류로서 크게 9가지를 규정하고 있다「형법」 제41조. 그러한 형벌부과는 「형사소송법」이 정한 절차에 따라 부과된다. 이를 간략하게 살펴보면 다음과 같다.

먼저 범죄가 발생하면 수사기관에서 수사를 시작한다. 수사란 "범죄의 유무와 범인의 체포 및 증거의 수집을 위한 수사기관의 활동"을 말한다.[20] 「형사소송법」상 "검사와 사법경찰관은 수사, 공소제기 및 공소유지에 관하여 서로 협력하여야 한다"제195조 제1항. 수사기관이 수사를 개시하는 경우로는 현행범인現行犯人의 체포逮捕, 변사자變死者의 검시檢視, 불심검문不審檢問, 다른 사건 수사 중 범죄발견犯罪發見, 기사記事, 풍문風聞, 세평世評 등 자신의 체험에 의해 시작되기도 하고, 고소告訴, 고발告發, 자수自首, 범죄신고 등 타인의 체험에 의해 시작될 수도 있다.

---

20. 이재상, 신형사소송법, 박영사, 2008, 180쪽.

[고소장 서식]

고 소 장

(고소장 기재사항 중 * 표시된 항목은 반드시 기재하여야 합니다.)

1. 고소인*

성 명 (상호·대표자)		주민등록번호 (법인등록번호)	-
주 소 (주사무소 소재지)	(현 거주지)		
직 업		사무실 주소	
전 화	(휴대폰) (자택) (사무실)		
이메일			
대리인에 의한 고소	□ 법정대리인 (성명 : , 연락처) □ 고소대리인 (성명 : 변호사 , 연락처)		

※ 고소인이 법인 또는 단체인 경우에는 상호 또는 단체명, 대표자, 법인등록번호(또는 사업자등록번호), 주된 사무소의 소재지, 전화 등 연락처를 기재해야 하며, 법인의 경우에는 법인등기부 등본이 첨부되어야 합니다.

※ 미성년자의 친권자 등 법정대리인이 고소하는 경우 및 변호사에 의한 고소대리의 경우 법정대리인 관계, 변호사 선임을 증명할 수 있는 서류를 첨부하시기 바랍니다.

2. 피고소인*

성 명		주민등록번호	-
주 소	(현 거주지)		
직 업		사무실 주소	
전 화	(휴대폰) (자택) (사무실)		
이메일			
기타사항			

※ 기타사항에는 고소인과의 관계 및 피고소인의 인적사항과 연락처를 정확히 알 수 없을 경우 피고소인의 성별, 특징적 외모, 인상착의 등을 구체적으로 기재하시기 바랍니다.

- 1 -

3. 고소취지*

(죄명 및 피고소인에 대한 처벌의사 기재)

고소인은 피고소인을 ○○죄로 고소하오니 처벌하여 주시기 바랍니다.*

4. 범죄사실*

※ 범죄사실은 형법 등 처벌법규에 해당하는 사실에 대하여 일시, 장소, 범행방법, 결과 등을 구체적으로 특정하여 기재해야 하며, 고소인이 알고 있는 지식과 경험, 증거에 의해 사실로 인정되는 내용을 기재하여야 합니다.

5. 고소이유

※ 고소이유에는 피고소인의 범행 경위 및 정황, 고소를 하게 된 동기와 사유 등 범죄사실을 뒷받침하는 내용을 간략, 명료하게 기재해야 합니다.

6. 증거자료

(✓ 해당란에 체크하여 주시기 바랍니다)

□ 고소인은 고소인의 진술 외에 제출할 증거가 없습니다.

□ 고소인은 고소인의 진술 외에 제출할 증거가 있습니다.

☞ **제출할 증거의 세부내역은 별지를 작성하여 첨부합니다.**

7. 관련사건의 수사 및 재판 여부*

(✓ 해당란에 체크하여 주시기 바랍니다)

① 중복 고소 여부	본 고소장과 같은 내용의 고소장을 다른 검찰청 또는 경찰서에 제출하거나 제출하였던 사실이 있습니다 □ / 없습니다 □
② 관련 형사사건 수사 유무	본 고소장에 기재된 범죄사실과 관련된 사건 또는 공범에 대하여 검찰청이나 경찰서에서 수사 중에 있습니다 □ / 수사 중에 있지 않습니다 □
③ 관련 민사소송 유 무	본 고소장에 기재된 범죄사실과 관련된 사건에 대하여 법원에서 민사소송 중에 있습니다 □ / 민사소송 중에 있지 않습니다 □

기타사항

※ ①, ②항은 반드시 표시하여야 하며, 만일 본 고소내용과 동일한 사건 또는 관련 형사사건이 수사·재판 중이라면 어느 검찰청, 경찰서에서 수사 중인지, 어느 법원에서 재판 중인지 아는 범위에서 기타사항 난에 기재하여야 합니다.

8. 기타

(고소내용에 대한 진실확약)

본 고소장에 기재한 내용은 고소인이 알고 있는 지식과 경험을 바탕으로 모두 사실대로 작성하였으며, 만일 허위사실을 고소하였을 때에는 형법 제156조 무고죄로 처벌받을 것임을 서약합니다.

2006년 월 일*

고소인 ______________ (인)*

제출인 ______________ (인)

※ 고소장 제출일을 기재하여야 하며, 고소인 난에는 고소인이 직접 자필로 서명 날(무)인 해야 합니다. 또한 법정대리인이나 변호사에 의한 고소대리의 경우에는 제출인을 기재하여야 합니다.

○○지방검찰청 귀중

※ 고소장은 가까운 경찰서에 제출하셔도 되며, 경찰서 제출시에는 '○○경찰서 귀중'으로 작성하시기 바랍니다.

별지 : 증거자료 세부 목록

(범죄사실 입증을 위해 제출하려는 증거에 대하여 아래 각 증거별로 해당 난을 구체적으로 작성해 주시기 바랍니다)

1. 인적증거 (목격자, 기타 참고인 등)

<table>
<tr><td>성 명</td><td></td><td>주민등록번호</td><td colspan="3">-</td></tr>
<tr><td>주 소</td><td colspan="3">자택 :
직장 :</td><td>직업</td><td></td></tr>
<tr><td>전 화</td><td colspan="5">(휴대폰) (자택) (사무실)</td></tr>
<tr><td>입증하려는 내용</td><td colspan="5"></td></tr>
</table>

※ 참고인의 인적사항과 연락처를 정확히 알 수 없으면 참고인을 특정할 수 있도록 성별, 외모 등을 '입증하려는 내용'란에 아는 대로 기재하시기 바랍니다.

2. 증거서류 (진술서, 차용증, 각서, 금융거래내역서, 진단서 등)

순번	증거	작성자	제출 유무
1			□ 접수시 제출 □ 수사 중 제출
2			□ 접수시 제출 □ 수사 중 제출
3			□ 접수시 제출 □ 수사 중 제출
4			□ 접수시 제출 □ 수사 중 제출
5			□ 접수시 제출 □ 수사 중 제출

※ 증거란에 각 증거서류를 개별적으로 기재하고, 제출 유무란에는 고소장 접수시 제출하는지 또는 수사 중 제출할 예정인지 표시하시기 바랍니다.

3. 증거물

순번	증거	소유자	제출 유무
1			□ 접수시 제출 □ 수사 중 제출
2			□ 접수시 제출 □ 수사 중 제출
3			□ 접수시 제출 □ 수사 중 제출
4			□ 접수시 제출 □ 수사 중 제출
5			□ 접수시 제출 □ 수사 중 제출

※ 증거란에 각 증거물을 개별적으로 기재하고, 소유자란에는 고소장 제출시 누가 소유하고 있는지, 제출 유무란에는 고소장 접수시 제출하는지 또는 수사 중 제출할 예정인지 표시하시기 바랍니다.

4. 기타 증거

[체 포 영 장]

집행지휘

체 포 영 장

【통상】 창원지방법원

영 장 번 호	2009-	죄 명	근로기준법위반
피 의 자	성 명 김	직 업	
	주민등록번호	국 적	한국
	주 거 마산시		
청 구 한 검 사		청 구 일 자	2009. 12. 7. 20:20
변 호 인		유 효 기 간	2013 . 7 . 14 . 까지
범죄사실의요지	별지 기재와 같다.	인치할 장소	부산지방노동청창원지청또는체포지인근경찰서
구 금 할 장 소	창원중부경찰서 유치장		
☑피의자는 정당한 이유 없이 수사기관의 출석요구에 응하지 아니하였다. □피의자는 정당한 이유 없이 수사기관의 출석요구에 응하지 아니할 우려가 있다. □피의자는 일정한 주거가 없다. (다액 50만원 이하의 벌금, 구류 또는 과료에 해당하는 사건)		피의자가 별지 기재와 같은 죄를 범하였다고 의심할 만한 상당한 이유가 있고, 체포의 사유 및 체포의 필요가 있으므로, 피의자를 체포한다. 유효기간이 경과하면 체포에 착수할 수 없고, 유효기간이 경과한 경우 또는 유효기간 내라도 체포의 필요가 없어진 경우에는 영장을 반환하여야 한다. 2009. 12. 7. 판 사	
체 포 일 시		체 포 장 소	
인 치 일 시		인 치 장 소	
구 금 일 시		구 금 장 소	
집행불능사유			
처리자의소속 관서·관직		처 리 자 기 명 날 인	

주 : 주민등록번호(외국인은 외국인등록번호, 위 번호들이 없거나 알 수 없는 때에는 생년월일 및 성별)

범 죄 사 실

피의자는 2007. 4. 12. 창원지방법원에서 폭력행위등(집단·흉기 등 상해)죄로 징역1년6월, 집행유예3년 형을 선고받고 현재 집행유예기간 중에 있다

가. 피의자는 술을먹은 상태로 피해자 가 운행하는 경남 개인택시에 창원시 상남동에서 손님으로 승차하여 진해시 행암동으로 가던중 2009. 12. 3. 06:25경 진해시 풍호동 소재 한화 화학(주) 앞 신호대에서 좌회전 신호를 받기 위해 정차중 갑자기 목적지인 '진해가 아니다'라고 하며 주먹으로 피해자의 머리를 수회 때리고, 넥타이를 잡아당겨 목을 조우는 등 폭행하고, 조수석 뒤 문짝을 수회 힘껏 열고 닫고 발로차 파손하여 시가 47,330원 상당의 재물을 손괴하는 것을 피해자가 112신고를 하자 신고를 한다는 이유로 재차 주먹으로 머리를 수회 폭행하였다.

나. 위 '가'항과 같이 폭행당한 피해자가 신고를 하기 위해 피의자를 승차시킨채 2009. 12. 3. 06:40경 진해시 석동 소재 진해경찰서 정문에 와서 당시 정문 입초근무를 하던 피해자전투경찰대원 22세에게 위와 같은 폭행사실을 이야기하여 가 형사 당직으로 안내중 진해경찰서 본관 정문에 이르러 피의자가 '가'항의 피해자 게 '호로새끼, 개쌔끼 ,씹할놈' 등 욕설을 하며 에게 달려드는 것을 제지하자 에게 '이린놈이 니는 뭐냐'고 하며 손으로 밀치고, 당직 형사실로 안내를 하기 위해 피의자에게 '이리 들어오십시요'라고 하자 '니 내보고 오라'고 했나고 하며 의 멱살을 잡아 흔들고 멱살을 잡은채 본관내 있는 형사2팀 사무실까지 끌고가고, 당직팀인 형사1팀 사무실에서 2회에 걸처 의 멱살을 잡고 밀처 바닥에 넘어지게 하는 등 폭행하고, 당직 형사 등이 피의자를 제지하며 공무집행방해 혐의로 현행범인체포를 할려고 하자 '개쌔끼 씹새끼들 씨발놈들 가만두지 않겠다 내가 교도소 생활을 10년이나 했다. 밤길

[구속영장]

구 속 영 장

집행지휘

【체포된 피의자용】 창원지방법원

영 장 번 호	2009-	죄 명	공무집행방해 등
피 의 자 / 성 명	김	직 업	무직
피 의 자 / 주민등록번호		국 적	한국
피 의 자 / 주 거	진해시 소재 모친의 집(주소: 대구		
청 구 한 검 사		변 호 인	변호사
체 포 된 형 식	체포된피의자(현행범인)	체 포 일 시	2009. 12. 3. 06:50
청구서접수일시	2009. 12. 4. 18:10	기록반환일시	2009 . 12 . 5 . 17 : 30
심 문 여 부	☑심문(2009 . 12 . 5 . 15:00) □심문하지 아니함.		
범죄사실의요지	별지 기재와 같다.	유 효 기 간	2009 . 12 . 12. 까지
구 금 할 장 소	창원중부경찰서 유치장		

□피의자는 일정한 주거가 없다.
□피의자는 증거를 인멸할 염려가 있다.
【 】
□피의자는 도망하였다.
☑피의자는 도망할 염려가 있다.
【 】
□피의자는 소년으로서 구속하여야 할 부득이한 사유가 있다.

피의자가 별지 기재와 같은 죄를 범하였다고 의심할 만한 상당한 이유가 있고, 구속의 사유가 있으므로, 피의자를 구금한다.
유효기간이 경과하면 집행에 착수하지 못하며 영장을 반환하여야 한다.

2009. 12. 5.

판 사

집 행 일 시	2009. 12. 6 . 13 40	집 행 장 소	창원중부경찰서 유치장
구 금 일 시	200 . . . :	구 금 장 소	창원중부경찰서 유치장
집행불능사유			
처리자의소속 관 서 · 관 직	창원중부경찰서 유치장 경사	처 리 자 기 명 날 인	

주 : 1. 주민등록번호(외국인은 외국인등록번호, 위 번호들이 없거나 알 수 없는 때에는 생년월일 및 성별)
2. 청구일시와 반환일시는 피의자심문을 한 경우에만 기재하고 법원사무관등이 날인한다.

범 죄 사 실

피의자는 2007. 4. 12. 창원지방법원에서 폭력행위등(집단·흉기 등 상해)죄로 징역1년6월, 집행유예3년 형을 선고받고 현재 집행유예기간 중에 있다

가. 피의자는 술을먹은 상태로 피해자 가 운행하는 경남 개인택시에 창원시 상남동에서 손님으로 승차하여 진해시 행암동으로 가던중 2009. 12. 3. 06:25경 진해시 풍호동 소재 한화화학(주) 앞 신호대에서 좌회전 신호를 받기 위해 정차중 갑자기 목적지인 '진해가 아니다'라고 하며 주먹으로 피해자의 머리를 수회 때리고, 넥타이를 잡아당겨 목을 조우는 등 폭행하고, 조수석 뒤 문짝을 수회 힘껏 열고 닫고 발로차 파손하여 시가 47,330원 상당의 재물을 손괴하는 것을 피해자가 112신고를 하자 신고를 한다는 이유로 재차 주먹으로 머리를 수회 폭행하였다.

나. 위 '가'항과 같이 폭행당한 피해자가 신고를 하기 위해 피의자를 승차시킨채 2009. 12. 3. 06:40경 진해시 석동 소재 진해경찰서 정문에 와서 당시 정문 입초근무를 하던 피해자전투경찰대원 22세에게 위와 같은 폭행사실을 이야기하여 가 형사 당직으로 안내중 진해경찰서 본관 정문에 이르러 피의자가 '가'항의 피해자 게 '호로새끼, 개쌔끼 ,씹할놈' 등 욕설을 하며 에게 달려드는 것을 제지하자 에게 '어린놈이 니는 뭐냐'고 하며 손으로 밀치고, 당직 형사실로 안내를 하기 위해 피의자에게 '이리 들어오십시요'라고 하자 '니 내보고 오라'고 했나고 하며 의 멱살을 잡아 흔들고 멱살을 잡은채 본관내 있는 형사2팀 사무실까지 끌고가고, 당직팀인 형사1팀 사무실에서 2회에 걸쳐 의 멱살을 잡고 밀처 바닥에 넘어지게 하는 등 폭행하고, 당직 형사 등이 피의자를 제지하며 공무집행방해 혐의로 현행범인체포를 할려고 하자 '개쌔끼 씹새끼들 씨발놈들 가만두지 않겠다 내가 교도소 생활을 10년이나 했다. 밤길

조심해라'는 등의 욕설과 협박을 하며 약50분간 소란을 피웠다.
이로써 피의자는 전투경찰대원의 경찰서 정문 입초 근무(출입자 확인, 민원 안내 등)의 업무 및 위험발생 방지 및 범죄의 예방과제지에 관한 정당한 직무집행을 방해하였다.

[압수수색검증영장]

압 수 수 색 검 증 영 장

【금융계좌 추적용】 창원지방법원

영 장 번 호	2009-		죄 명	마약류관리에관한법률위반(향정) 등	
피 의 자	성 명	성	직 업	불상	
	주민등록번호				
	주 거	불상(주소:경남 창녕군)			
청 구 한 검 사			변 호 인		
압수, 수색, 검증을 요 하 는 사 유	별지 기재와 같다.		유효기간	200 9. 12. 16. 까지	
대상계좌	명의인의 인적사항	□피의자 본인 ■제3자(인적사항은 별지와 같음).			
	개설은행 · 계좌번호	별지 기재와 같다.			
	거래기간	별지 기재와 같다.			
	법적근거	형사소송법 제215조, 금융실명거래및비밀보장에관한 법률 제4조 제1항			
	사용목적	위 사건 범죄 수사를 위하여			
	거래정보 등의 내용	별지 기재와 같다.			
압수, 수색, 검증할 장 소, 물 건 등	별지 기재와 같다.				
일 부 기 각 및 기 각 의 취 지	□대상계좌 □물 건 □장 소 □기 타 ( )				

위 사건의 범죄수사에 필요하므로, 위와 같이 압수, 수색, 검증을 한다.
유효기간을 경과하면 집행에 착수하지 못하며, 영장을 반환하여야 한다.

200 9. 12. 9.

판 사

집 행 일 시		200 . . . :	집 행 장 소	
통 보 유 예	유예기간			
	유예사유			
집행불능사유				
처리자의소속 관 서 · 관 직			처 리 자 기 명 날 인	

주: 1. 계좌명의인이 제3자인 경우에는, 별지에 그 성명과 주민등록번호, 주소 등을 특정하여 기재하고, 피의자와의 관계를 간략히 표시한다. 2. 일부기각의 경우에는 해당란에 "∨"표시를 한다.

□ 거래기간 및 거래정보 등의 내용

1. 거래기간 : 2009. 7. 1. ~2009. 9. 30.까지
2. 거래정보등의 내용 및 압수할물건
   - 위 대상계좌의 고객정보조회표 및 은행거래신청서

□ 압수,수색,검증할 장소 또는 물건

- 위 대상 계좌의 개설지점 및 은행본점 전산부

□ 범죄사실 및 압수수색검증영장을 필요로 하는 사유

피의자는 직업 불상으로, 2007. 7. 11.자 서울중앙지방법원에서 마약류관리에 관한법률위반(향정)으로 징역2년 몰수 추징의 선고를 받은 것을 비롯하여 동종 전력 6회 포함 범죄전력 모두 14회 있는 사람으로서,

마약류(향정) 취급자가 아니면서,

2009. 8. 하순 시간불상경 경남 창녕군 창녕읍 말흘리 이하불상지에서, 흰종이에 싸여진 메스암페타민(일명 필로폰) 약 0.03그램을 사건외 (만 48세)에게 무상으로 교부한 것으로,

필로폰 투약 혐의로 긴급체포된 사건외 (만 48세)상대 공급책에 대하여 추궁한바, 중국에 있는 피의자 로 부터 국내 필로폰 판매책인 (만 33세)를 통하여 무상으로 교부 받았다고 진술하며, 창원지방검찰청에서 검거한 는 국내의 불상자들이 가 관리하는 2개의 계좌(명의의 국민은행 계좌, 명의의 기업은행 계좌)로 돈을 송금하여 필로폰을 구입 한다고 하여 2개의 계좌로 입금한 국민은행 등 49개의 계좌에 대한 고객정보조회표 및 은행거래신청서 조회하여 범증 구증코자 압수수색검증영장(금융계좌추적용)을 신청코자 함.

[공소장]

검찰
PROSECUTORS' OFFICE

창원지방검찰청

2009. 9. 30.

사건번호 2009년 형제

수 신 자 창원지방법원

제 목 **공소장**

검사 은 아래와 같이 공소를 제기합니다.

I. 피고인 관련사항

피 고 인 조 . 47세

직 업 식품가공업, 010-

주 거 경남 마산시

(주민등록상 주소 :

등록기준지 경남 의령군

죄 명 근로기준법위반

적용법조 구 근로기준법(법률 제9038호) 제109조 제1항, 제36조, 형법 제37조, 제38조.

구속여부 불구속

변 호 인 없음

II. 공소사실

피고인은 마산시 ~~이라는~~ 상호로 상시근로자 13명을 사용하여 식품가공업을 하는 사업주이다.

피고인은 2007. 10. 8.부터 2009. 5. 15.까지 위 회사에 근무한 의 임금 및 퇴직금 합계 4,101,590원을 비롯하여 별지 개인별 미불금품 내역에 기재된 것과 같이 위 회사 근로자이던 등 13명의 임금 및 퇴직금 합계 121,882,874원을 각각 당사자간 지급기일 연장에 관한 합의 없이 그 지급사유가 발생한 때로부터 14일 이내에 지급하지 아니하였다.

검사 (인)

이 중 '고소'란 범죄의 피해자나 그와 일정한 관계가 있는 고소권자가 수사기관에 범죄사실을 신고하여 처벌을 해달라고 요구하는 것을 말한다. 「형사소송법」상 고소를 할 수 있는 고소권자는 피해자제223조, 피해자의 법정대리인제225조 제1항, 피해자의 배우자나 친족제225조 제2항, 지정고소권자제228조 등이 있다. 이에 대해 '고발'은 고소권자와 범인 이외의 사람이 수사기관에 대해 범죄를 신고하고 그 처벌을 구하는 것을 말한다. 이러한 고소 또는 고발은 서면 또는 구술口述로 검사 또는 사법경찰관에게 하여야 한다제237조 제1항.

수사기관이 수사를 하는 방식은 크게 임의수사任意搜査와 강제수사强制搜査로 나뉜다. 임의수사는 강제력을 행사하지 않고 상대방의 동의나 승낙을 받아서 하는 수사를 말한다. 여기에는 피의자신문被疑者訊問, 피의자 이외의 자의 조사 및 사실조회가 있다. 이에 대해 강제수사는 체포逮捕와 구속拘束 등 강제력을 동원한 수사를 말한다. 피의자 즉, 범죄의 혐의를 받아 수사기관에 의해 수사의 대상이 된 자로서 아직 공소가 제기되지 아니한 자가 죄를 범하였다고 의심할 만한 상당한 이유가 있고, 정당한 이유 없이 수사기관의 출석요구에 응하지 아니하거나 응하지 아니할 우려가 있는 경우에는 검사는 관할 지방법원판사에게 청구하여 체포영장을 발부받아 피의자를 체포할 수 있다「형사소송법」 제200조의2 제1항 본문.

반면에 중대한 죄를 범하였다고 의심할 만한 상당한 이유가 있고 피의자가 증거를 인멸할 염려가 있거나, 도망하거나 도망할 우려가 있음에도 긴급을 요하여 지방법원판사의 체포영장을 받을 수 없는 때에는 그 사유를 알리고 영장 없이 피의자를 체포할 수 있다같은 법 제200조의3 제1항 전단. 이에 대해 현행범인은 누구든지 영장 없이 체포할 수 있다같은 법 제212조.

한편 피의자나 피고인이 죄를 범하였다고 의심할 만한 상당한 이유가 있고, 구속의 사유 즉 첫째, 일정한 주거가 없는 때 둘째, 증거를 인멸할 염려가 있는 때 셋째, 도망하거나 도망할 염려가 있는 때에는 피의자나 피고인을 구속할 수 있다같은 법 제70조, 제201조. 피의자란 수사기관에 의하여 범죄의 혐의를 받고 있는 자를 말하는데 대해 피고인이란 검사에 의하여 공소公訴가 제기된 자를 말한다. 검사는 범죄수사에 필요한 때에는 지방법원판사에게 청구하여 발부받은 영장에 의하여 증거물 등에 대해 압수押收, 수색搜索 또는 검증檢證을 할 수 있다같은 법 제215조 제1항.

「형사소송법」은 구속영장의 발부절차에 있어서 영장실질제도를 도입하여 구속영장을 청구받은 판사가 지체 없이 피의자를 심문하고 구속사유를 판단하도록 하였다제201조의2 제1항. 또한 피고인 또는 피의자 특히 체포 또는 구속된 피고인 또는 피의자는 변호인이나 가족, 친지 등과 접견하고 서류 또는 물건을 수수授受하며 의사의 진료를 받을 권리를 가진다같은 법 제34조.

검사는 수사를 종결하고 공소를 제기하거나, 「형법」 제51조의 사항을 참작하여 공소를 제기하지 아니하는 처분, 즉 불기소처분不起訴處分을 할 수 있다. 불기소처분에는 협의狹義의 불기소처분혐의 없음, 죄가 안 됨, 공소권 없음 및 각하(却下)과 기소유예起訴猶豫 및 기소중지起訴中止가 있다. '혐의 없음'은 피의사실이 인정되지 않거나 증거가 없는 경우 또는 피의사실이 범죄를 구성하지 아니하는 경우에 하는 결정이고, '죄가 안 됨'은 구성요건에는 해당하나 위법성조각사유나 책임조각사유가 있는 경우이다. '공소권 없음'은 소송조건이 없거나 형이 면제되는 경우를 말한다. '각하'는 고소 또는 고발사건에서 고소인 또는 고발인의 진술이나 고소장 또는 고발장 등에 의하여 혐의 없음, 죄가 안 됨, 공소권 없음의 사유에 해당함이 명백한 경우 등에 하는 결정이다.[21]

반면에 검사는 범죄의 혐의가 인정되고 유죄 판결을 받을 수 있다고 판단할 때에는 공소를 제기한다. 여기서 공소公訴란 법원에 대하여 특정한 형사사건의 심판을 요구하는 행위를 말한다. 그런데 우리 「형사소송법」은 검사만이 공소를 제기하고 수행할 권한을 갖는 기소독점주의起訴獨

---

21. 이재상, 신형사소송법, 앞의 책, 328쪽.

[형사소송절차흐름도]

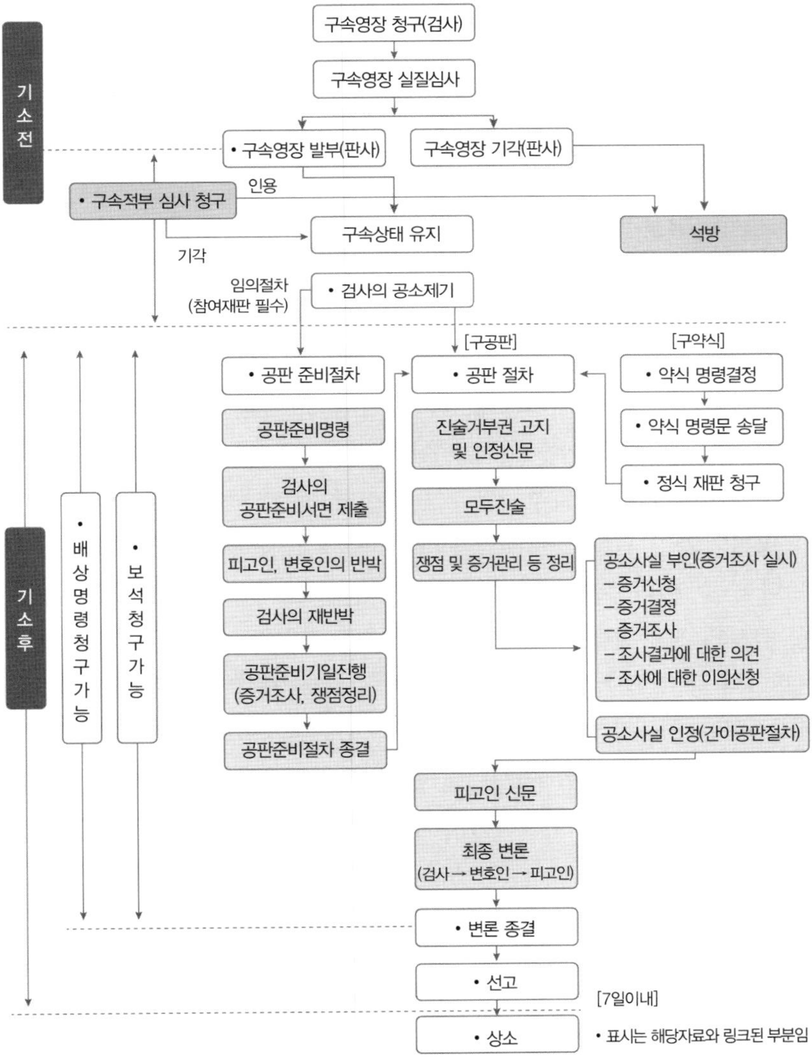

출처: 대법원 홈페이지, 전자민원센터, 형사소송절차흐름도

占主義, 제246조와 검사의 재량에 의한 불기소처분을 인정하는 기소편의주의 起訴便宜主義, 제247조를 택하고 있다.

검사에 의해 공소가 제기되면 법원은 피고사건에 대하여 심리·재판하고 당사자는 변론을 행하게 된다. 이러한 전 과정을 공판公判 또는 공판절차公判節次라고 한다. 「형사소송법」은 법원의 심리를 공판에 집중시켜 공판중심주의公判中心主義를 확립하고 있다. 그런데 형사소송에 있어서 소송의 주도적 지위를 누가 가지는가에 따라 당사자주의當事者主義와 직권주의職權主義로 나눌 수 있다. 당사자주의는 영미의 형사소송구조로서 검사와 피고인이 소송의 당사자로서 공격과 방어를 통해 주도적으로 심리가 진행되며 법원은 심판의 입장에서 판단하는 소송구조이다. 이에 대해 직권주의는 주로 대륙법계 국가들이 취하는 형사소송구조로서 법원이 소송의 주도적 지위를 가지고 있는 소송구조를 말한다. 우리 「형사소송법」은 이러한 당사자주의와 직권주의를 절충한 입장을 취하고 있다.

공판기일의 절차는 모두절차冒頭節次와 사실심리절차 및 판결선고절차로 나눌 수 있다. 모두절차는 진술거부권의 고지에서 시작하여, 인정신문, 검사의 모두진술, 피고인의 모두진술, 재판장의 쟁점정리 및 검사·변호인의 증거 관계 등에 대한 진술의 순서로 진행된다. 이에 대해 사실심리절차는 증거조사와 피고인신문 및 소송관계인의 의견진술변론이라는 세 단계로 구분되며 이것이 공판기일에 있어서 가장 핵심적인 절차이다. 사실심리절차가 종료되면 판결이 선고된다.[22]

2) 민사상 제재

부당한 행위 내지 법질서에 위반한 행위를 한 사람에 대한 민사상 제재는 형사상 제재와 달리 당사자의 권리구제 요청이 있는 경우에만 국가가 개입한다는 특징을 가지고 있다. 즉, 피해를 입은 당사자가 법질서 위반자를 상대로 법원에 소송을 제기하여야 국가라는 공권력이 개입

22. 이재상, 위의 책, 445-446쪽.

하는 것이다. 이러한 민사상 위법행위는 크게 채무불이행과 불법행위로 나누어 볼 수 있다.

(1) 채무불이행

채무불이행債務不履行이란 채무자가 채무의 내용에 좇은 이행을 하지 아니하는 것을 말한다「민법」 제390조. 오늘날에는 채무불이행에는 크게 세 가지 즉, 이행지체履行遲滯, 이행불능履行不能, 불완전이행不完全履行 내지 적극적積極的 채권침해債權侵害로 나누는 것이 일반적이다.

먼저 이행지체란 예를 들어, A가 B의 초상화를 그려주기로 하는 계약을 체결했는데 약속한 기일이 지났음에도 초상화를 그려주지 않는 경우와 같이, 이행이 가능함에도 불구하고 이행기履行期가 지났음에도 아직 이행하지 않는 것을 말한다. 이에 대해 이행불능은 채권의 성립 후에 이행을 할 수 없게 된 경우이다. 예컨대, 계약 체결 후에 목적물인 집이 화재로 전부 소실된 경우가 이에 해당한다. 반면에 불완전이행이란 채무자가 채무의 이행으로서 급부給付를 하였으나 하자가 있는 경우를 말한다. 이러한 불완전이행에는 이행방법이 불완전한 경우라든가 또는 급부할 때에 필요한 주의의무를 다하지 못한 경우 등 여러 가지가 있으나 특히 중요한 것은 급부에 의하여 오히려 채권자에게 손해를 준 경우이다.[23] 예를 들어, 피아노를 운반하면서 바닥에 깔려 있던 고급 양탄자를 손상시킨 경우가 여기에 해당한다. 이러한 채무불이행의 경우에 이행강제권履行强制權과 손해배상청구권이 인정되기 위해서는 채무가 이행되지 않고 있다는 사실 이외에 채무자의 고의나 과실 등과 같은 책임 있는 사유가 있어야 하며, 채무불이행이 위법하여야 한다.

한편 채무불이행이 있는 경우 채권자는 국가권력을 통해 채권을 실현할 수 있는데, 이를 '강제이행'이라고 한다. 이러한 강제이행에는 크게 직접강제直接强制, 대체집행代替執行 및 간접강제間接强制가 있다. 먼저 직접강

23. 곽윤직, 채권총론, 박영사, 2002, 77쪽.

제는 국가가 실력행사를 통해 채권의 내용을 실현하는 경우로서, 채무자의 재산을 경매를 통해 매각한 뒤에 이를 채권자에게 배당하는 경우가 이에 해당한다. 이러한 직접강제는 '주는 채무'에 대해서만 가능하고 '하는 채무'에 대해서는 허용되지 아니한다「민법」 제389조 제1항 참조. 이에 대해 대체집행은 채무자로부터 비용을 징수하여 그 비용으로 채무자에 갈음하여 채권을 실현하게 하는 것이다. 예컨대, 건축물을 철거하지 아니하는 경우에 채무자로부터 비용을 징수하여 제3자에게 인건비를 지급하고 건축물을 철거하는 경우가 이에 해당한다. 이러한 대체집행은 채무자의 행위를 목적으로 하는 채권 중에서 제3자가 채무자를 대신하여 채무를 이행하더라도 채권의 목적을 달성하는데 지장이 없는 이른바 '대체적代替的' 급부에 적당하다. 한편 간접강제는 금전의 지급을 명하거나 벌금罰金을 부과하는 등 채무자를 심리적으로 압박하여 채권을 이행하도록 하는 것을 말한다. 초상화를 그려주기로 한 채무를 이행하지 아니하는 경우에 지체된 기간에 상응한 지연배상금遲延賠償金의 지급을 명함으로써 채무자를 압박하는 경우가 이에 해당한다.

이러한 강제이행 수단은 직접강제 · 대체집행 및 간접강제의 순서로 이용되며, 그럼에도 불구하고 강제이행이 되지 아니하는 경우에는 결국 손해배상에 의하게 된다「민법」 제390조. 손해배상의 방법으로는 금전배상주의와 원상회복주의가 있는데, 「민법」은 "다른 의사표시가 없으면 손해는 금전으로 배상한다"고 하여 금전배상주의를 원칙으로 하고 있다.

(2) 불법행위

불법행위에 관하여 「민법」 제750조는 "고의 또는 과실로 인한 위법행위로 타인에게 손해를 가한 자는 그 손해를 배상할 책임이 있다"고 규정하고 있다. 예를 들어, 자동차를 운전하는 자가 과실로 지나가는 행인을 차로 치어 다치게 한 경우가 이에 해당한다. 이러한 불법행위가 성립하기 위해서는 크게 가해자에게 고의나 과실이 있을 것, 가해자가 책임능력이 있을 것, 가해행위가 위법할 것, 가해행위에 의해 손해가 발생했을 것 등의 요건이 필요하다.

이러한 일반적 불법행위 이외에 「민법」은 다시 특수한 불법행위들을 규정하고 있다. 대표적인 것으로는 책임무능력자의 감독자의 책임제755조, 사용자의 책임제756조, 공작물工作物 등의 점유자 및 소유자의 책임제758조, 동물動物 점유자의 책임제759조 등이 있으며 자신의 고의 또는 과실에 의한 행위에 의하지 않고 발생한 손해에 대하여도 책임이 인정되는 경우가 있다.

이러한 불법행위의 요건이 충족되면 가해자는 피해자에게 손해를 배상하여야 할 책임이 발생한다. 이 경우 손해배상의 방법은 채무불이행과 마찬가지로 원상회복주의와 금전배상주의가 있으나, 「민법」은 금전배상주의를 원칙으로 하고 있다제394조. 따라서 재산적 손해뿐만 아니라 정신적 손해의 배상 즉, 위자료도 금전으로 하게 된다.

제4절 | 국 가

I 서 설

우리는 대한민국이라는 국가 내에서 살고 있다. 물론 재외국민과 같이 외국에서 살고 있는 사람도 있으나 이들 역시 대한민국의 국민임에는 변함이 없다. 그런데 우리는 종교나 도덕과 같은 다른 사회규범과 달리 법을 생각하면 국가를 떠올리는 것이 일반적이다. 왜냐하면 법은 국가에 의해 강제되는 규범이기 때문이다. 이처럼 법은 국가와 밀접한 관계에 있다. 따라서 국가는 법학의 여러 분야들, 특히 헌법과 행정법을 비롯한 공법에서는 중요한 법적 주체인 것이다. 헌법적으로 보면 국가는 국민과의 관계에서 기본권을 침해하기도 하고 기본권을 보장하기도 한다. 「형법」상으로는 범죄자에 대한 유일한 형벌권의 주체로서 「형사소송법」이 정한 절차에 따라 형벌을 부과한다.

"국가는 과연 무엇인가"라는 물음 역시 법철학을 비롯한 법학의 여러 분야에서 빼놓을 수 없는 중요한 문제이다. 국가는 여러 가지 측면에서 설명될 수 있고, 또한 여러 학문분야의 관심대상이기도 하다. 정치적, 사회적, 문화적, 법적 측면 등에서 다양하게 접근되고 연구되는 것이 국가이다. 법학적 측면에서는 "국가란 무엇인가", "법과 국가의 관계는 어떠한가", "국가는 어떠한 요소로 이루어져 있는가" 등과 같은 문제들이 논의되고 있다. 특히 국가는 법과의 관련 하에 이해되어야 하는 것이다.

Ⅱ 국가의 의의

일반적으로 학자들은 국가가 무엇인가를 정의하기 보다는 그 개념적 특징을 통해 국가를 설명한다. 예컨대, 켈젠은 "국가를 정치적 단체political organization로 규정하는 것이 일반적"이라고 하면서, "정치적이라는 것은 법질서에 의해 규율되는 인간에 대한 강제"로 이루어지므로, "국가는 비교적 중앙집권화된centralized 법질서"라고 하였다.[24] 그는 또한 이러한 중앙집권화가 원시시대인 국가이전의 질서 및 일반적인 국제법의 초국가적 질서와 법질서로서의 국가를 구별하는 기준이라고 한다.[25]

아무튼 국가는 종래의 이론에 의하면 영토, 국민 및 권력power이라는 세 가지 요소들로 구성된다.[26] 결국 국가란 영토, 국민 및 권력을 본질적 요소로 하는 단체라고 할 수 있다. 이들 요소 중에서 먼저 영토란 일

24. Hans Kelsen, Pure Theory of Law 286 (Max Knight trans., University of California Press, 1967).
25. Kelsen, 위의 책, 286쪽.
26. Hans Kelsen, General Theory of Law and State 207 (Harvard University Press, 1949).

정 범위의 지표면地表面을 차지하는 지역적 공간을 말한다. 이에 대해 국민이란 그 영토에 항구적으로 정주定住하는 주민을 말하는데, 항구적인 주민인지의 여부는 국적國籍에 의하여 정해진다. 그리고 국가권력은 주민과 영토에 대한 무한한 지배력을 말한다. 이러한 국가권력은 자국민에 대해서는 오로지 해당 국가의 권력만이 지배력을 가진다는 의미로서의 대인고권對人高權과 그 국가의 영토 내에 있는 사람이면 내 · 외국인을 불문하고 배타적인 지배력을 행사한다는 의미에서의 영토고권領土高權을 그 내용으로 한다.

Ⅲ 국가의 기원

국가가 어떻게 성립되었는가의 문제, 즉 국가의 기원起源에 관하여는 다양한 견해가 제시되어 왔다. 신의설神意說은 국가가 신에 의해 창조된 것이라고 하며, 정복설征服說 내지 실력설은 실력에 의한 정복으로 지배·복종관계가 성립된 것이 국가라고 한다. 이에 대해 가족이 씨족으로, 씨족이 다시 부족으로 확대되고 그것이 결국 국가가 되었다고 보는 가족설家族說도 있으며, 계급국가설階級國家說은 경제적 지배계급이 피지배계급을 착취하기 위한 수단이 국가라고 한다.

반면에 로크John Loke, 1362-1704는 생명, 자유 및 재산과 같은 권리들을 혼란과 무질서로부터 보호하기 위하여 사회 구성원들 상호 간에 사회를 만들기로 합의함으로써 일종의 계약을 체결하였다고 본다. 그는 또한 」홉스Thomas Hobbs, 1588-1679와 달리 절대군주를 부정하고 제한된 권한만을 가진 정부를 옹호하였다. 이에 대해 루소Jean Jacques Rousseau, 1712-1778는 시민사회에서 개인은 다른 개인에게 복종하는 것이 아니며, 오로지 총의總意, 즉 그 사회의 의사에만 구속된다고 하였다. 루소에게 있어서 주권sovereignty은 총의의 행사를 의미하며, 국가가 사회계약을 통해 형성되면 총의는 모든 국민의 만장일치로 표현되지만, 그러한 총의는 다수결에 따라 구체화된다고 하였다.

Ⅳ 국가의 형태

국가는 여러 가지 기준에 따라 다양하게 분류될 수 있다. 다만 오늘날에는 크게 군주국과 공화국으로 나누는 것이 일반적이다. 국주국은 세습적, 종신적인 군주에 의해 지배되는 국가를 말하며, 공화국은 주권 내지 통치권의 주체가 국민이고 국가원수로서의 군주가 없는 국가를 말한다. 우리 헌법은 제1조 제1항에서 “대한민국은 민주공화국이다”라고 선언하고 있다. 따라서 우리나라의 국호는 대한민국이고, 국가형태는 공화국이며 공화국의 정치적 내용이 민주주의적으로 형성될 것을 요구하고 있다. 이는 대한민국이 군주가 존재하지 아니하는 공화국이며, 자유민주국가 내지 반독재국가임을 선언한 것이다.

Ⅴ 국가의 법적 지위

국가는 단순한 국민들의 집합체는 아니며, 그 자체로서 독립된 목적을 가지고 행동하며 권리와 의무의 주체 즉, 권리능력을 보유하고 있다. 국제법상으로도 국가는 다른 국가와 조약을 통해 권리를 가지고 의무를 부담하게 된다. 따라서 국가는 법인격을 가진 법인이다.

우리 헌법 제58조는 “국채國債를 모집하거나 예산豫算외에 국가의 부담이 될 계약을 체결하려 할 때에는 정부는 미리 국회의 의결을 얻어야 한다”고 규정하고 있다. 여기서 국채란 국가가 부담하는 채무를 말하므로 이는 의무에 속한다. 국가가 그러한 의무를 부담할 수 있으려면 이른바 권리능력자이어야 한다. 한편 「국가를 당사자로 하는 계약에 관한 법률」은 국가가 계약의 당사자로 되는 경우에 관한 기본적인 사항을 규정하고 있다.

또한 국가는 형벌권의 주체로서 범죄인에게 형벌을 부과한다. 행정법상으로도 국가는 권리와 의무의 귀속주체인 행정주체가 된다. 반면에 국민은 국가를 상대로 소송을 제기할 수 있으며, 「국가를 당사자로 하는 소송에 관한 법률」은 제2조에서 "국가를 당사자 또는 참가인으로 하는 소송이하 '국가소송'이라 한다에서는 법무부장관이 국가를 대표한다"고 규정하고 있다.

제 8 장

법을 어떻게 공부할 것인가

제8장

법을 어떻게 공부할 것인가

제1절 | 법과 논리

I 서 설

흔히들 법학은 논리의 학문이라고 한다. 법은 일정한 목적을 가진 규범의 체계들로 이루어져 있다. 얼핏 보기에는 방대하고 무관한 것처럼 보이는 규범들 간에는 논리적인 연관성이 있으며, 법을 올바르게 해석하고 적용하기 위해서는 논리적인 사고가 필요하다. 따라서 법을 해석하는데 필요한 논리적 사유, 즉 추론reasoning은 법원리나 원칙에 근거해야 한다는 것을 의미하는 것이기도 하다.

일반적으로 소송의 양 당사자들, 즉 원고와 피고 사이에 다툼이 있는 사실들이 법원에 의해 확정되고 나면, 논리적 연역logical deduction의 과정을 거친 뒤에 그 사실에 특정한 법원칙이 적용되게 된다. 그런데 어떤 사실에 적용될 법원칙이 항상 명확한 것은 아니어서 경우에 따라서는 그 원칙을 이루는 단어들이나 불확정 개념들을 해석할 필요가 있게 된다. 예를 들어, '음란淫亂'과 같은 불확정 개념의 의미를 확정하는 것이 필요하게 된다. 또한 법관과 같이 법을 해석하는 사람의 입장에서 볼 때에도 어떤 법원칙이 항상 명확한 것은 아니어서 법조문이나 이전의 판례 등의 연역적인 추론을 통해 법원칙을 확정할 필요가 생기기도 한다.

아울러 법원이 발견한 사실이 현재 사건의 문리적 의미에 맞지 않아서 유추와 같은 논리적 해석이 필요한 경우도 있다. 따라서 법을 해석하기 위해서는 연역, 귀납 및 추론과 같은 분석적 추론analytical reasoning이 필요하게 된다.

Ⅱ 법과 논리

법적 논쟁의 가장 단순한 형태는 삼단논법syllogism을 이용한 추론이라고 할 수 있다. 흔히 예로 드는 아리스토텔레스의 삼단논법을 살펴보면 다음과 같다.[1]

> 모든 생물들organisms은 죽는다.
> 인간은 생물이다.
> 인간은 죽는다.

위의 삼단논법의 예에서 볼 수 있듯이 첫번째 문장은 대전제major premise를 나타내고, 두 번째 문장은 소전제minor premise를 제시하고 있다. 그리고 세 번째 문장은 결론을 도출하고 있다. 이러한 삼단논법은 형식논리적 측면에서 볼 때 타당한 논리구조를 갖추고 있다. 따라서 위의 사례에서 대전제와 소전제가 타당한지의 여부와 관계없이 형식적으로 볼 때 마지막 문장의 결론은 대전제와 소전제로부터 필연적으로 도출되는 결론이다.[2]

법의 분야에서도 마찬가지로 이러한 단순한 삼단논법을 통한 추론

1. Edgar Bodenheimer, Jurisprudence: The Philosophy and Method of the Law 386 (2nd. ed. Harvard University Press, 1974).
2. Bodenheimer, 위의 책, 387쪽.

이 법적인 문제를 해결해 주는 경우가 많다. 예를 들어, A가 B 모르게 B의 사무실에서 둘만 있을 때 주고받은 A와 B의 대화를 녹음하였다고 가정해 보자. 법원은 먼저 A가 B의 허락을 받지 아니하고 대화를 녹음하였다는 사실관계를 확정하게 된다. 이어서 이러한 사실을 법원칙에 적용하는 법적 추론의 과정을 거치게 된다. 이 사안에서는 "누구든지 공개되지 아니한 타인간의 대화를 녹음하거나 전자장치 또는 기계적 수단을 이용하여 청취할 수 없다"는 「통신비밀보호법」 제14조 제1항이 대전제가 된다. 이어서 A가 B의 허락을 받지 아니하고 공개되지 아니한 둘만의 대화를 녹음하였다는 사실이 소전제가 된다. 따라서 법원이 A와 B의 대화에 있어서 A는 '타인'이 아니라는 해석을 하게 되면, A의 행위는 「통신비밀보호법」이 금지하는 '공개되지 아니한 타인간의 대화를 녹음'한 경우에 해당되지 아니한다는 결론이 도출되게 된다.

위에서 살펴본 간단한 사례에서 알 수 있듯이 법학에 있어서 논리적인 사고력은 매우 중요하다. 따라서 법을 효과적으로 공부하기 위해서는 논리적으로 사고하려는 자세를 가지는 것이 중요하다고 하겠다.

제2절 I 법과 문장

I 서 설

우리가 법을 공부하기 위해서는 법서와 법전을 읽어야 한다. 법학지식을 습득하는 가장 중요한 방법이 바로 글을 읽는 것이기 때문이다. 그런데 부끄럽게도 우리의 법률 문장에는 여러 가지 문제들이 있다. 예를 들어, 우리 헌법 제1조 제2항은 "대한민국의 주권은 국민에게 있고, 모든 권력은 국민으로부터 나온다"고 규정하고 있다. 이는 제대로 된 문

장일까? 이수열 선생님의 다음의 글을 읽어보자.[3]

전통문화의 계승, 민족문화의 창달[제9조], 국군의 외국에의 파견 또는 외국 군대의 대한민국 영역 안에서의 주류[제60조②] 같은 표현은 일어를 철저히 흉내낸 기형문이고, 모든 권력은 국민으로부터 나온다[제1조②], 모든 국민은 인간다운 생활을 할 권리를 가진다[제34조①], 국가는 재해를 예방하고 그 위험으로부터 국민을 보호하기 위하여 노력하여야 한다.[제34조⑥], 국민의 보통 · 평등 · 직접 · 비밀선거에 의하여 선출된 국회의원[제41조①], 헌법 또는 법률[제49조], 대통령으로 선거될 수 있는 자[제67조④]를 비롯한 숱한 기형문장은 지극히 치졸한 영어 번역투고, 모든 국민은 인간으로서의 존엄과 가치를 가지며 행복을 추구할 권리를 가진다[제10조], 모든 국민은 직업 선택의 자유를 가진다[제15조]와 같은 문장은 일어투와 영어투를 짜맞춘 졸문이며, 전문에 있는 '평화적 통일'과 제60조①에 있는 국민에게 중대한 '재정적 부담'을 지우는 조약 따위 표현은 '적的'을 여러 가지 문장성분의 접미사로 쓰는 중국어투다. … 제13조③에 있는 '불이익한 처분', 제90조, 92조, 93조에 있는 '자문회의'들과 제127조③에 있는 '자문기구', 제32조⑥에 있는 '기회를 부여받는다'는 한자어의 구조와 뜻을 전혀 모르는 표현이다.

위에서 예로 든 헌법 제1조 제2항의 "… 국민으로부터 나온다"는 영어단어인 'from'을 번역한 영어투 문장이다. 우리의 법조문에 어려운 한자말이 가득할 뿐만 아니라 다른 나라말의 어투를 사용하고 우리의 어법에 맞지 않는 문장이 많다는 점은 매우 부끄러운 일이다. 위에서 지적한 오류들은 다음과 같이 바로잡을 수 있다.[4]

---

3. 이수열, 우리가 정말 알아야 할 대한민국 헌법, 현암사, 1999, 6-7쪽.
4. 이수열, 위의 책, 21쪽 이하.

전통 문화를 이어받아, 민족 문화를 창달하는[제9조], 국군을 외국에 보내거나 외국 군대를 대한민국 영역 안에 머무르게[제60조②], 모든 권력은 국민에게서 나온다[제1조②], 모든 국민에게 사람다운 생활을 할 권리가 있다[제34조①], 국가는 재해를 예방하고 국민이 위험에 빠지지 않도록 보호하여야 한다[제34조⑥], 국회는 국민이 보통·평등·직접·비밀선거로 선출한 국회의원으로 구성한다[제41조①], 헌법이나 법률[제49조], 대통령이 될 수 있는 자는[제67조④], 모든 국민에게 존엄한 인간 가치와 행복을 추구할 권리가 있다[제10조], 모든 국민에게 직업을 선택할 자유가 있다[제15조], 평화 통일[전문], 재정을 부담하게[제60조①], … 불리하게 처우하지[제13조③], 국가원로협의회의[제90조], 민주평화통일대책회의[제92조], 국민경제연구회[제93조], 기회를 남보다 앞서 준다[제32조⑥].

그런데 문제는 법조문에만 있는 것은 아니다. 법을 해석하고 적용하는 검사나 판사가 너무 긴 문장을 사용하여 읽는 이로 하여금 그 의미를 제대로 파악하지 못하게 하기도 한다. 다음은 어느 일간 신문에 보도된 기사의 일부이다.[5]

민사소송 판결문의 한 문장에 들어가는 글자 수는 과연 얼마나 될까. 15일 대법원 사법사편찬위원회가 펴낸 '역사속의 사법부'에 따르면 대법원 판례집에 실린 부동산 소유권 이전 등기 청구소송 판결문을 1948년부터 94년까지 분석해 볼 때 한 문장에 들어간 글자 수가 평균 394.1자였다. 한 문장 안에는 글자가 50자가량 들어갈 때 가장 읽기 편하다. 판결문에는 평균 14.9개의 문장이 중첩됐다. 특히 한 민사소송 판결문은 한 문장이 2500자를 넘었다.

국어학자들은 한 문장이 100자를 넘으면 이해하기 어려워지고 1000

5. 국민일보, 헉! 판결문 한 문장이 '2500자'… 평균 394자, 문장도 중첩, 2010년 1월 15일자 기사.

자가 넘어가면 전문가 해독이 필요하다고 한다.[6] 문장이 너무 길고 복잡하면 읽는 사람이 그 뜻을 쉽게 파악하기 어려울 뿐만 아니라 결국 법은 너무 난해하고 현실에서 동떨어진 것으로 생각하게 만든다. 반면에 이해하기 어려운 한문 표현이나 번역투의 문체가 권위를 세워준다는 잘못된 생각을 가졌던 법률가와 공무원들이 있었던 것도 사실이다.

그나마 다행스러운 것은 최근 법제처가 법률안의 한글 전용을 추진하고 민사·형사법을 제외한 모든 법률의 한자를 한글로 바꾸는 내용의 일괄 입법으로서 「법률한글화를 위한 특별조치법안」을 만드는 등의 노력을 하고, 법률의 내용을 바꾸지 않는 범위에서 어려운 한자어, 일본어투 용어나 표현, 지나치게 줄여 쓴 용어 등을 쉬운 우리말로 바꾸고, 복잡하고 어문규정에 어긋나는 법령문을 개선하고자 노력하고 있다는 점이다.[7]

Ⅱ 올바른 글쓰기

흔히들 "판사는 판결로 말한다"고 한다. 이 말에는 여러 가지 뜻이 담겨져 있겠지만, 판결문이 문법에 맞지 않고 어려운 한자말과 번역투의 장황한 문장이어서 그 의미를 헤아리기 어렵다면 국민들은 그 판결에 수긍하기 어려울 것이다. 법학을 공부하는 법학도들 역시 올바른 글쓰기를 할 수 있어야 한다. 미국의 로스쿨들은 법대 1학년생들이 필수과목으로서 '법문서작성legal writing'이라는 과목을 이수하도록 하고 있다. 로스쿨 학생이 글을 제대로 쓰지 못한다면 훌륭한 법조인이 될 수 없음은 자명하다.

---

6. 조선일보, 숨넘어가는 판결문, 2010년 1월 15일자 기사. 이 기사에 의하면 "2005년 국정원 비자금과 관련한 '안풍(安風)사건'의 대법원 판결문에선 한 문장이 A4 4장분 2794자였다. 1990년 검찰의 사노맹사건 공소장에서 한 문장은 타이프용지 150장분이었다. 전두환·노태우 전 대통령 공소장도 6700글자의 한 문장이었다"고 한다.
7. 법제처, 알기쉬운 법령 정비기준(제3판), 2009 참조.

법조인들을 비롯하여 법학을 공부하는 사람에게 있어서 글쓰기는 매우 중요하다. 그럼에도 우리의 법학교육은 글쓰기를 제대로 가르치지 않았다. 올바른 말과 글쓰기는 비단 법학을 공부하는 사람에게만 해당되는 것은 아니다. 인간이 다른 사람과 사회생활을 통해 다양한 관계를 맺고 살다보면 당연히 자신의 생각을 다른 사람에게 전달하는 상호작용의 과정이 필수적이다. 그런데 인간이 서로의 생각과 정보를 교류하는데 있어서 가장 중요한 도구는 당연히 말과 글이다. 물론 말과 글 이외에도 영상과 같은 다른 수단이 있지만 우리의 삶에서 가장 중요한 역할을 담당하는 의사소통의 수단은 역시 말과 글이다. 중・고등학교에서 이미 글쓰기와 말하기에 대해 공부한 적이 있는 학생들 중에는 법학을 공부하는데 굳이 글쓰기나 말하기를 공부할 필요가 없다고 생각하는 이들이 있다. 그러나 정작 그렇게 생각하는 사람들 중에는 자신의 생각이나 의견을 말이나 글로써 정확하게 표현할 수 없는 사람도 있을 것이다. 법조인들이 자신의 생각이나 주장을 제대로 말하거나 글로써 표현하지 못한다면 과연 제대로 된 법률가라고 할 수 있을까?

그렇다면 올바른 글쓰기는 어떻게 할 것인가? 글쓰기의 목적에서 생각한다면 당연히 정확한 의사소통이 가능하도록 글을 써야 할 것이다. 그렇다면 정확한 의사소통이 가능하다는 것은 무엇을 의미하는가? 첫째, 바른 문장을 쓸 수 있어야 한다. 이는 다시 말해서 글을 쓸 때 지켜야 하는 규칙 즉, 문법과 논리에 맞아야 한다는 것이다. 흔히 문법이라고 하면 대단히 어렵고 복잡한 규칙의 체계로 생각하기 쉬운데, '정확한 문장'을 쓰는 데에 필요한 문법은 우리나라 사람이라면 누구나 조금만 신경을 써도 알 수 있는 '직관'정도의 규칙 체계이다.[8] 둘째, 앞에서도 보았듯이, 어려운 한자말이나 외래어투의 말을 쓰지 말아야 한다. 셋째,

---

8. 김정대 외, 글을 쓰는 기술, 경남대학교 출판부, 2009, 108쪽. 한편 우리가 가장 흔하게 접할 수 있는 '잘못된 문장'의 대부분은 호응이 잘못된 경우이다. 평소에 문장을 써 본 사람과 그렇지 않은 사람의 문장력 차이는 일단 이 호응관계의 처리에서 두드러지게 나타난다. 김정대 외, 위의 책, 109쪽.

전달하고자 하는 생각이 간결하고 명확하게 나타나야 한다.

그런데 글쓰기를 잘하기 위해서는 무엇보다 글을 많이 써보는 연습을 하여야 한다. 이를 위해서는 좋은 문장을 받아 써보는 것도 필요하다. 아울러 자신이 쓴 글을 남에게 보여주고 자신의 생각이 제대로 표현되었는지를 점검하는 것도 필요하다고 할 것이다.

찾아보기